生成AIを取り巻く
背景と支える技術、
きちんと理解できていますか?

IT の仕事に就いたら「最低限」知っておきたい 生成AIの常識

LLM、
マルチモーダル、
生成AI規制など
基本キーワード
から読み解く!

南 龍太 著

ソシム

はじめに

2023年はかつてないほどAIに注目が集まった1年でした。年が明けた今、2024年も引き続きその勢いは続いています。そのブームの火付け役であるChatGPTのリリースから1年余りの間、実に様々なAI関連製品やサービスの登場と、さらなる技術革新がありました。従来のAIと違い、簡単な指示で整った長い文章を作ってくれたり、不出来な自分の文章を直してくれたり、長文を要約してくれたりと、その活躍ぶりは枚挙に暇がありません。読者の方々も多かれ少なかれその便利さを実感されているのではないでしょうか。

ChatGPTの登場後、生成AIに関する多くの関連書や報告書が国内外で発表され、その革新性は日増しに広く世に知られるところとなりました。プロンプトの新たな妙手など、日々様々な改善や提案が記事、ブログ、論文で紹介されては使い勝手が向上し、開発者側も即応して機能強化を図り、日進月歩で改良が積み重なっています。一方で、「ハルシネーション」(幻覚)に代表される誤った回答、差別的な表現、著作権の取り扱いなど解決すべき課題も徐々に明らかとなってきました。

そうした中、「ChatGPTの解説書」のような書籍は既に多くあります。一方で、生成AIをビジネスに活かす上で必要になる、生成AIを取り巻く背景、生成AIを支える技術、生成AIの活用やリスク・規制などを包括した書籍はあまり目にしません。そのため本書では、AI、特に生成AIの要素技術や応用サービス、活用事例や法規制などを概説しました。項目ごとに左側にテキスト、右側に図解といった体裁を取り、イラストや写真を交えて、「視覚的なわかりやすさ」を重視して執筆いたしました。

全7章のうち、1章はOpenAIをはじめとする生成AIの主なプレイヤーを俯瞰し、テキストや画像、音楽などのコンテンツごとにまとめました。2章はそうしたAIが発展してきた歴史を、年表やグラフを交えて紹介しています。揺籃期から繰り返したAIのブームと冬の時代に起こった変化のサイクルを、時々のブレークスルーとともに解説しています。そうした歴史を語る上で欠かせない機械学習の要素技術を３章では紹介しています。特に、生成 AI に関係の深い技術については４章で解説しました。５章は生成 AI を使って盛り上がる市場、企業を業界別にまとめています。日本国内を中心に、生成 AI を開発する企業、生成 AI を使って自社サービスを磨き上げる企業、そうした恩恵を受けるべく現場の社員らが活用している状況などを俯瞰しています。６章では、そうした生成 AI の懸念点を挙げました。生成 AI の進歩に各国・地域の法制が追い付いていない現状、整備を急ぐ欧州や中国、米国を中心に論じています。規制一辺倒ではなく、生成 AI による社会の発展、経済成長といった推進と両輪での法整備が課題となります。最後の７章は、私たちが弁える倫理観、リテラシーを踏まえ、AI がもたらす社会を展望しています。先にあるかもしれない「シンギュラリティ―」の未来が、ユートピアなのかディストピなのか、といった未来を考えます。

上述の通り、本書には図解を数多く掲載しています。執筆の期間にも画像生成をめぐる ChatGPT などのマルチモーダル化が加速し、図版作成の効率を上げてくれました。執筆当初にはなかった機能が次々に生成 AI に実装され、技術進歩のスピードを実感した次第です。執筆に際してはソシムの編集者、中村理さんとこまめに相談しながら進めてきました。的確な助言により伴走していただけたこと、あらためて感謝申し上げます。

なお、本書は主に 2023 年 12 月末時点の内容に準拠しております。AI の分野は変化が速く、記載内容は既に現状にそぐわなくなっている可能性があります。そうした点をお含みおきの上、皆様の生活やビジネスの一助になれば、著者として望外の喜びです。

2024 年２月　南龍太

ITの仕事に就いたら最低限知っておきたい　生成 AI の常識　目次

はじめに ………… 2
目次 ………… 4

Ⅰ章 生成AIとは何か ………… 11

生成 AI プレイヤーカオスマップ ………… 12
Ⅰ-01 生成 AI とは何ですか ………… 14
Keyword ◎基盤モデル
Ⅰ-02 生成 AI にはどのような種類がありますか ………… 16
Keyword ◎マルチモーダル AI
Ⅰ-03 生成 AI の市場にはどのようなプレイヤーがいますか ………… 18
Keyword ◎ GAFAM、BATH、MATANA、FAANG
Ⅰ-04 テキストを生成する主な AI を教えてください ………… 20
Keyword ◎ Hugging Face
Ⅰ-05 GPT、LaMDA、PaLM とは何ですか ………… 22
Keyword ◎ LaMDA、PaLM2
Ⅰ-06 画像や動画を生成する主な AI を教えてください ………… 24
Keyword ◎ BMI
Ⅰ-07 音声・音楽を生成する主な AI を教えてください ………… 26
Keyword ◎ AI アナウンサー
Ⅰ-08 スライドを生成する主な AI を教えてください ………… 28
Keyword ◎ Canva
Ⅰ-09 プログラムを生成する主な AI を教えてください ………… 30
Keyword ◎ Open Interpreter
Ⅰ-10 3D モデルを生成する主な AI を教えてください ………… 32
Keyword ◎メタバース
Ⅰ-11 機械翻訳はどのように進化してきましたか ………… 34
Keyword ◎ RbMT、EvMT
Ⅰ-12 生成 AI で、半導体はどのような役割を果たしますか ………… 36
Keyword ◎フロップス
Ⅰ-13 日本における生成 AI の開発はどのような状況ですか ………… 38
Keyword ◎日本の AI 研究の歴史
Ⅰ-14 ChatGPT の新機能を教えてください ………… 40
Keyword ◎ノーコード、ローコード

Ⅱ 章 生成AIの歴史 …… 43

AIブームと冬の時代 …… 44
Ⅱ-01 AIはいつ、どこで生まれましたか …… 46
Keyword ◎チューリングテスト
Ⅱ-02 最初のAIブームのきっかけは何でしたか …… 48
Keyword ◎探索木とトイプロブレム
Ⅱ-03 第2次AIブームはどのように始まりましたか …… 50
Keyword ◎人工無能
Ⅱ-04 第3次ブームは終わったのでしょうか …… 52
Keyword ◎ Watson

Ⅲ 章 機械学習の要素技術 …… 55

機械学習関連ワード相関図 …… 56
Ⅲ-01 機械学習とは何ですか …… 58
Keyword ◎アルゴリズム
Ⅲ-02 ニューラルネットワークとは何ですか …… 60
Keyword ◎重みとバイアス
Ⅲ-03 パーセプトロンとは何ですか …… 62
Keyword ◎誤差逆伝播法（バックプロパゲーション）
Ⅲ-04 深層学習とは何ですか …… 64
Keyword ◎生体ネットワーク
Ⅲ-05 教師あり学習とは何ですか …… 66
Keyword ◎アノテーション
Ⅲ-06 教師なし学習とは何ですか …… 68
Keyword ◎次元削減
Ⅲ-07 半教師あり学習とは何ですか …… 70
Keyword ◎自己訓練、共訓練
Ⅲ-08 自己教師あり学習とは何ですか …… 72
Keyword ◎自己予測学習、コントラスト学習
Ⅲ-09 強化学習とは何ですか …… 74
Keyword ◎学習
Ⅲ-10 深層強化学習とは何ですか …… 76
Keyword ◎逆強化学習、転移学習
Ⅲ-11 特徴量とは何ですか …… 78
Keyword ◎特徴量抽出　特徴量表現　特徴量マップ
Ⅲ-12 パターン認識とは何ですか …… 80
Keyword ◎生体認証（バイオメトリクス）
Ⅲ-13 自然言語処理とは何ですか …… 82
Keyword ◎機械可読目録（MARC）

Ⅲ-14 コーパスとは何ですか ………… 84
Keyword ◎パラレルコーパス
Ⅲ-15 クラスタリングとは何ですか ………… 86
Keyword ◎ k-means 法
Ⅲ-16 AI の学習で使われるデータには、どのような種類がありますか ………… 88
Keyword ◎過学習
Ⅲ-17 活性化関数とは何ですか ………… 90
Keyword ◎ニューロンの発火
Ⅲ-18 線形回帰とは何ですか ………… 92
Keyword ◎ロジスティック回帰（分析）
Ⅲ-19 CNN とは何ですか ………… 94
Keyword ◎プーリング
Ⅲ-20 RNN とは何ですか ………… 96
Keyword ◎時系列データ
Ⅲ-21 パラメータ、ハイパーパラメータとは何ですか ………… 98
Keyword ◎エポック（数）と学習率
Ⅲ-22 トークンとは何ですか ………… 100
Keyword ◎句読点トークン化とカスタムトークン化
Ⅲ-23 データマイニングとは何ですか ………… 102
Keyword ◎テキストマイニング
Ⅲ-24 主成分分析とは何ですか ………… 104
Keyword ◎因子分析
Ⅲ-25 感情分析とは何ですか ………… 106
Keyword ◎センチメントスコア
Ⅲ-26 ネガポジ判定とは何ですか ………… 108
Keyword ◎ワードクラウド
Ⅲ-27 構造化データとは何ですか ………… 110
Keyword ◎データレイク

Ⅳ章 生成AIの要素技術 ………… 113

生成 AI 関連ワード相関図 ………… 114
Ⅳ-01 生成モデルとは何ですか ………… 116
Keyword ◎深層生成モデル
Ⅳ-02 エンコーダ・デコーダネットワークとは何ですか ………… 118
Keyword ◎セマンティックセグメンテーション
Ⅳ-03 オートエンコーダとは何ですか ………… 120
Keyword ◎積層オートエンコーダ
Ⅳ-04 VAE とは何ですか ………… 122
Keyword ◎潜在変数とガウス分布
Ⅳ-05 GAN とは何ですか ………… 124
Keyword ◎ディスクリミネータと損失関数

Ⅳ-06 言語モデルとは何ですか …… 126
Keyword ◎確率モデル
Ⅳ-07 大規模言語モデルにはどのような種類がありますか …… 128
Keyword ◎パラメータ数
Ⅳ-08 Transformerとは何ですか …… 130
Keyword ◎アテンション機構
Ⅳ-09 BERTとは何ですか …… 132
Keyword ◎ GLUE
Ⅳ-10 プロンプトエンジニアリングとは何ですか …… 134
Keyword ◎プロンプトエンジニアリングガイド
Ⅳ-11 自己回帰モデルとは何ですか …… 136
Keyword ◎ベクトル自己回帰モデル
Ⅳ-12 ファインチューニングとは何ですか …… 138
Keyword ◎コモンクロール
Ⅳ-13 K-ショット学習とは何ですか …… 140
Keyword ◎メタ学習
Ⅳ-14 モデル圧縮の有効な手法を教えてください …… 142
Keyword ◎スパース性
Ⅳ-15 グロッキングとは何ですか …… 144
Keyword ◎表現学習
Ⅳ-16 自然言語処理のスケーリング則について教えてください …… 146
Keyword ◎小規模言語モデル

Ⅴ章 生成AIの活用 …… 149

生成AIの利活用パターン …… 150
Ⅴ-01 企業はどのような形で、生成AIに取り組んでいますか …… 152
Keyword ◎ API
Ⅴ-02 金融の分野で、生成AIはどのように使われていますか …… 154
Keyword ◎ロボットアドバイザー
Ⅴ-03 医療の分野で、生成AIはどのように使われていますか …… 156
Keyword ◎電子カルテ
Ⅴ-04 教育の分野で、生成AIはどのように使われていますか …… 158
Keyword ◎教育にまつわる生成AIの使用ガイドライン
Ⅴ-05 メディア・広告の分野で、生成AIはどのように使われていますか …… 160
Keyword ◎ AIタレント
Ⅴ-06 物流の分野で、生成AIはどのように使われていますか …… 162
Keyword ◎物流の2024年問題
Ⅴ-07 建設の分野で、生成AIはどのように使われていますか …… 164
Keyword ◎ RAG
Ⅴ-08 行政の分野で、生成AIはどのように使われていますか …… 166
Keyword ◎デジタル庁

Ⅴ-09 製造の分野で、生成 AI はどのように使われていますか①……168
Keyword ◎プロトタイピング
Ⅴ-10 製造の分野で、生成 AI はどのように使われていますか②……170
Keyword ◎マテリアルズ・インフォマティクス
Ⅴ-11 小売・フードサービスの分野で、生成 AI はどのように使われていますか 172
Keyword ◎配膳ロボット
Ⅴ-12 情報通信の分野で、生成 AI はどのように使われていますか……174
Keyword ◎オンデバイス AI
Ⅴ-13 コンテンツの分野で、生成 AI はどのように使われていますか……176
Keyword ◎ディープフェイクボイス
Ⅴ-14 旅行・観光の分野で、生成 AI はどのように使われていますか……178
Keyword ◎ OTA
Ⅴ-15 法律の分野で、生成 AI はどのように使われていますか……180
Keyword ◎リーガルテック

Ⅵ章 生成AIのリスクと対策……183

生成 AI のトラブルと規制……184
Ⅵ-01 生成 AI には、どのようなリスクがありますか……186
Keyword ◎ハルシネーションとジェイルブレイク
Ⅵ-02 生成 AI の普及に伴い、トラブルは増えていますか……188
Keyword ◎ GDPR
Ⅵ-03 生成 AI に対して、各国にはどのような規制がありますか……190
Keyword ◎ EU の AI 法
Ⅵ-04 日本国内の生成 AI の規制はどうなっていますか……192
Keyword ◎ AI 戦略会議
Ⅵ-05 責任ある AI、人間中心の AI とは何ですか……194
Keyword ◎責任ある AI と人間中心の AI の関係
Ⅵ-06 説明可能な AI とは何ですか……196
Keyword ◎ブラックボックス問題
Ⅵ-07 汎用人工知能とはどのような概念ですか……198
Keyword ◎強い AI と弱い AI

Ⅶ章 生成AIの未来……201

生成 AI の次世代ワード関連図……202
Ⅶ-01 シンギュラリティは本当に、到来するのでしょうか……204
Keyword ◎ AI 効果 (AI Effect)
Ⅶ-02 生成 AI は将来的に、人の仕事を奪うのですか……206
Keyword ◎不気味の谷

Ⅶ- 03 AI関連のキーパーソンを教えてください ……… 208
Keyword ◎ OpenAIの内紛
Ⅶ- 04 今後、どのようなAIが登場すると考えられていますか ……… 210
Keyword ◎ AIの民主化
Ⅶ- 05 自律型AIが実現するのは、ユートピアですか ……… 212
Keyword ◎未来学
Ⅶ- 06 生成AIの台頭で新しく生まれる仕事はありますか ……… 214
Keyword ◎真贋の鑑定・検知技術

索引 ……… 216

Ⅰ 章

生成 AI とは何か

Ⅰ-01　生成 AI とは何ですか

Ⅰ-02　生成 AI にはどのような種類がありますか

Ⅰ-03　生成 AI の市場にはどのようなプレイヤーがいますか

ほか、14 項目

生成AIプレイヤーカオス

マルチモーダル
- Microsoft & Open AI
- Google
- Amazon
- Meta
- Apple
- xAI

対話型
- Anthropic
- AI21Labs
- Perplexity AI
- Cohere
- Inflection AI
- Character AI
- Palantir Technologies
- NAVER

プラットフォーム・開発
- ScaleAI
- Debuild
- Deepset
- Oracle

RPA
- Adept

セールス
- Salesforce
- Slack
- regie.ai

文章生成
- Wordtune
- Rytr
- Notion.AI
- Assembly

音声認識
- Otter.ai
- Speechify

マーケティング
- Jasper
- copy.ai
- Writer
- anyword

カスタマーサクセス
- Cresta

機械翻訳
- DeepL

音声合成
- WELLSAID
- CoeFont
- podcast.ai

- IBM

中国系
- Baidu
- Alibaba
- Tencent
- Huawei

コーディング
- GitHub
- Replit
- Tabnine

学習ハブ
- Hugging Face
- Replicate

GPU・NPU
- NVIDIA
- Intel
- AMD
- Arm
- Samsung
- TSMC

動画生成
- Runway
- Fliki
- Pictory

音楽生成
- Soundraw
- Amadeus Code

画像生成
- Stability AI
- Midjourney
- canva
- Lightricks
- Craiyon
- playground
- Adobe
- Getty Images

スライド生成
- Canva
- tome
- Gamma
- beautiful AI
- Magic Slides
- SlidesAI

3D モデル・ゲーム
- Unity
- Epic Games
- AI Dungeon

音声画像化
- WZRD

生成AIとは何ですか

指示に基づき、文章や画像や音声を生み出します

生成 AI とは、生成モデルが学習したデータに基づいてテキストやプログラムのコード、画像や映像といった幅広いコンテンツを作り出す技術です。生成モデルは、従来の AI が得意としてきた画像や音声を選り分ける識別モデルと異なる、比較的新しい領域です。例えば、テキスト生成モデルが膨大なテキストデータを学習した大規模言語モデル（LLM）に基づいて生成しているように、生成モデルには「基盤モデル（FM）」が必要となります。

基盤モデルは、しばしば自己教師あり学習が施され、既存の記事や論文、画像やイラストなど、多種多様なデータを学習します。そして、生成モデルは用途に応じて基盤モデルに必要最小限のデータで微調整（ファインチューニング）して構築され、頻出パターンや因果関係を学習してコンテンツを生成します。例えば、「夏は」の後に入る単語の傾向から「暑い」といった単語が出現する確率を割り出したり、画像に写る耳や鼻の特徴からネコである確率を判断したりすることにより出力に反映しています。

Key word

基盤モデル

基盤モデルとは、様々なタスクに対応可能な汎用性の高い生成 AI のモデルである。基盤モデルはテキストだけでなく、画像や動画、音声など複数のデータタイプを扱える。異なるタイプのデータを統合し、言語処理や視覚的理解、コード生成など複数のモダリティにまたがるタスクを処理できる。後述する Transformer をはじめ、その系譜を引く BERT や今日の多機能型生成 AI の多くは基盤モデルに拠って立つ。主に記事や論文といったテキストから学習する言語モデルと違い、基盤モデルは画像や音声など幅広い学習データに基づいて回答を生成する。

生成AIと識別AI

生成モデルには基盤モデルが必要になる

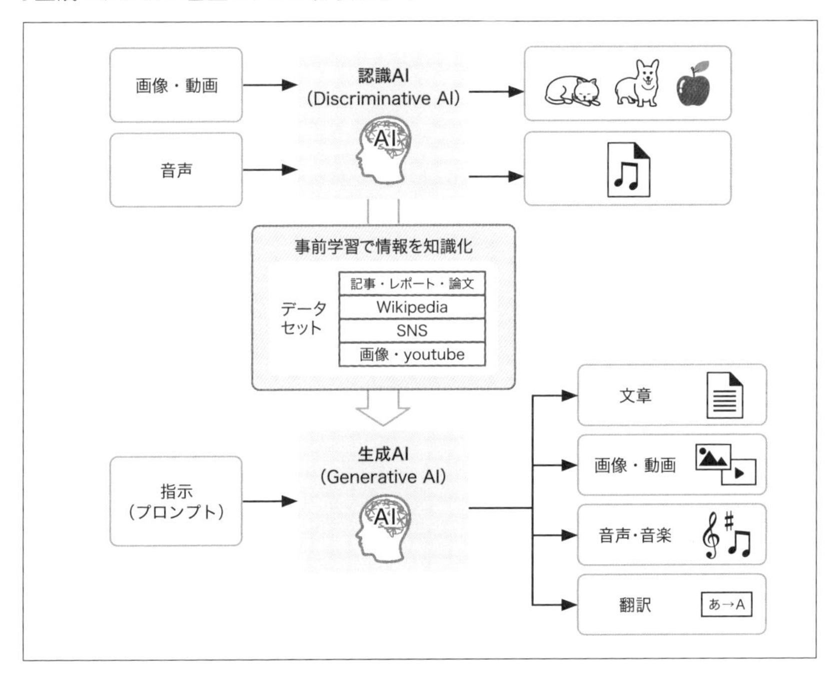

生成モデル・基盤モデルの学習の流れ

事前学習用データセットと再学習用データセットが必要になる

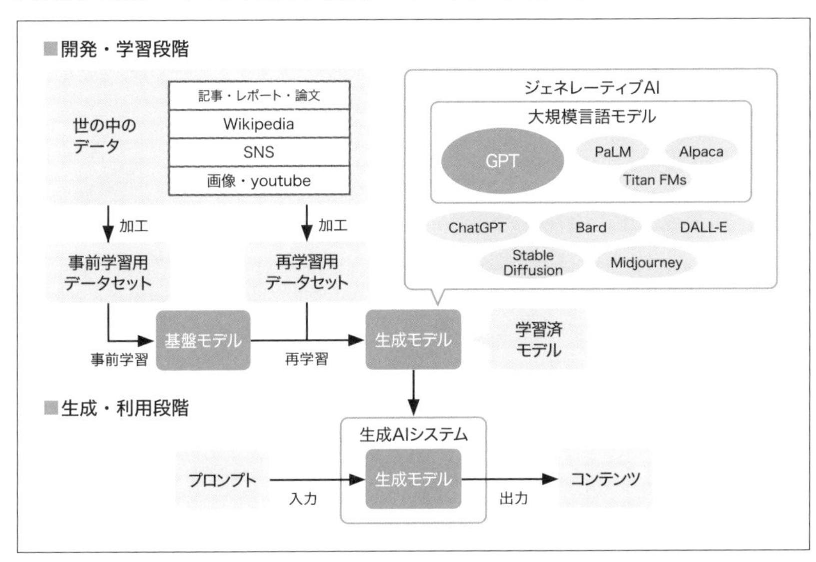

生成AIにはどのような種類がありますか

テキストや画像、音声やコードなどを生成します

ChatGPTは、出力したいコンテンツを文章で指定して出力する「テキスト生成AI」です。チャット形式でスムーズなやり取りが可能なため、「対話型AI」とも呼ばれます。同様の対話型AIに、グーグルが公開した「Gemini」があります。テキスト生成AIブームが起こる直前には、「画像生成AI元年」と呼ばれるほど、MidjourneyやStable Diffusionなど、多くの画像生成AIが登場しました。さらに、音声や音楽の生成AIもあり、日進月歩で性能が向上しています。

生成AIへの入力は、テキストだけでなく、画像や音声など、使われるプロンプト（指示）の種類は多様化しています。複数種類の入力情報に対応可能なAIは「マルチモーダルAI」と呼ばれます。「入力→出力」が「テキスト→テキスト」はt2t（text to text）、「画像→テキスト」はi2t（image to text）、「テキスト→動画」はt2v（text to video）、「テキスト→音声」はt2s（text to speech）などと表現されます。なお、特定の個人とそっくりな声や画像や動画を作成できる技術は、大変便利な反面、悪用されるリスクもあるため、各社は慎重に開発を進めています。

Key word

マルチモーダルAI

「モーダル」とは「特定の状態、様式、モードの」という意味であり、「マルチモーダルAI」は、複数種類の形式の入力によってコンテンツの出力が可能である。マルチモーダルAIは、入力形式が1種類の「シングルモーダルAI」に比べて高精度で、複雑な問題の解決や高品質なコンテンツの生成に適している。例えば、映像解析において、映像内の人間同士が争っているかは、映像のみを解析するシングルモーダルAIでは判別が難しいが、映像と音声を解析するマルチモーダルAIでは判別可能性が高い。これは、人間が五感を駆使して状況を判断するのと同様だ

主な生成AIの種類

識別AI、予測AI、実行AIに対し、生成AIは新たなコンテンツを生み出す

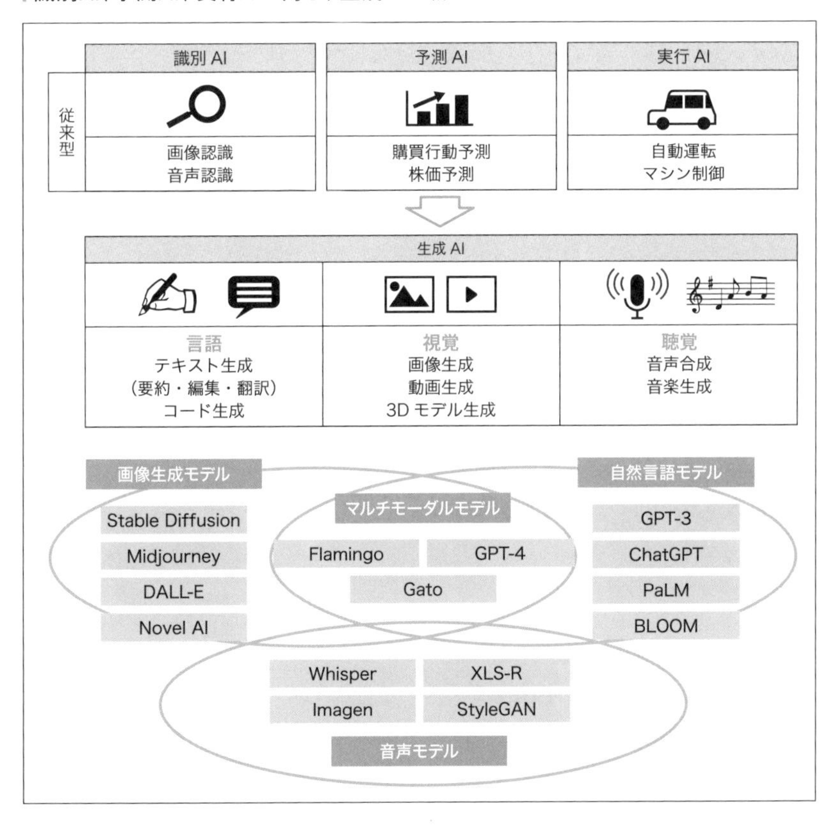

シングルモーダルAIとマルチモーダルAI

複数種類の入力情報に対応可能なAI

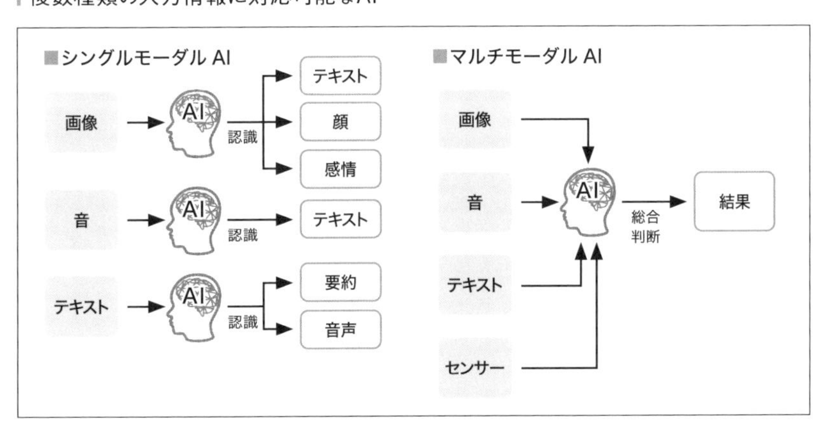

生成AIの市場にはどのようなプレイヤーがいますか

GAFAMをはじめ米国を中心に群雄割拠の状態です

画像生成AI、テキスト生成AIのいずれにおいても、ブームの発信源である米国企業が主役となっています。最も注目されているのはGAFAMであり、IBMやアドビも独自のAIサービスを提供しています。また、シリコンバレー発の新興企業が相次いで巨額資金を調達しているほか、AI半導体(GPU)メーカーのNVIDIAにも注目が集まっています。米国以外では、StabilityAI（画像生成）やDeepL（機械翻訳）、AI21 Labs（テキスト生成）、Canva（画像生成）といったAIのキープレーヤーが、欧州やイスラエル、オーストラリアなどにも点在しています。提携の動きも加速し、一部の企業はChatGPTと自社サービスを組み合せて提供しています。

一方、中国では、欧米とは一線を画し、バイドゥやアリババなどのIT企業が独自の大規模言語モデル、生成AIの開発を進めています。その背景には、ChatGPTなど欧米製の生成AIの出力には中国の共産党政権にとって不都合な情報が含まれることがあります。現在中国では、ChatGPTなどの使用が制限・禁止されています。

Key word

GAFAM、BATH、MATANA、FAANG

GAFAは、米国の巨大IT4社、グーグル、アップル、フェイスブック（現メタ）、アマゾン・ドット・コムのアルファベットの頭文字を取った略語であり、それにマイクロソフトを加えたGAFAMが、世界のITトレンドを左右する。昨今は、NVIDIAやテスラを加えて組み替えたMATANA（マタナ）や、GAFA＋ネットフリックスのFAANGもよく目にする。そうしたビッグテックの中国版と言われるのが、中国を代表する巨大ITテックのバイドゥ、アリババ、テンセントの3社を呼称するBAT、これにファーウェイを加えたBATHである。

米国ビッグテックなどの主要なAIサービス

テキスト、画像、動画、音声・音楽などを生成する

企業	基盤モデル	テキスト生成	画像生成	動画生成	音声・音楽生成	スライド生成	コード生成	3Dモデル生成	翻訳
OpenAI	GPT	ChatGPT	DALL-E		Whisper/Jukebox		Code Interpreter	Point-E	ChatGPT
マイクロソフト	GPT	Bing AI	Bing Image Cretator		Valle-e/(Suno)		Copilot	Rodin	Microsoft Translator
グーグル	Gemini	Gemini	Imagen	Lumiere／VideoPoet	Chirp/MusicLM	Google Slide		Duet AI for Developers	Google Translate
メタ(旧フェイスブック)	Meta AI	Llama	Imagine	Make-A-Video	Voicebox/Audiocraft		Code Llama	Make-A-Video3D	NLLB-200
アマゾン	Amazon Titan	Amazon Titan text	Amazon Ad Console		Amazon Polly		Amazon Code Whisperer		
NVIDIA	NVIDIA NeMo	NeMo LLM	eDiffi	Video Latent Diffusion Model (VideoLDM)	NVIDIA* Riva			Magic3D/NVIDIA GET3D	
IBM	IBM watson/基盤モデル「granite」	IBM AI Commentary					Watsonx Code Assitant		IBM Watson Language Translator
アップル		Ferret			Live Speech/AI Music			Object Capture	
Stability AI	Stable Diffusion XL	StableLM	Stable Diffusion	Stable Video Diffusion	Stable Audio		Stable Code	Stable Zero	
アドビ	Adobe Sensei GenAI		Adobe Firefly		Project Sound Lift			Substance 3D Sampler	

テキストを生成する主なAIを教えてください

ChatGPTやGeminiのほか、新興勢力が勃興しています

最も有名なテキスト生成AIは、OpenAIが提供するChatGPTです。同社は画像生成AIやコード生成AIも提供するなど急成長を続けています。ChatGPTの躍進に危機感を強めたのがITの巨人、グーグルです。ChatGPTの台頭を受け、サンダー・ピチャイCEO（最高経営責任者）が社内にコードレッド（緊急事態）を宣言し、テキスト生成AIの「Bard」を発表し、その後「Gemini」をリリースしました。両社が提供するテキスト生成AIの原動力は、長足の進歩を遂げているLLMです。リリース時のChatGPTに組み込まれていたGPT-3.5は、学習データが2021年までの記事や論文などに限定されていましたが、GPT-4、GPT-4 Turboと順次更新されています。

この2トップに割って入ろうとしている企業が、アマゾンやイーロン・マスク率いるxAIのほか、Anthropic、Inflection AI、Perplexity AI、Cohereなどです。このほか、記事執筆に強みを持つJasper AIやCohesive AI、文章作成支援サービスのNotionやHugging Face、AI21 Labsなどが有名です。

Key word

Hugging Face

Hugging Faceは、自然言語処理モデルや機械学習をサポートするAI関連ツールの共有・利用に特化したプラットフォームを展開するスタートアップ企業である。現在、AI特化型プラットフォーム「Hugging Face Hub」の運営や独自のオープンソースライブラリ開発を手掛ける。ソフトウェア開発のバージョン管理、共有、協力が行えるプラットフォーム「GitHub」を引き合いに、「AI特化型GitHub」とも称される。そうしたハブ機能に加え、デモを実行できるクラウド機能が支持されている。アマゾンとの提携を発表、AWSにおける生成AI開発が加速している。

主なテキスト生成AI
2023年初頭からGAFAMを中心にサービスをリリース

企業	LLM (サービス名)	提供時期	概要
OpenAI	GPT-3.5～ (ChatGPT)	2022年 11月	テキスト生成AIブームの先駆け。プラグインなどにより機能強化。マイクロソフトと提携
マイクロソフト	GPT-4 (Bing AI)	2023年 2月	検索エンジンBingにGPT-4を搭載し、チャット形式で情報収集や問答ができる仕組みを追加
グーグル	LaMDA→ PaLM2→ Bard→Gemini	2023年 3月	ChatGPTの対抗馬と目される対話型AI。2023年12月にLLM「Gemini」を搭載し、マルチモーダル化が加速
メタ	Llama	2023年 2月	無料で商用可能なパラメータ数650億のLLM。2023年7月には同70億～の「Llama 2」発表。Llamaベースの小規模なLLMが続々誕生
アマゾン	Titan Text (Bedrock)	2023年 4月	AWSを通じ、独自のLLMに加え、ClaudeやStable Diffusionといった他社サービスを提供
Anthropic	Claude2	2023年 3月	一度に10万トークンの分量を扱えると話題に。2023年7月「Claude 2」に改良、10月には日本でも利用可能に。アマゾンと提携
Perplexity AI	Perplexity.ai	2022年 12月	検索に強みを持つ対話型AI。出力された情報源の記事タイトルやURLを明示し、ハルシネーションによる事実誤認などを防ぎやすい
Notion	Notion AI	2023年 2月	情報一元管理ツール「Notion」で利用。反応速度や文章執筆に強み
Inflection AI	Inflection 1 (AI・Pi)	2023年 5月	個々人のニーズに応じた対話を目指し、「日記を書く」「落ち着く」など内面的な要望にも対応。Piは「Personal Intelligence」の意

テキスト生成AIの主な用途
業務効率化や新たなアイディアの創出に役立つ

文章生成	メールの返信や会議のアジェンダなど幅広い文章の生成に対応。作文・感想文やテスト問題などビジネス以外での応用、ニュースやブログの記事、広告のキャッチコピー、企業のプレスリリースの作成などに使える
文章校正	文章に誤字脱字などがないかチェックする
文章要約	長文を短く端的にまとめ上げる
意見照会	あるテーマについて壁打ち相手やブレーンストーミングに利用し、思考の整理、言語化に役立てる
意思決定	あるテーマについて賛成・反対の立場からそれぞれ意見を出し合い、論拠とともに優劣を下す
ペルソナ設定	マーケティングにおいて、対象となる商品やサービスを売れる想定顧客層の年齢や性別などを仮想的にこなす

GPT、LaMDA、PaLMとは何ですか

OpenAIやグーグルのLLMで、両社の生成AIの中核です

GPTとは、Transformerをベースにした基盤モデルであり、この基盤モデルをベースに様々な派生モデルが開発されました。ChatGPTには、大規模言語モデルのGPT-3.5が標準搭載されていますが、「3.5」とある通り、最初期のGPT（GPT-1）のリリース後、LLMは段階的にバージョンアップが繰り返され、2023年3月にはGPT-4が発表されました。有料版ChatGPT PLUSにはGPT-4が搭載されています。GPTは性能を示すパラメータ数が、初期GPT-1では約1.2億だったのに対し、GPT-3.5では3550億と文字通り桁違いにアップデートしています。なお、GPT-4のパラメータ数は公開されていませんが、ChatGPTのマルチモーダル化に寄与しています。

一方、追撃するグーグルのBardに使用される大規模言語モデルは、当初「LaMDA」を採用していましたが、コード生成や数学、論理的な思考に優れる「PaLM2」に変更されました。さらに、12月には最新鋭のLLM「Gemini」を搭載し、マルチモーダル仕様のAIサービスである「Gemini Ultra」はGPT-4を上回るとされています。

Key word

LaMDAとPaLM2

LaMDA（ラムダ）は2021年にグーグルが発表した大規模言語モデルであり、主に対話応答に特化している。パラメータ数1,370億、文書と対話両方の1兆5,600億語のテキストコーパスで学習し、自然な会話を生成するために設計され、多様なトピックに柔軟に対応。一方のPaLM2は2022年にグーグルが発表したPaLM（パーム）の改良版である。PaLMのパラメータ数は5,400億とLaMDAより大規模で、より幅広い自然言語処理が可能となり、マルチタスクに適する。2023年に登場したグーグルのBardは当初LaMDAを搭載していたが、途中でPaLM2に切り替わった。

GPTのバージョンアップ
パラメータ数の増加に伴って性能が向上

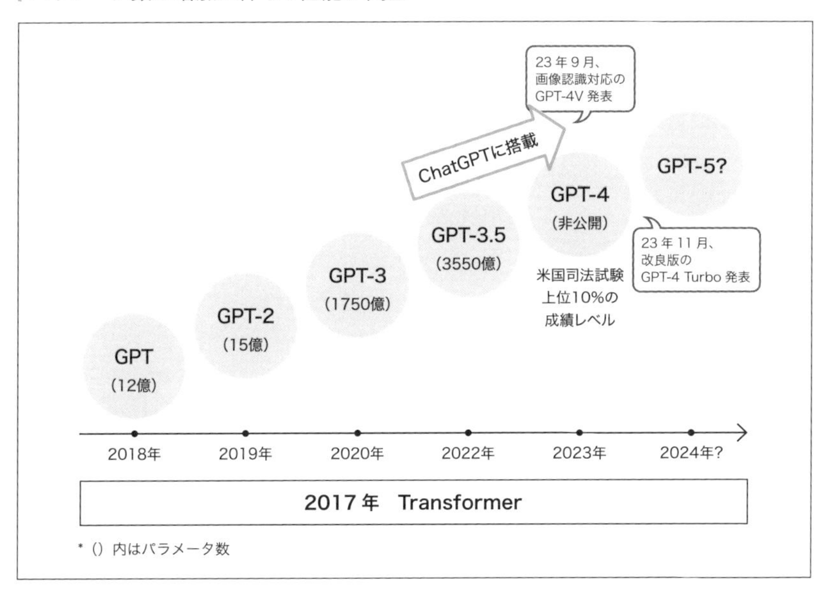

GeminiとGPT-4などの比較
多くの能力において、GeminiはGPT-4を超えている

能力		ベンチマーク／概要	Gemini Ultra	GPT-4など
テキスト	一般	MMLU（Massive Multitask Language Understanding、大規模マルチタスク言語理解）／数学、物理、歴史、法律、医学、倫理など57の科目の総合的な知識と問題解決能力のテスト	90.0	86.4
	推論	DROP／読解力	82.4	80.9
		HellaSwag／常識を問う自然言語推論タスク	87.8	95.3
	数学	MATH／代数学などを含む問題	53.2	52.9
	コード	HumanEval／Pythonのコード生成	74.4	67.0
画像		MMMU／大学レベルの異なるドメインにまとがるマルチモーダルタスクの推論	59.4	56.8
動画		VATEX／英語のキャプションなどのデータセット	62.7	56.0
音声		CoVoST 2／スピーチの自動翻訳	40.1	29.1

2023年12月7日 Google Blog「最大かつ高性能AIモデル、Geminiを発表」をもとに作成。単位は%、数値は発表当時。動画はDeepMind Flamingoとの比較、音声はGemeni ProとWhisper V2との比較など、各項で細かな条件設定あり

画像や動画を生成する主なAIを教えてください

DALL-E、Midjourney、Stable Diffusionなどが有名です

画像生成AIとしては、OpenAIが2021年に「DALL-E（ダリ）」を発表し、その改良版である「DALL-E2」を2022年4月に公開しました。2022年7月にはMidjourneyが同名のサービスを、8月にはStabilityAIが「Stable Diffusion」をそれぞれリリースしています。また、Canvaによる独自の画像生成技術「Text to Image」や、グーグルが開発中の「Imagen」も注目を集めています。

動画生成AIは、メタが手掛ける「Make-A-Video」やNVIDIAの「VideoLDM」、新興のRunwayによる「Gen-2」のほか、OpenAIのSoraが有名です。1枚の対象物の画像をベースに動画を作成するAI（i2v）や、テキストから動画を作り出すAI（t2i）など、生成方法も多様化しています。また、グーグルはImagenの機能を拡張した「Imagen Video」を開発しています。画像と動画の生成AIのベースとなる技術は「拡散モデル」です。観測データにノイズを徐々に加え、その後ノイズを除去していくことでデータを生成する拡散モデルは、2010年代に研究が一気に進みました。

Key word

BMI

BMIとは、脳と機械をつなぎ、脳波や神経信号を読み取り、機械で扱える形に変換する技術であり、BCIとも呼ばれる。BMIは、脳科学・工学の知見や技術を融合して開発された製品やシステム、サービスの総称「ブレインテック」の一部であり、脳波計の小型軽量化や脳波の解析性能の向上により応用分野が拡大した。頭蓋骨に穴を開けて脳にチップを埋めるといった方法が「侵襲型」と呼ばれるのに対し、数十の電極を取り付けたキャップを通じて脳波を読み取る方法は「非侵襲型」と呼ばれる。非侵襲型は身体的ダメージが少なくて済む一方、脳波から解析されるデータの確度が劣る。

主な画像・動画生成AI

text2imageのほか、image2imageのサービスも提供されている

	提供元	サービス名	リリース時期	概要
画像	OpenAI	DALL-E	2021 年 1 月	2023 年 9 月発表の最新版 DALL-E3 は ChatGPT 有料版と連携
	マイクロソフト	Bing Image Creator	2023 年 4 月	DALL-E3 を組み込み
	グーグル	Imagen	2022 年 5 月	2023 年 12 月にテキストから画像を生成する AI モデル「Imagen 2」を Google Cloud のプラットフォーム「Vertex AI」で公開
	Midjourney	Midjourney	2022 年 7 月	芸術性や幻想性を抱かせる画像を出力。Discord を通じて提供
	Sizigi	にじジャーニー	2022 年 11 月	テキストをもとに AI がアニメ調のイラストを生成
	StabilityAI	Stable Diffusion	2022 年 8 月	導入は GitHub 使用
動画	メタ	Make-A-Video	2022 年 9 月	文章や画像、動画から新たな動画を生成
	Runway	Runway Gen	2023 年 2 月	動画をもとに動画を拡張生成する初代の Gen-1 に対し、Gen-2 はテキストや画像から動画を生成可能

メタが提供する動画生成AI「Make-A-Video」の画面

文章から生成できるだけでなく、画像を動画に変換できる

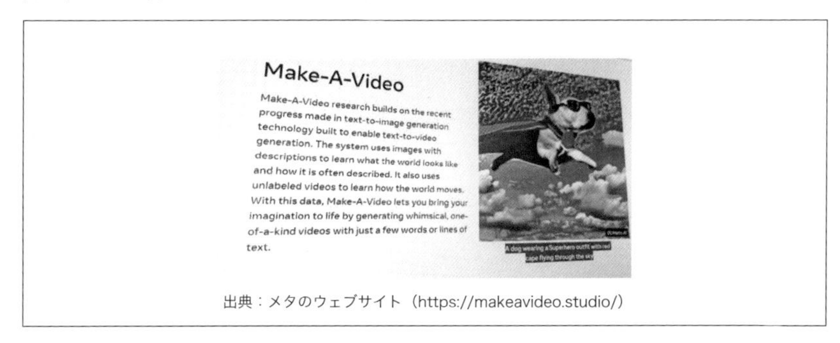

出典：メタのウェブサイト（https://makeavideo.studio/）

大阪大学の脳波による画像生成実験の仕組みのイメージ

脳で想像したものと「同じ意味」の画像を表示

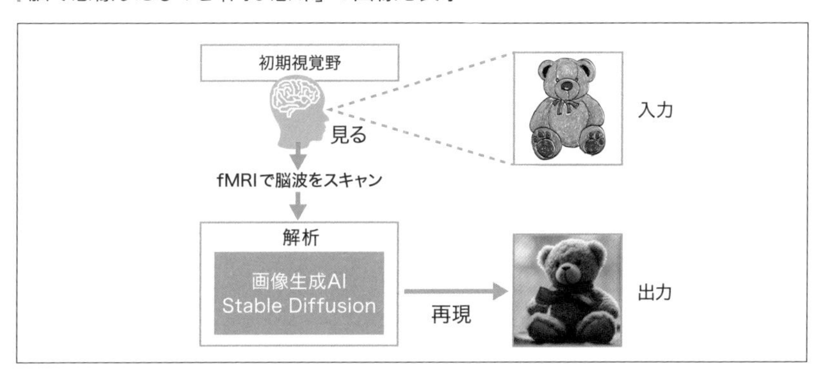

音声・音楽を生成する主なAIを教えてください

VALL-E、Chirp、Voiceboxなどが有名です

音声と音楽とで、AI生成の仕組みや用途は異なります。音声の生成AIでは、マイクロソフトが2023年1月に発表した「VALL-E（バリ）」が有名です。3秒程度の音声データがあれば、抑揚や息遣いなども含めて、当人そっくりに文章を読ませられる生成AIのサービスです。このほか、メタが2023年6月に発表した「Voicebox」、2022年に英国で創業したイレブンラボの音声を生成するt2s（text to speech）の「VoiceLab」が話題です。いずれも、3秒間の音声データがあれば、任意のテキスト読み上げが可能で、煩雑な学習が不要な点も長所です。さらに、グーグルの「Chirp」のように、スピーチをテキストに起こすs2t（speech to text）のAIも注目されています。

一方、音楽生成AIこの分野では日本勢が存在感を放っており、Soundraw や Amadeus Code などがその代表格です。海外勢では、グーグルの「MusicLM」が有名で、希望する曲調のイメージをテキストで入力すると、自動で作曲してくれます。そのほか、アンパー・ミュージックが2010年代から音楽生成サービスを提供しています。

Key word

AIアナウンサー

AIアナウンサーとは、人間の代わりにニュース記事を読み上げるAIである。音声合成技術の発展に伴い、読み方のぎこちなさがほとんど気にならない程度まで性能が高くなっており、NHKをはじめとする放送各局のニュース番組などで実用化されている。中国の国営通信社・新華社通信が2018年に実在するアナウンサーの顔と声を真似て作成したAIアナウンサーを登場させて話題を呼ぶなど、各国でＡＩアナウンサーの活用が進んでいる。文章を読み上げるAIアナウンサーを手軽に利用できるようにしたサービスの提供会社も増えており、AIアナウンサーは急速に普及している。

主な音声・音楽生成AI
3秒間の音声データがあれば、任意のテキスト読み上げが可能

提供元	サービス名	リリース年月	概要
マイクロソフト	VALL-E	2023年1月	3秒学習するだけでその人の声を再現。メタの研究者が開発した音声圧縮技術を利用
グーグル	MusicLM	2023年5月	テキストから音楽生成。13年提供開始の実験ツール「MusicFX」がベース
StabilityAI	Stable Audio	2023年9月	テキストから、音楽と効果音の短いオーディオクリップを生成
サウンドロー	Soundraw	2020年9月	BGMなどを自動作成。有料プランでロイヤリティーフリー

音声生成AIの仕組み（例：Voicebox）
オーディオの編集・サンプリング・スタイリングに活用可能

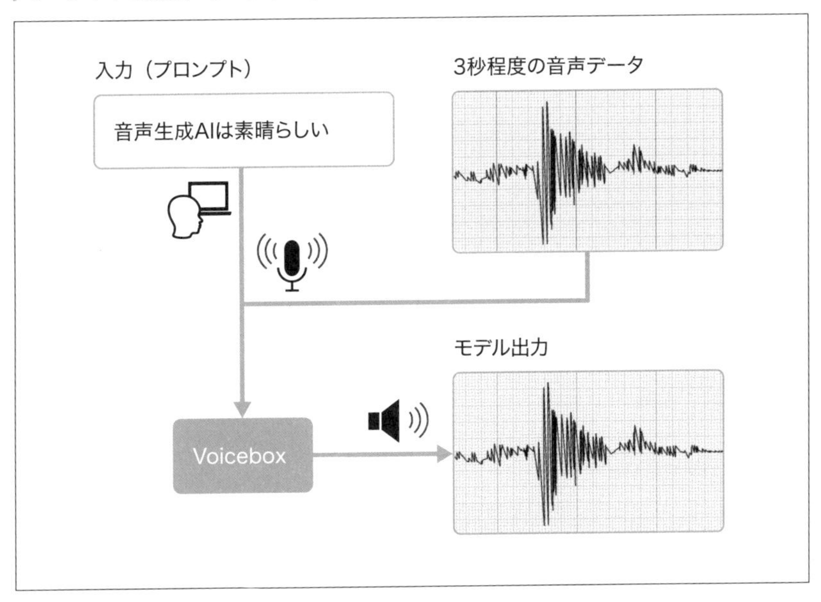

スライドを生成する主なAIを教えてください

マイクロソフトやグーグルのほか、Canvaが有名です

「短時間でデザイン性が高く、内容の濃いプレゼン資料を作りたい」と願うビジネスパーソンの救いとなるのが、スライド生成AIです。粗筋や論点、目次やキーワードを入力するだけで、数十枚のスライドを瞬時に作成できます。先行するマイクロソフトはGPT-4を搭載した「Microsoft365 Copilot」を提供し、グーグルは自社のGoogle Slidesにアドオン機能を組み込み、スライドの自動生成を可能にしています。また、「Google Workspace」向けの「Duet AI」により、スライドの文脈に即した画像も生成できます。

Canvaもまた、スライド作成支援のZeetingsを傘下に収め、スライド生成AIでも存在感を見せています。このほか、テーマや目的に応じて最適な項目やボリュームを提案するtome、簡潔かつスタイリッシュに仕上げるビューティフルAI、YouTubeや企業サイトをそのままスライドにできるインド発のMagic Slidesなどが、それぞれ独自色を打ち出しています。日本では、ルビスの「Elucile」は、「日本語で使いやすいデザインで利便性をアピールしています。

Key word

Canva

Canvaは、2012年に創業したオーストラリアのシドニーを拠点とするITベンチャーであり、オンラインデザインプラットフォームを提供する。創業者の1人メラニー・パーキンスが大学時代、他の学生らのがデザインの実技に苦戦するのを見て、「デザインするのが難しいのはおかしい」と考え、オンラインの卒業アルバムデザインツール「Fusion Books」を立ち上げ、これがCanvaのサービスの原型となった。Canvaでは、豊富なUIとテンプレートを提供し、デザインの専門知識がなくとも簡単に高品質なスライドやSNS、ポスター、ドキュメントなどをデザインできる。

主なスライド生成AIのプレイヤー

PowerPointなど既存のスライド作成アプリとの連携も可能

提供元	サービス名	リリース年月	概要
マイクロソフト	Microsoft365 Copilot	2023年11月	オンライン上のスライドにリアルタイムで質問したり、アンケートを実施したりできるプレゼンツール
グーグル	GoogleSlide	2007年3月	SlidesAI や Magic Slides と連携することで、AIを活用したプレゼンテーション作成が可能になる
Magic Tome	Tome	2021年	AIを活用したインタラクティブなプレゼンとドキュメントの作成が可能なプラットフォーム
ビューティフルAI	Beautiful.AI	2018年2月	素人でもプロフェッショナルな見た目のプレゼンを簡単に作成できるオンラインツール
ルビス	Elucile	2022年9月	日本語で使えるデザインが豊富なオンラインプレゼンツール

国産スライド生成AI「イルシル」

日本語で使いやすいデザインが豊富に用意されている

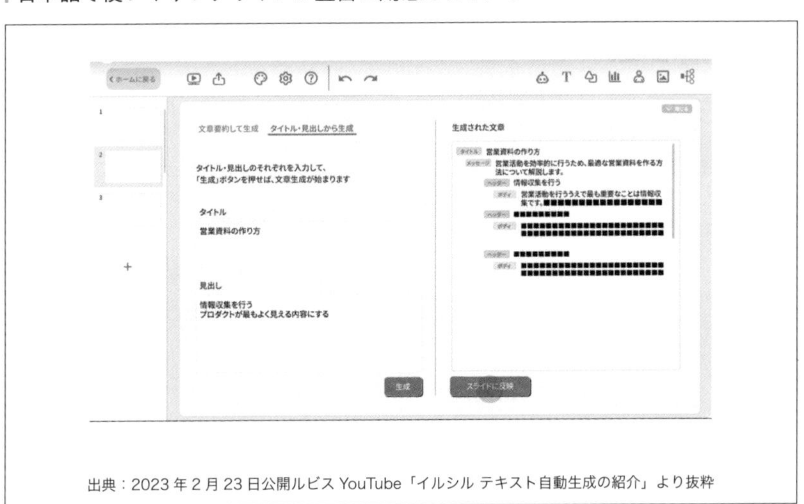

出典：2023年2月23日公開ルビス YouTube「イルシル テキスト自動生成の紹介」より抜粋

プログラムを生成する主なAIを教えてください

GitHub Copilot、Codey、ChatGPTなどが有名です

プログラミングのコード生成は、生成AIと最も親和性が高い分野の1つです。自然言語で実装したい機能を指示するだけでコーディングが可能になりました。また、コードのバグを見つける「コードレビュー」も大幅に効率化できます。自然言語からコードを自動生成できるAIの登場により、不足が懸念されるAI人材の確保につながると期待されています。

コード生成AIとしては、マイクロソフト傘下のGitHubによる「GitHub Copilot」のほか、グーグルのCodey、OpenAIのChatGPTのCode Interpreterが有名です。メタの「Code Llama」は同社のLLM「Llama2」をベースにPythonやJavaといった一般的なプログラミング言語に対応し、無料で商用可能です。また、アマゾンもAWSを通じて「Code Whisperer」を提供しています。いずれも、様々なIDE（統合開発環境）と連携できます。特に、Code Interpreterのオープンソース版「Open Interpreter」は操作性や業務効率性の高さから、エンジニアを中心に利用が急速に広まっています。

Key word

Open Interpreter

Open Interpreterとは、OpenAIが提供するコード生成モデル「Codex」を活用したオープンソースのプログラム生成AIツール。Codexは、ChatGPTのCode Interpreter機能のベースとなっている。Python、JavaScript、Shellといったプログラミング言語に対応しており、自然言語で対話しながらプログラムを作成可能。ファイル容量の制限もなく、ローカル環境で実行できる。また、映像やPDFの編集、ブラウザのリサーチ、大量のデータ分析といった高度なタスクもこなせる。ただし、プログラムがローカル環境で実行されるため、データ損失やセキュリティなどの問題が生じかねない。

主なコード生成AI

プログラミングの工程を簡便化もしくは補助してくれる強力なツール

提供元	サービス名	リリース年月	概要
OpenAI	ChatGPT（Code Interpreter）	2021年8月	Pythonをはじめ12超のプログラミング言語に対応。自然言語でコマンド解釈
アマゾン	Amazon Code Whisperer	2022年6月	自然言語で開発者のコメントなどに基づいて推奨コードを生成。個人利用は無料
メタ	Code Llama	2023年8月	LLM「Llama 2」をベースに5,000億トークンのプログラムに特化、最高水準（SOTA:state-of-the-art）達成
グーグル	Codey	2023年5月	高品質なコードの大規模データセットを利用。2023年8月から日本語対応
StabilityAI	Stable Code	2023年9月	プログラマの日常業務や応用的な学習を支援

Open Interpreterの特徴

多機能かつ柔軟性の高いオープンソースのプログラミングツール

自然言語での操作が可能
多様なプログラミング言語に対応
ローカル実行なので制限が少ない
ユーザー確認が必要でセキュリティ確保
ネット接続可能
コストパフォーマンスの高さ
GPTモデルを最大限に活用

3Dモデルを生成する主なAIを教えてください

Rodin、Shap-E、MAV3Dなどがあります

3Dモデルの生成は市場の成長が見込まれます。3Dモデルの主な用途は、従来のアニメや映画のCG、工業デザインの特殊な造形に加え、近年は食物や住宅のサンプル作成、メタバース空間におけるアバターや背景、住宅や家具のモデリングなどに広がっています。モデル生成については、一枚の正面画像から360度の3Dモデルを作る方法や、テキスト入力だけで生成できる画期的な方法など、技術革新が進んでいます。

この分野においても、グーグルの研究者らが開発した「DreamFusion」や、OpenAIが手掛ける「Shap-E」「Point-E」といったサービスが人気を博しています。これらのモデルには様々な角度から撮られた複数の写真から3Dシーンを生成するNeRF（Neural Radiance Field）の技術が使われています。このほか、人物の静止画やテキストから精細な3Dアバターを生成するマイクロソフトの「Rodin」、メタの動画生成AI「Make-A-Video」を応用したテキストに基づく動的な3Dシーンの生成AIモデル「Make-A-Video3D」（MAV3D）なども注目を集めています。

Key word

メタバース

メタバースとは、オンライン上で人々がアバターなどを介して交流する仮想空間。メタバース空間内での経済活動や生活が現実世界にも影響を及ぼすとされ、関連市場の規模は2030年に数十兆円とも百兆円超とも言われている。仮想空間の概念は、SF作家ニール・スティーブンスンが1992年に発表した『スノウ・クラッシュ』が初出とされる。2000年代には米国ベンチャー企業のLindenLabが提供した仮想空間「セカンドライフ」が一世を風靡したが、バグや接続障害が頻発し、ユーザーが離れた。真のメタバースブームを実現できるか、メタなどによる取り組みが注目されている。

主な3Dモデル生成AI
単一の画像やテキストから3Dモデルを自動生成するAI

提供元	サービス名	リリース年月	概要
グーグル	DreamFusion	2022年12月	テキストからフォトリアスティックな3Dオブジェクトを生成するモデル
OpenAI	Shap-E、Point-E	2023年5月、2022年12月	テキストや画像に基づいて3Dオブジェクトを生成するためのモデル
StabilityAI	Stable Dreamfusion	2023年4月	テキストから3D表現のオブジェクトを生成するモデル。2Dの画像モデルを組み合せて使用する
マイクロソフト	Rodin	2022年12月	テキストや画像から3Dのデジタルアバターを生成するための拡散モデルを使用したモデル
メタ	Make-A-Video3D	2023年1月	メタの「Make-A-Video」を応用したテキストに基づく動的な3Dシーンの生成するモデル

マイクロソフトのRODIN Diffusionの仕組み
高品質な3Dアバターを作成するAI

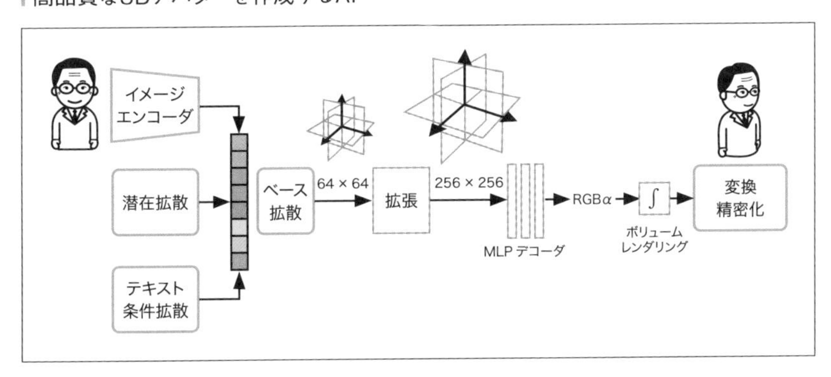

テキストから3Dモデル生成の仕組み（Point-Eの例）
画像やテキストから3Dポイントクラウドを生成するAIモデル

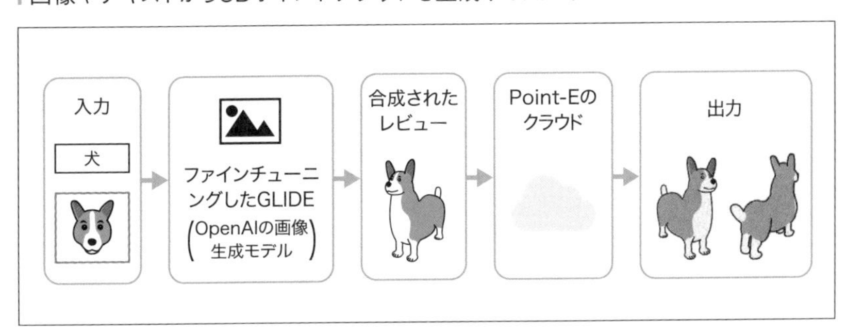

機械翻訳はどのように進化してきましたか

約1世紀前に登場し、様々な翻訳法が開発されてきました

機械翻訳とそれを支える自然言語処理は、AI に欠かせない要素技術であり、長い歴史があります。冷戦に伴う米ソ対立を背景に、ソ連がロシア語と英語の機械翻訳を試みたのが最初とされます。米国を中心に、AI の要素を取り入れた「ルールベース機械翻訳（RbMT)」や文例と対訳を参照したモデル「用例ベース機械翻訳（EbMT)」といった様々な翻訳法が案出され、試行錯誤を経て、現在主流の深層学習を応用した「ニューラル機械翻訳（NMT)」へと進化してきました。

機械翻訳としては、ドイツ企業の DeepL やグーグル翻訳、マイクロソフトのトランスレーターなどが有名で、技術はここ数年で格段に進歩しています。ただし、機械翻訳による正しい意味の判読はそれほど容易ではありません。例えば、ある話者が英語で "I told you." とやや批判気味に「私、言ったよね？」と言っても、話者の性別や年齢、個性や状況などの背景によって適切な訳は変化します。現在は、大規模言語モデルを利用して、話者の背景や話の流れを考慮の上で適切な翻訳を出力する研究も進んでいます。

Key word

RbMTとEbMT

RbMT とは、文法規則と辞書に基づいて、ソース言語からターゲット言語へ文章を訳す、1970 年代に主流となった機械翻訳の手法。特定の単語やフレーズに対応する翻訳を辞書から引き出し、語順の変換、名詞や動詞の活用、性や数の一致といった言語の文法規則に厳密に従う。それぞれの言語ペアごとに独自のセットの規則と辞書が必要で、新しい言い回しや意味の変化への対応には必ずしも適さない。一方、EbMT は、具体的な例文に基づいて新しい文を翻訳する、1980 年代に提案された機械翻訳の手法。既存の翻訳文からパターンを学習し、他の文章の翻訳に応用するアプローチを取る。

機械翻訳の主な種類と歴史

自然言語処理が機械翻訳を支える技術

年	主な出来事
1930年代	機械翻訳のアイデアが登場
1950年代	英露の機械翻訳開発。扱える単語は250のみ
1970年代	英仏の天気を翻訳するMETEO開発。RbMTが主流に
1991年	国際機械翻訳協会（IAMT; International Association for Machine Translation）設立に合わせ、アジア太平洋機械翻訳協会（AAMT）など地域ごとの傘下組織発足
2006年	Google翻訳登場
2015年	NMT本格導入
2017年	DeepL創業

ゲームのキャラクターの性格や感情を反映した翻訳技術のイメージ

話者の性別や年齢、個性や状況などによって適切な訳が変わる

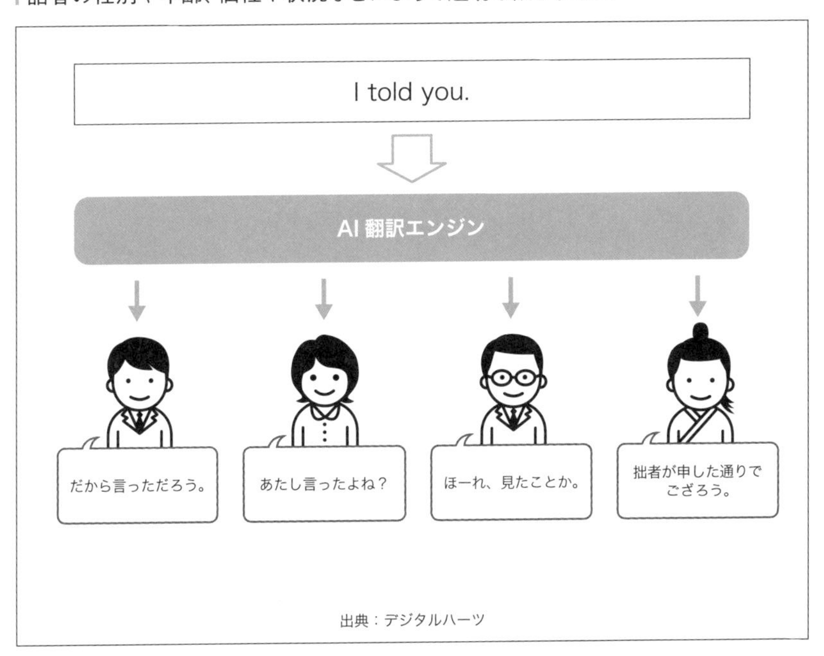

出典：デジタルハーツ

生成AIで、半導体はどのような役割を果たしますか

膨大なデータを高速処理するAI半導体は不可欠です

AIのような多層的で高速なデータ処理のシステムでは、従来のCPUではなく、演算処理能力に優れたGPUが必要になります。CPUは連続的で複雑な処理が得意な一方、GPUは同時に複数の計算を行う並列処理が可能で単純かつ膨大な計算に適しています。GPUの行列演算処理速度の理論値は、「フロップス」、すなわち1秒当たりの浮動小数点演算という単位で測れます。GPUの演算処理性能は指数関数的に伸び、かつての100万回単位（メガフロップス）ではなく、10億回単位（ギガフロップス）や1兆回単位（テラフロップス）になっています。

ある民間企業の予測によれば、2022年における日本全体のデータ処理総演算量は、10EFLOPS（エクサフロップス、エクサ＝10の18乗=100京）弱で、2030年には1,000EFLOPS、すなわち1ZFLOPS（ゼタ＝10の21乗=10垓）を超えるそうです。世界的なデータセンター需要の伸びにも伴って、半導体の需要も右肩上がりです。特に、AI競争の勝敗を左右するAI半導体の生産を担うNVIDIAの株価はうなぎのぼりです。

Key word

フロップス（FLOPS）

フロップスとは、1秒間に実行できる浮動小数点演算の回数を表す、CPUやGPUのようなプロセッサの性能を比較する際の重要な指標。AIや工学シミュレーション、大規模データ解析といった高度な数学的計算が求められる分野でのコンピュータ処理能力の測定に使われる。浮動小数点演算を多用するAIシステムの処理能力の計算では、フロップスがよく使われる。気象予報や宇宙開発、医療研究といった科学計算のほか、ゲームや映画の3次元コンピュータグラフィックスの分野においてもフロップスを使うようになっている。

GPU「NVIDIA H100」のイメージ画像
ペタ（1,000兆）フロップスの性能を実現したGPU

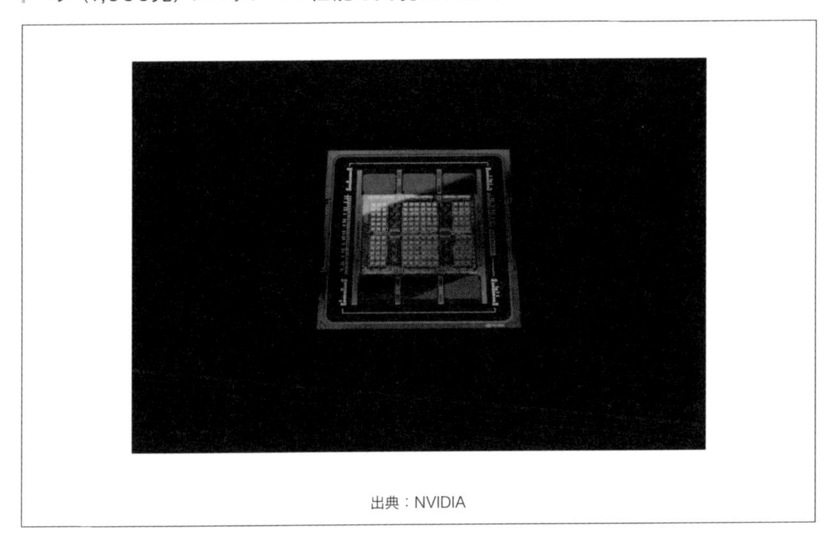

出典：NVIDIA

世界のデータセンターの市場見通し
データセンターの需要は右肩上がりに上昇している

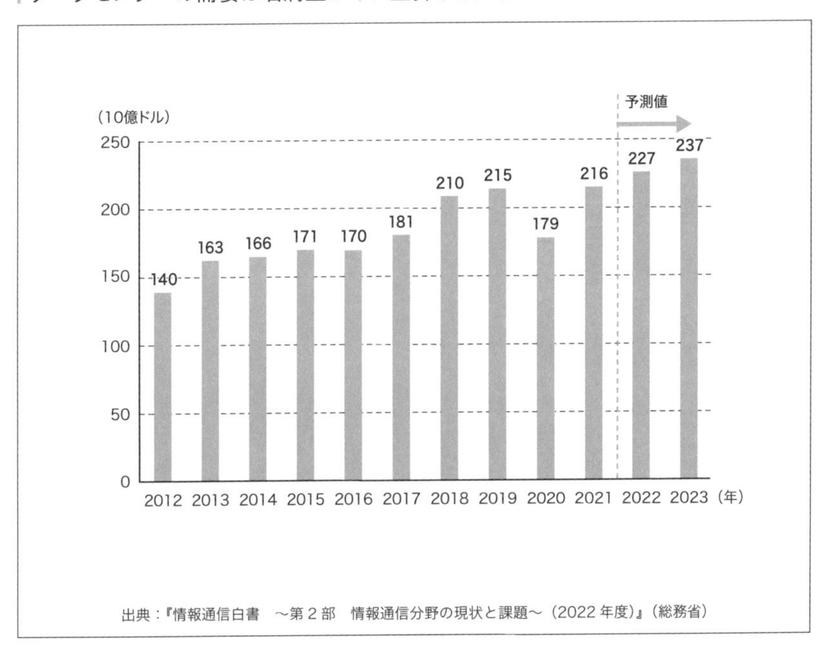

出典：『情報通信白書 ～第2部 情報通信分野の現状と課題～（2022年度）』（総務省）

日本における生成AIの開発はどのような状況ですか

日本語に強い、業界特化型の開発が進んでいます

日本では、通信事業者やIT事業者、大学や公的研究機関などが、LLMを独自開発し、日本語に特化した生成AIの開発に注力しています。GAFAMの開発した生成AIは、学習データが英語主体であるため、日本語のプロンプトは、英語と比べて精度が落ちます。そのため各社は、金融や医療、法制度や行財政といった分野で、「和製」生成AIの開発を進めています。実際、一部自治体は外国製生成AIから日本語特化型に切り替える動きも出始めています。国産生成AI開発の筆頭を走る企業は、自然言語処理の分野で半世紀近い実績を誇る日本電信電話（NTT）です。2024年3月から大規模言語モデルの「tsuzumi」のサービスを法人顧客向けに提供しています。また、NECなどのIT事業者も相次いで独自モデルを発表しました。

音楽生成AIの分野では特に、日本のベンチャー企業が健闘しています。2012年創業の「Amadeus Code」は、音楽生成の仕組みと日本語文の構造の類似点を活かして、「2分前後の曲を4秒以下で生成」できます。これは、実はテキスト生成AIの「自然言語処理」と同じ仕組みです。

Key word

日本のAI研究の歴史

日本のAI研究は、政府・通商産業省（現経済産業省）が旗振り役となった「第五世代コンピュータプロジェクト」が始まった1982年以降に加速した。このプロジェクトでは、知識ベースや自然言語処理といった研究が主要テーマに据えられ、AIの論理プログラミング言語が注目を集めるなど一定の成果を収めた。この国家プロジェクトが目指した目標は極めて野心的で実現のハードルが高く、結果としてうまくいかなかったものの、この事業を通じて優秀な研究者や技術者が育った。特に日本語に特化した自然言語処理の分野ではその礎が築かれたと言える。

日本の生成AI関連サービスカオスマップ
生成AIサービスや関連ビジネスを行っている事業者

LLM開発
- NTT
- ソフトバンク
- KDDI
- LINE
- rinna
- 富士通
- NEC
- サイバーエージェント
- DeNA
- DMM
- GMO
- Preferred Networks
- エクサウィザーズ
- パークシャーテクノロジーズ
- Ridge-I
- Neural Group
- ABEJA
- ストックマーク
- Sakana AI
- Turing
- 産業技術総合研究所
- 情報通信研究機構
- 理化学研究所

導入支援
- デジタルレシピ
- Brain Pad
- アイスマイリー
- ギブリー
- HEROZ
- BIPROGY
- キカガク

ライティング
- Elyza
- ライブドア
- Catchy

電機・SIer
- 日立製作所
- 東芝
- 三菱電機
- パナソニック
- シャープ

画像解析・分析
- Araya
- AI ハヤブサ
- asilla
- NABLAS

データソリューション
- Albert
- Hacarus

音楽
- SOUNDRAW
- Amadeus Code

自動車
- トヨタ自動車
- 本田技研工業

リーガル
- LegalForce

議事録
- RIMO
- toruno
- 時空テクノロジーズ

BMI
- マクニカ

建設
- 燈
- mign

ロボット
- オムロン
- 京セラ
- FANUC

掲載の企業や業界は一例

ChatGPTの新機能を教えてください

GPT-4 TurboやGPTsを続々投入しています

ChatGPTは2022年11月の公開後、様々な機能強化を図ってきました。その多くは、月額20ドルの有償版「ChatGPT Plus」で利用できます。無償版の標準モデル「GPT-3.5」の上位モデル「GPT-4」は2023年3月に公開されました。同月に「ChatGPT Plugins1」のサポートが追加されています。その後細かなアップデートや修正を追加しつつ、7月には「Code Interpreter」の機能が一般に開放されました。また、9月に「GPT-4V」を発表、画像⇔テキストの入出力が可能となり、マルチモーダル化が進みました。11月に発表されたLLMの「GPT-4 Turbo」ではChatGPTの機能が大幅に拡充され、12万8,000トークンに対応し、本1冊分の長文の出力もできるようになりました。

さらにChatGPTを特定の目的に合わせてカスタマイズできる新機能として「GPTs」が加わりました。自然言語でつくれる「ノーコード」仕様で、ChatGPTの機能を備えた独自のアプリを構築でき、それを専用のマーケットプレイス「GPT Store」で公開できます。今後も、ChatGPTの優位が続くのか、注目されます。

Key word

ノーコード、ローコード

プログラミング言語でコードを書いて開発する従来型のコーディングに対し、ノーコードは自然言語やブロックなどを使った開発プラットフォームでアプリケーションを開発する。しばしば、ドラッグ＆ドロップのインターフェイスや視覚的な操作を使う。ただし、開発できる機能は限定的。その中間に位置付けられるローコードは、コーディングを最小限に抑えて開発する手法。開発プロセスを同様に簡素化する。一定のコーディングの知識やスキルが求められるが、視覚的な操作と必要最低限のコーディングを組み合わせることにより、ノーコードよりも高度な機能を実装可能。

ChatGPTの主な機能強化の動き
ChatGPTは矢継ぎ早に機能を拡充させてきた

2022 年 11 月	ChatGPT 公開
2023 年 2 月	有償版 ChatGPT Plus 提供開始
2023 年 3 月	GPT-4 公開、ChatGPT Plus に搭載 プラグインサービス開始
2023 年 7 月	Code Interpreter 機能一般公開
2023 年 9 月	GPT-4V 公開、画像による入出力機能強化 ロケールに対応
2023 年 11 月	ChatGPT-4Turbo 公開 GPTs サービス開始

GPTsのホーム画面
ChatGPTのカスタムバージョンを作成する

出典：ChatGPT「GPTs」(https://chat.openai.com/gpts)

ロケールの設定画面
特定の地域や文化に関連する一連の設定や属性をまとめたもの

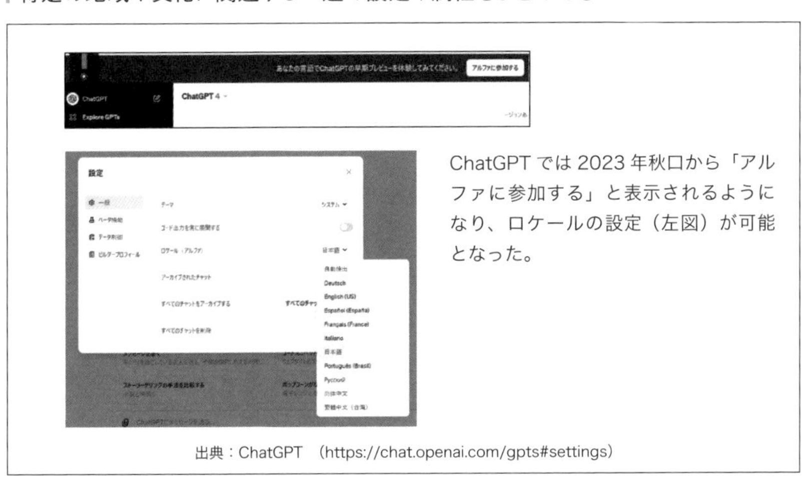

ChatGPT では 2023 年秋口から「アルファに参加する」と表示されるようになり、ロケールの設定（左図）が可能となった。

出典：ChatGPT　(https://chat.openai.com/gpts#settings)

章

生成AIの歴史

Ⅱ-01　AIはいつ、どこで生まれましたか

Ⅱ-02　最初のAIブームのきっかけは何でしたか

Ⅱ-03　第2次AIブームはどのように始まりましたか

ほか、4項目

AIブームと冬の時代

AIの快進撃

- 1997年DeepBlueがチェス王者に勝利
- 2011年Watsonがクイズ番組優勝
- 2012年深層学習が画像認識コンテストで圧勝
- 2016年AlphaGoがプロ棋士に勝利

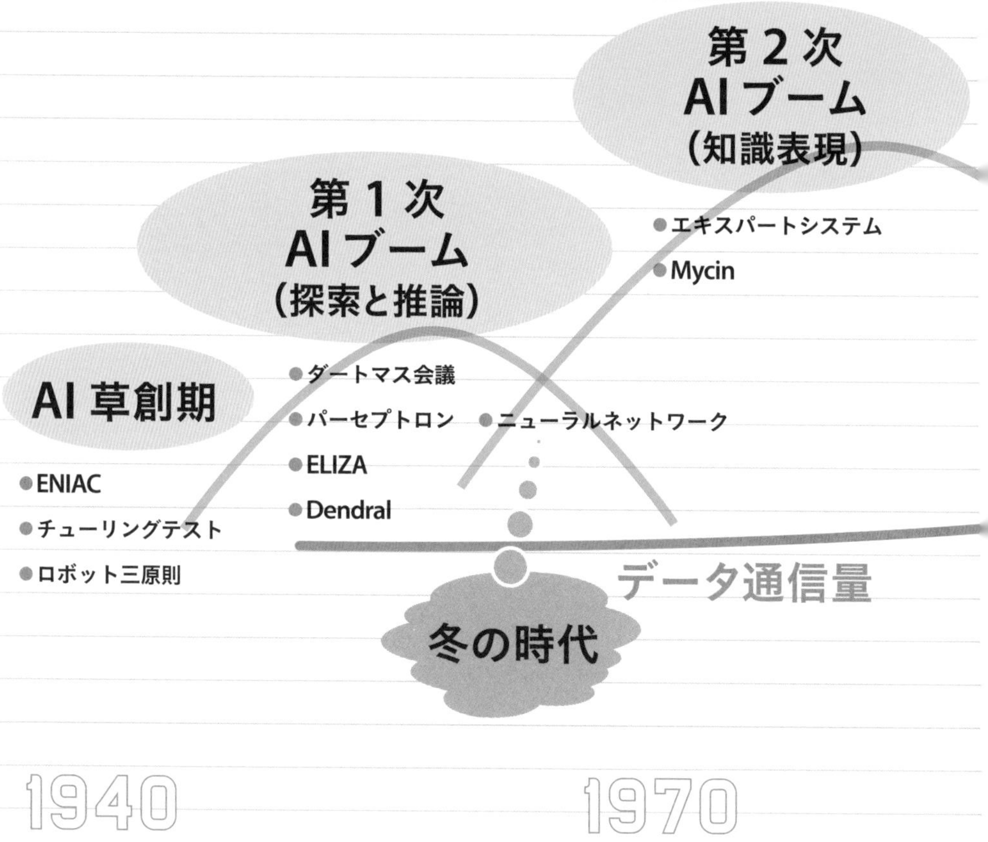

AI草創期
- ENIAC
- チューリングテスト
- ロボット三原則

第1次AIブーム（探索と推論）
- ダートマス会議
- パーセプトロン
- ELIZA
- Dendral

第2次AIブーム（知識表現）
- エキスパートシステム
- Mycin

- ニューラルネットワーク

冬の時代

データ通信量

1940

1970

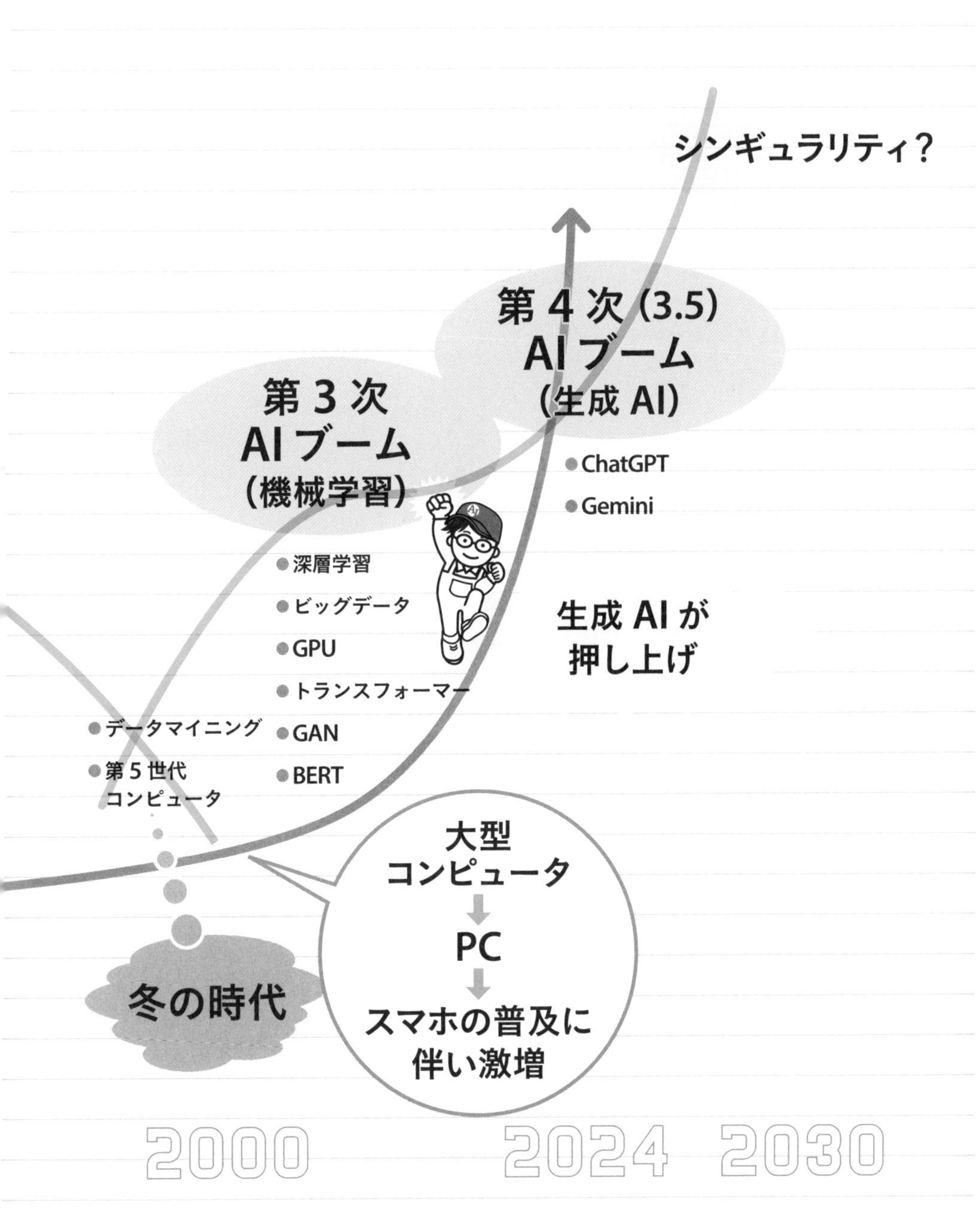
シンギュラリティ？
第４次（3.5）
AI ブーム
（生成 AI）
第３次
AI ブーム
（機械学習）
ChatGPT
Gemini
深層学習
ビッグデータ
GPU
トランスフォーマー
GAN
BERT
生成 AI が
押し上げ
データマイニング
第５世代
コンピュータ
大型
コンピュータ
PC
スマホの普及に
伴い激増
冬の時代
2000
2024
2030

AIはいつ、どこで生まれましたか

1950年代、米国で誕生しました

AI（人工知能）という言葉が最初に使われたのは、1956年、米国ダートマス大学で開かれた小規模な研究会、通称「ダートマス会議」までさかのぼります。米スタンフォード大学のAI研究所を立ち上げたジョン・マッカーシーが呼び掛け、「人工知能の父」と呼ばれるマービン・ミンスキーらが参加したこの研究会では、人間の思考や論理、学習の仕組みをコンピュータによる機械的操作、記号処理で解明し、再現する試みが行われました。そして、「自動計算」「プログラミング方法」「ニューロン（神経細胞）網」などの課題が設定され、自然言語処理や機械学習、推論や創造性といったテーマの基礎が整理されたのです。

ミンスキーが「一世代のうちにAIの問題点はほぼ解決されている」と予測したように、出席者らはAIの実現を楽観視していました。しかし、期待とは裏腹にAIは様々な課題に直面し、希望は失望へと変わっていき、1970年代には冬の時代を迎えます。現在は「AIは期待と失望を繰り返しつつも関連の研究が進んでいた中で、近時目覚ましい研究成果を出すようになってきた」（2019年版 情報通信白書）状況なのです。

Key word

チューリングテスト

AIの概念そのものは、1947年に英国の数学者アラン・チューリングが提唱していたとされる。彼が考案した「チューリングテスト」では、機械、AIが人間と同じように考えることができるかを判定する。チューリングテストは現代もAIの能力を確かめる際の1つの基準とされている。チューリングはまた、コンピュータ理論の基礎となる「チューリングマシン」の考案者としても知られる。いまだチューリングテストに合格したAIは確認されていないが、日々進化中のChatGPTをはじめとする生成AIが最も合格するのに近いと有力視されている。

ダートマス会議の提案書の写し

ダートマス大学で開かれた研究会

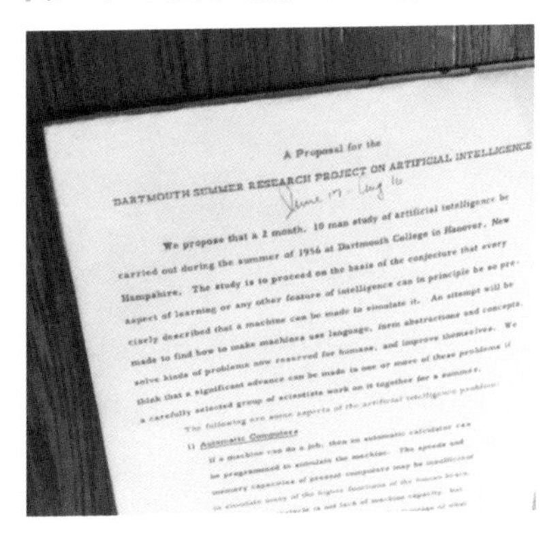

A Proposal for the

DARTMOUTH SUMMER RESEARCH PROJECT ON ARTIFICIAL INTELLIGENCE

We propose that a 2 month, 10 man study of artificial intelligence be carried out during the summer of 1956 at Dartmouth College in Hanover, New Hampshire. The study is to proceed on the basis of the conjecture that every aspect of learning or any other feature of intelligence can in principle be so precisely described that a machine can be made to simulate it. An attempt will be made to find how to make machines use language, form abstractions and concepts, solve kinds of problems now reserved for humans, and improve themselves. We think that a significant advance can be made in one or more of these problems if a carefully selected group of scientists work on it together for a summer.

ダートマス会議で扱われたAIの課題

AIを実現する上で必要になること

1. 自動計算
2. コンピュータへの言語のプログラム方法
3. 神経細胞（ニューロン）網
4. 計算量理論
5. 自己改善
6. 抽象化
7. 無作為性と創造性

繰り返すAIブームと冬の時代

3度目のブームで、本格的な普及期を迎えた

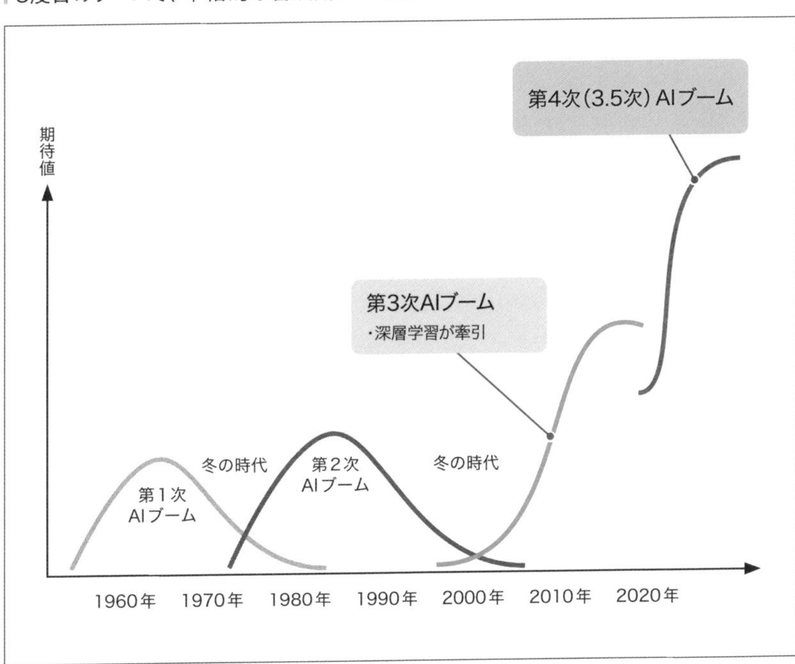

生成AIの歴史 Ⅱ-02

最初のAIブームのきっかけは何でしたか

推論と探索が第1次ブームに火をつけました

1960年代に、AIは第1次ブームを迎えました。きっかけは、「特定の問題に対して解を提示できるようになったこと」(2016年版 情報通信白書)であり、それを支えたのが「推論と探索」でした。「推論」とは既得の知識やルールに基づいて結論を導くこと、「探索」とは目的、ゴールに至るまでのパターンを場合分けしながら探し出すプロセスです。当時、推論と探索の手法を通じて、迷路の解法やボードゲームでAIが使われ始めました。オセロでは、ルールの基本をインプットし、ゲームを始めます。繰り返し勝負するうちに、AIはどこに石を置けば勝てるかを損得勘定で推し量り、試行錯誤しながら最善の一手を探ります。

当時、ビジネスなどにAIを応用できるという期待が一気に高まり、研究者の間でも楽観論が広がり、米国を中心に政府や企業がAIの研究開発に巨費を投じていきます。しかし次第に、推論と探索では決められたルール内、ある条件下でしか問題が解けないことが明らかになります(トイ・プロブレム)。その結果、AI礼賛の機運は急速に萎み、米国政府はAI向け予算を凍結し、冬の時代が訪れたのです。

Key word

探索木とトイ・プロブレム

探索木とは、ある起点から終点まで一連のルールに従って進む過程を表すデータ構造である。ノードとノード間を結ぶエッジで表現され、各ノードが状態を、エッジがノード間の遷移を表す。最適な行動を選択する上で用いられ、AIがオセロで対決する場合、探索木全体は現在の盤面の状態を表し、その子ノードはなり得る次の一手を表す。その子ノードとして可能な次の手順を生成し、これを繰り返すことで木が形成される。一方、トイ・プロブレムとは、オセロや迷路のようにルールや始点・終点が決まっている単純な問題を指す。推論と探索では、そうした問題しか解けないことが失望を招いた。

オセロにおける探索

目的、ゴールに至るまでのパターンを場合分けしながら探し出す

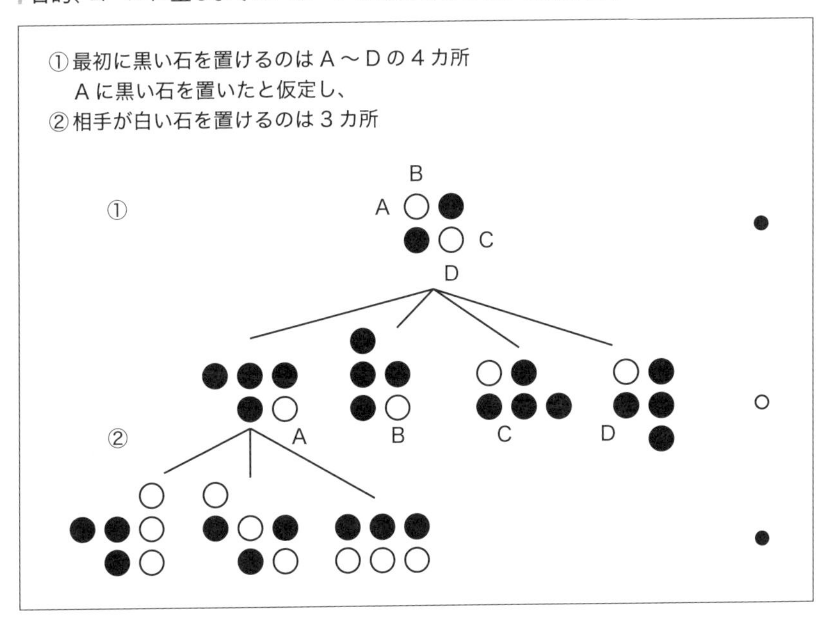

オセロにおける探索木

数値はその局面での評価。数値が高いほど自分に有利な一手となる

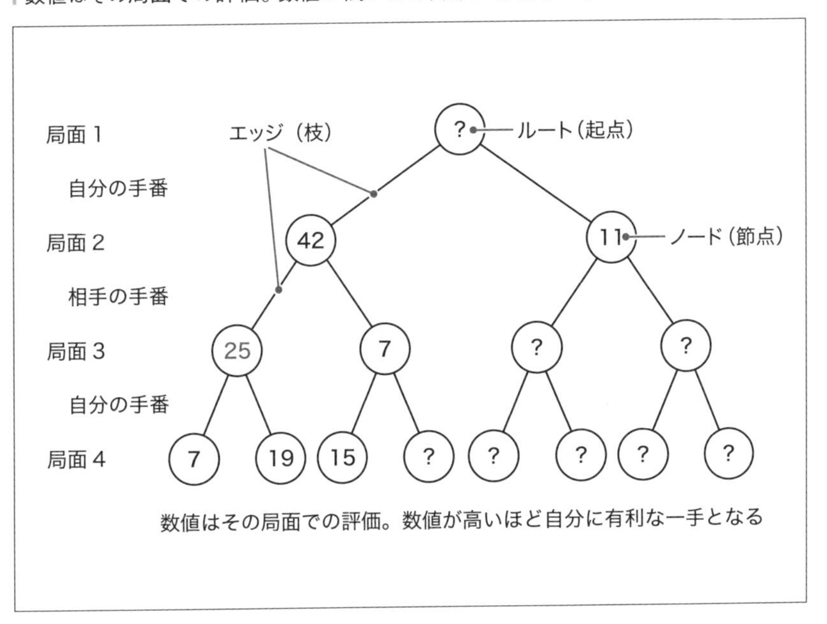

第2次AIブームはどのように始まりましたか

エキスパートシステムの誕生でAIブームが再燃しました

1980年代に入ると、AIは再び注目を集めます。第2次AIブームを担ったのは「エキスパートシステム」です。専門家（エキスパート）の見識を蓄積し、より深い推論に基づいて問題解決に当たります。このシステムには、医療や法律、金融などの分野ごとに、難解で膨大な専門家の知識をデータとしてプログラムされました。これにより、「特定の問い」を超えて幅広い問題にも答えられるように改良されたのです。実は、その走りである「Dendral（デンドラル）」は1960年代に誕生しています。Dendralは科学の知識に基づいた質量分析によって未知の有機化合物の構造を推測する仕組みであり、そこから派生して医療の専門家の知見に基づいて細菌感染の診断を下す「Mycin（マイシン）」が1972年に開発され、その後その手法を発展させた法律や会計など各種システムが全盛となりました。

しかし再び壁が立ちはだかります。膨大な知識の手入力や判断のベースとなる知識の食い違いといった問題が続出したのです。そのため、AIは見放され、2度目の冬の時代を迎えることとなったのです。

Key word

人工無能

膨大なデータを人手でインプットする必要があったエキスパートシステムは、特定の質問に対して同じ答えを繰り返すため、比喩的に「人工無能」と呼ばれた。人工無能は、チャットボットの源流であり、その始祖はジョセフ・ワイゼンバウムが手掛けたELIZA（イライザ）である。ELIZAは、特定の言葉を掛けられると、機械的、条件反射的に「ちょっと落ち着いて」、「また連絡しましょう」などと答える。見様によっては無機質であると思われがちなELIZAに対して、一部の利用者はしばしば「まるで感情を持っているようだ」という錯覚を抱いた。こうした錯覚は「ELIZA効果」と呼ばれる。

エキスパートシステムの仕組み

専門家の見識に基づいてより深い推論を獲得する

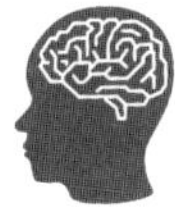

「もしAならば、Bである」(IF-THEN) というルールに
沿って情報をインプットして、結果を判定する

<身体的特徴に基づく性別推定>

A	B
身長が 170cm 以上	男性
髪の毛が短い	男性
あごひげがある	男性

<医療診断での応用例>

A：体温が39℃以上　B：危険な感染症の疑い X%

A：体温が39℃以上　かつ　Y菌検査陽性　B：Z症の疑い30%以上

設問に対する「YES／NO」により特定の事象に当てはまる可能性を探り当てる

知識ベースのエキスパートシステム

様々な分野で構築された

	ELIZA	Dendral	Mycin
開発年	1964-66年	1965年	1972年
主な用途	心理療法のメソッドを用いた対話型コミュニケーションの初期的実験	有機化合物の質量分析データに基づく構造の推定	細菌感染症の診断と、最適な抗生物質の投与量の決定の支援をはじめとした医療専門システム

第3次ブームは終わったのでしょうか

冬を迎えないまま、第4次ブームに入りました

AIが2度目の冬の時代を迎えていた間に、第3のブームが花開く萌芽となる技術は育っていました。すなわち、インターネットとその上に蓄積された多種多様かつ膨大な情報です。これらがAI進化の起爆剤となりました。「コンピュータが必要な情報を自ら収集して蓄積することはできなかった」(2016年版情報通信白書）というエキスパートシステムの難点が、ネットとビッグデータによって克服されたのです。

また、1990年代以降に広まった機械学習、そして2000～2010年代に全盛期を迎えた深層学習も、3度目のブームの牽引役となります。機械学習で賢くなったAIは、次々と人間を凌駕する能力を発揮していきます。IBMのコンピュータがチェスの世界王者を1997年に下し、グーグルのアルファ碁が韓国のプロ棋士に勝つなど、AIが躍進します。新型コロナウイルス感染拡大で2020年以降に広まったリモートワークなどを背景に、AIの技術革新はさらに進みます。そして2022年11月末に公開されたChatGPTが新たなイノベーションを起こしたことで、AIは現在、第4次ブームを迎えています。

Key word

Watson（ワトソン）

Watsonは、米国IBMが開発した質問応答システム。自然言語処理と機械学習を活用し、様々な質問に答えたり、意思決定をサポートしたりすることができる。2006年に開発が始まり、11年に米国テレビクイズ番組「Jeopardy!」で人間のチャンピオンに勝利したことから、世界的な注目を集めた。質問に対する答えをデータベースから高速に検索し、テキスト、音声、画像といった大量の非構造化データの解析と推論を通じて最適解を導き出す。特に、医療分野における膨大な医学論文や患者のデータに基づく緻密な分析など、特定の分野で高い適用力を発揮する。

AIの歩み
2度の冬の時代を経て、本格的な普及へ

AI 草創期	1940年代	1945年	世界初のコンピュータ（ENIAC）登場
		1947年	チューリング、AI の概念を提唱
	1950年代	1950年	アイザック・アシモフが著書『われはロボット』でロボット 3 原則を提唱
第 1 次 AI ブーム		1956年	ダートマス会議で AI の言葉が登場
		1958年	フランク・ローゼンブラットが「パーセプトロン」を論文で発表
	1960年代	1964～1966年	ジョセフ・ワイゼンバウムが「ELIZA」を開発
		1965年	エドワード・ファイゲンバウムが「Dendral」を開発
冬の時代	1970年代	1972年	スタンフォード大学で「Mycin」を開発
		1979年	米国人工知能学会（AAAI）が設立
第 2 次 AI ブーム	1980年代	1982年	日本で「第 5 世代コンピュータプロジェクト」が開始
		1986年	日本人工知能学会が設立
冬の時代	1990年代	1997年	IBM の「ディープ・ブルー」がチェスの世界チャンピオン、ガルリ・カスパロフに勝利
		1999年	ソニーがペットロボット「AIBO」を発売
第 3 次 AI ブーム	2000年代	2005年	レイ・カーツワイルが著書『ポスト・ヒューマン誕生』にて、コンピュータが人類の知性を超えるときを予測
	2010年代	2011年	「Watson」が米国テレビクイズ番組「Jeopardy!」で人間のチャンピオンに勝利
		2012年	アップルが iPhone 4S にバーチャルアシスタント「Siri」を搭載 深層学習アプリケーションが画像認識コンテストで人間に圧勝 グーグルが AI による猫認識の精度を公表
		2016年	「アルファ碁」が、囲碁の世界チャンピオンである李世乭九段に勝利
		2017年	グーグルの研究者らが深層学習モデル「Transformer」を発表
		2018年	OpenAI が大規模言語モデル「GPT」を開発
第 4 次 AI ブーム	2020年代	2022年	各社が相次いで画像生成 AI をリリース
			OpenAI が対話型 AI サービス「ChatGPT」を発表

人工知能研究の歴史
様々な要素技術と基盤が徐々に整備されてきた

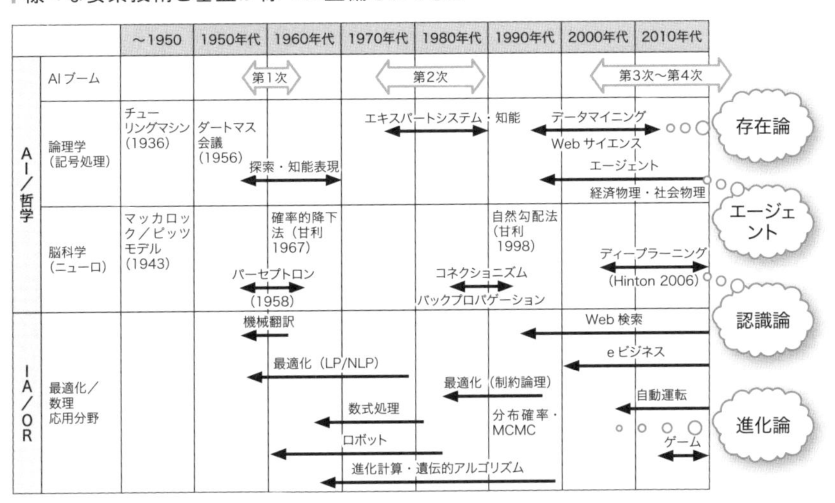

出典：「シリーズ「人工知能と物理学　人工知能の過去・現在・未来」」（日本物理学会）を一部加筆

章

機械学習の要素技術

Ⅲ-01　機械学習とは何ですか

Ⅲ-02　ニューラルネットワークとは何ですか

Ⅲ-03　パーセプトロンとは何ですか

ほか、27 項目

機械学習関連ワード相関図

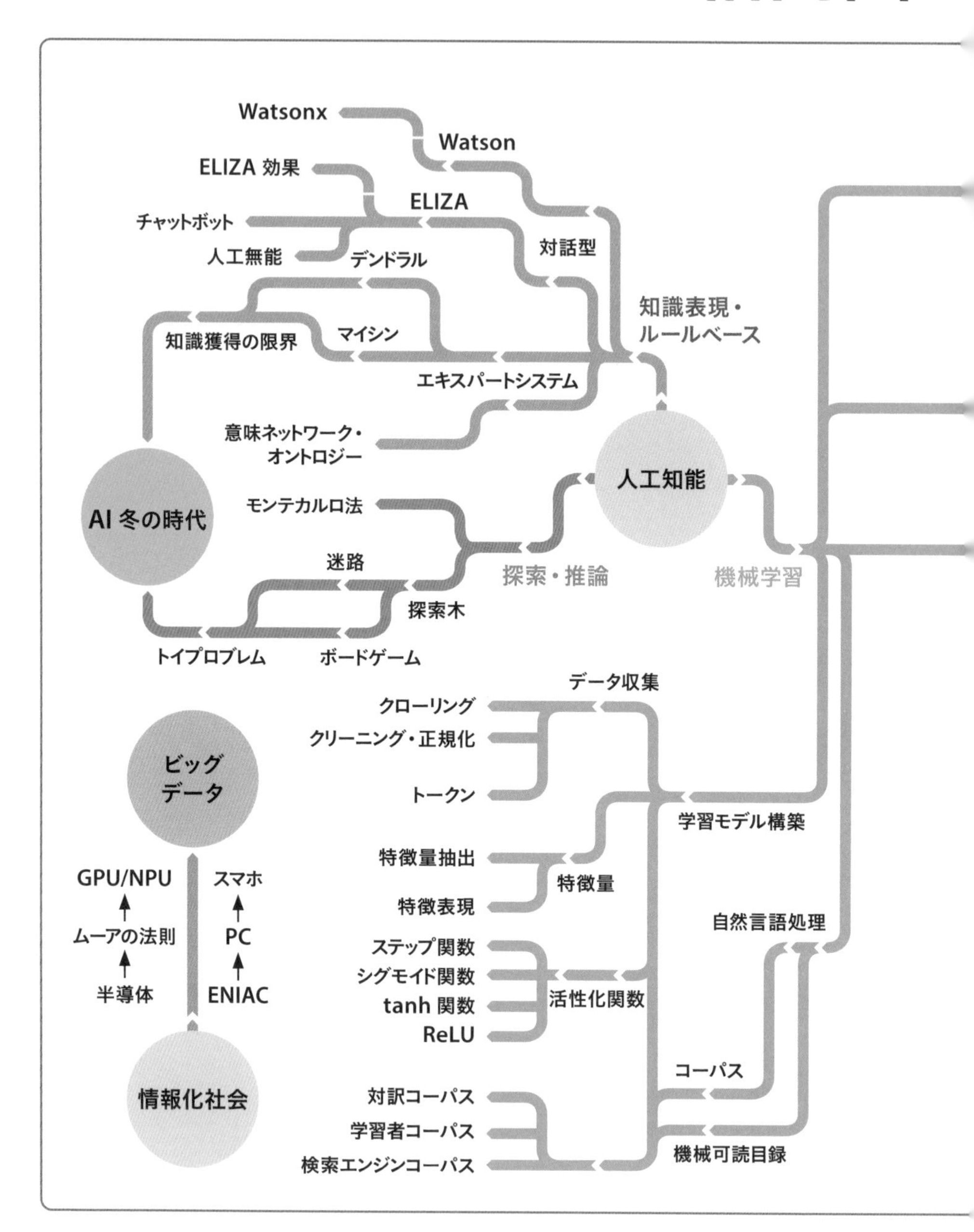

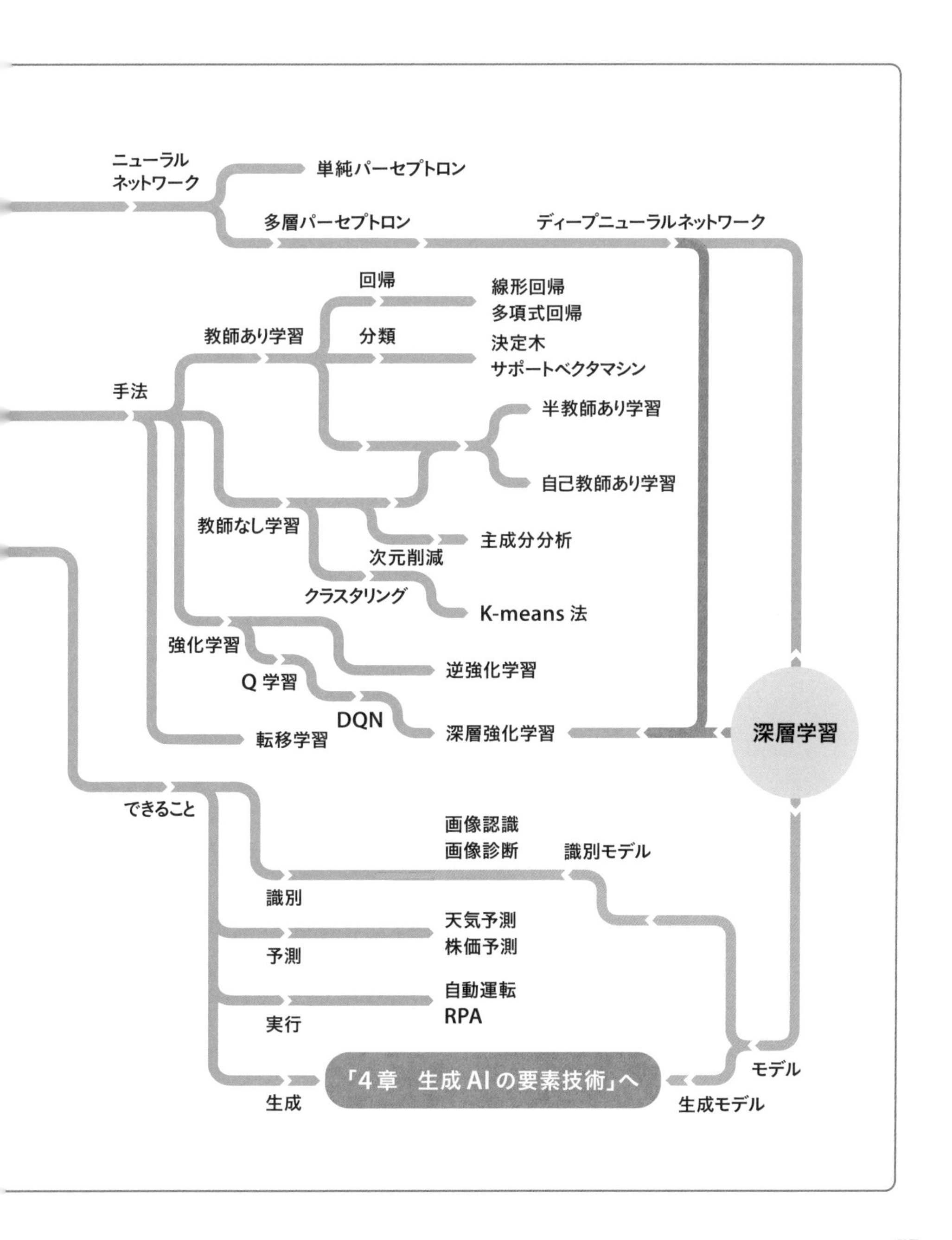
ニューラル
ネットワーク
単純パーセプトロン
多層パーセプトロン
ディープニューラルネットワーク
回帰
線形回帰
多項式回帰
教師あり学習
分類
決定木
サポートベクタマシン
手法
半教師あり学習
自己教師あり学習
教師なし学習
主成分分析
次元削減
クラスタリング
K-means 法
強化学習
逆強化学習
Q 学習
DQN
深層強化学習
転移学習
深層学習
できること
画像認識
画像診断
識別モデル
識別
天気予測
株価予測
予測
自動運転
RPA
実行
モデル
「4章　生成AIの要素技術」へ
生成
生成モデル

機械学習とは何ですか

データから規則性を発見し、問題解決する手法です

機械学習とは、コンピュータに膨大なデータを与えて、そこから規則性や相関性、類似性を見つけ出すことで、問題を解決する仕組みです。独自のアルゴリズムによって膨大なデータを処理、分析、分類して、正しい答えを予測することが可能になります。機械学習の英語表記はMachine Learningであるため、MLと略されることもあります。

コンピュータの計算性能の進化により、機械学習は人間が気づかないパターンやルールを見つけられるようになり、現在、株価や売れ筋商品の予測、検索履歴などに基づくターゲティング広告、不良品の検知など、幅広い用途で使われています。

機械学習の手法には、決定木やサポートベクターマシン、回帰分析、主成分分析のほか、後述するニューラルネットワークやその発展形である深層学習などがあります。これらの技術は、機械学習が近年大きな注目を集めるきっかけとなりました。それらがさらに進化し、今の生成AIへとつながっています。機械学習は現在の生成AIブームを支える中核を担う技術と言えるでしょう。

Key word

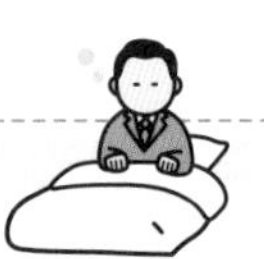

アルゴリズム

アルゴリズムとは、問題を解決するための手順やルールを定めた方式。ある入力から始め、望ましい結果を得るために定義された一連のステップを順番に追い、出力や結果に至る過程を明示する。数学やコンピュータの領域でよく使用されるほか、料理のレシピや家具・玩具の組み立て説明書もアルゴリズムの一種と言える。アルゴリズムは、日常の単純作業から複雑な科学計算やデータ処理まで、応用範囲は幅広い。アルゴリズムの語源は、インドから伝わった数学の知識を体系化するなど、9世紀に活躍したバグダッドの数学者アル・フワーリズミーとされる。

機械学習の位置づけ
機械学習は、深層学習、生成AIを包括する概念

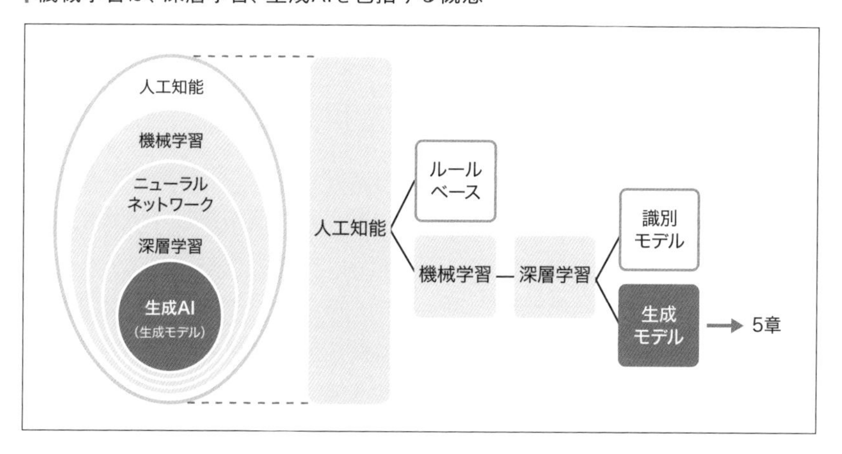

機械学習の仕組み
既知のデータから学び、未知のデータを識別・生成する

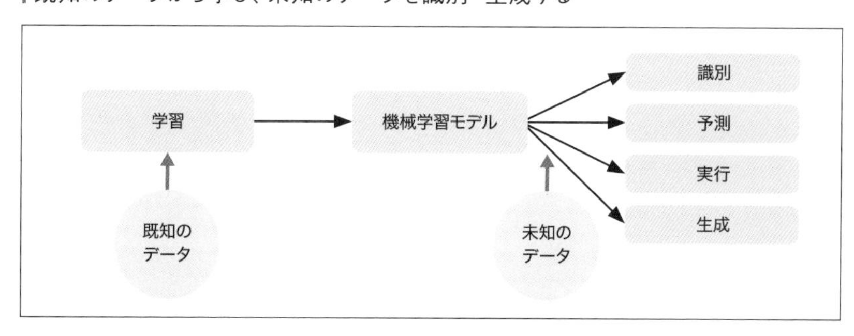

機械学習の主な用途
分類、回帰、自然言語処理の3つに主に使われる

使われる技術	概要	主な用途
分類	写真や映像から物体や顔、文字などを識別	画像認識
	迷惑メールに頻出する単語などの学習データに基づく自動振り分け	迷惑メール判定、スパム通知
回帰	過去のデータに基づき、需要や販売、株価といった数値を予測	予測
自然言語処理	テキストや意味、文脈を解析。テキストの生成や翻訳にも対応	検索エンジン、自動翻訳
	利用者の検索や購入の履歴など過去の行動に基づき、好みの商品やコンテンツを推薦	レコメンドシステム

ニューラルネットワークとは何ですか

脳の神経回路を真似たコンピュータの学習モデルです

ニューラルネットワークとは、人間の脳における情報処理の仕組みを模倣して構築された学習モデルです。脳は、無数の神経細胞（ニューロン）が互いに結び付いて機能しています。ニューロンは、情報を電気信号として伝達し、その相互作用により認知や思考を行います。ニューラルネットワークは、ニューロンの働きによる「神経回路網」を数式的に模倣したモデルです。数多くのシンプルな構造の「人工ニューロン」が相互に結合し、複雑な認識能力を発揮します。

人工ニューロンでは、入力とそれに対応する重みを掛け合わせて出力した総和が次の層のニューロンへの入力となり、ネットワーク全体に情報が伝わります。ニューラルネットワークでは、あるタスクを上手にこなせるように重みの調整を学習します。また、層を1層から2層、3層と増やせば増やすほど、より複雑な問題を解決できるとされています。ニューラルネットワークには、層と層の間のノードが互いに緊密に結び付いた全結合型、画像処理において有用な畳み込み型、系列データ処理に適した再帰型など、様々な種類があります。

Key word

重みとバイアス

ニューラルネットワークの出力層において望ましい結果、正解が得られるように調整されるのが「重み」と「バイアス」のパラメータである。重みとは前のニューロンから伝えられた値が次のニューロンにとって「どのくらい重要か」を表すものであり、各ニューロンからの出力された値が次のニューロンに伝達される際、「重み」によって数値が変化する。またニューロンには、入力値とは別に、「ニューラルネットワーク自体がもともと持っている値」が付加される。これが「バイアス」で、全体の値をコントロールするために付け足される。望ましい解を得るため、重みやバイアスの調整は欠かせない。

ニューラルネットワークの考え方
人間の脳の構造を、数学的・数式的に模倣したモデル

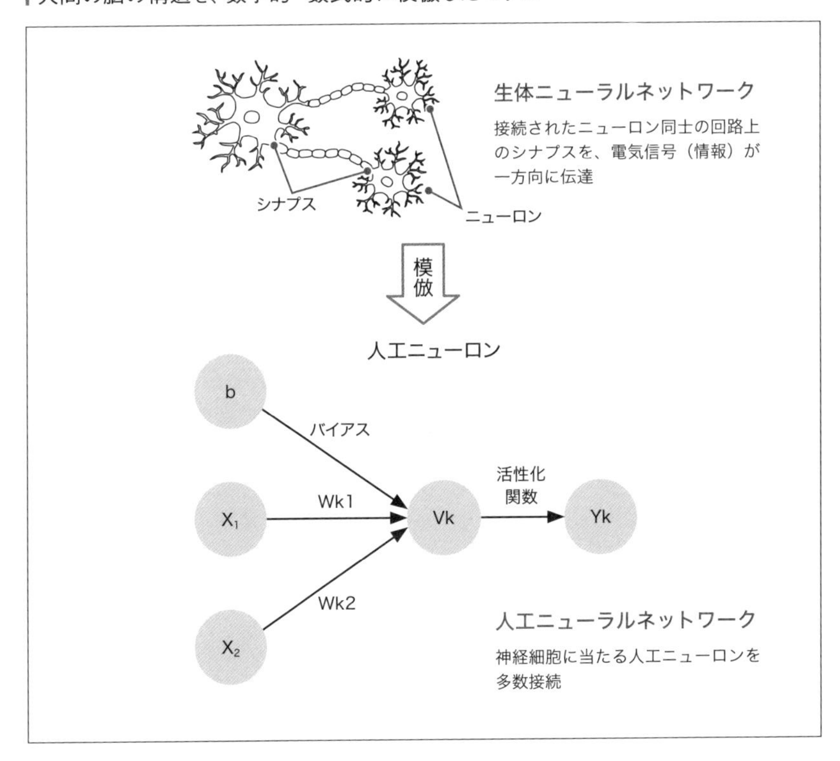

重みとバイアスの仕組み
重みとバイアスを調整することで、望ましい解を得る

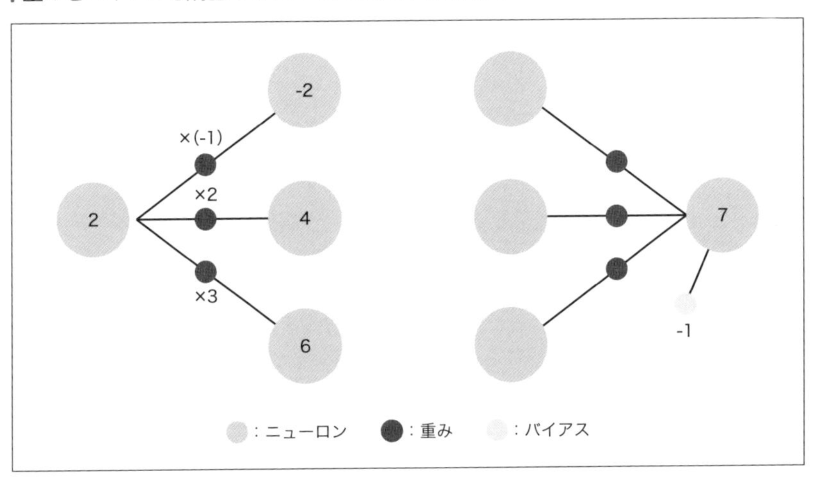

機械学習の要素技術 Ⅲ-03

パーセプトロンとは何ですか

最小単位の人工ニューロンの構造です

パーセプトロンは、ニューラルネットワークの最初期のモデルで、1958年にフランク・ローゼンブラットが提唱しました。その構造は「入力と重みを掛け合わせた値の合計がある閾値を超えるか」によって出力を決定するもので、発表当初こそ画期的として脚光を浴びたものの、マービン・ミンスキーらによってその弱点や限界が指摘され、長らく研究は停滞することとなりました。出力と入力の層から成る「単層パーセプトロン」では、限られたタスクしか解けなかったからです。

しかし、多層や深層のニューラルネットワークや深層学習が広まると、「誤差逆伝播法」による学習アルゴリズムが活用され始め、パーセプトロンを入力層・隠れ層・出力層の3層につなげた「多層パーセプトロン」の概念が登場し、より複雑な問題を解決できるようになりました。特に、4層以上の深い構造の「ディープニューラルネットワーク（DNN）」が考案されると、それを用いた深層学習とともに、パーセプトロンは「GAN（敵対的生成ネットワーク）」などの基盤技術となるなど、第3次AIブームへとつながっていきます。

Key word

誤差逆伝播法（バックプロパゲーション）

誤差逆伝播法では、正解ラベルと出力値の誤差をとり、誤差を各層にフィードバックし、正解値に近づくように各層の重みを調整する。初期の単層パーセプトロンは、右図のような直線による分離ができない（線形分離不可能な）分布の問題には対処できなかったが、誤差逆伝播法の登場により多層パーセプトロンのアイデアが生まれ、複雑な学習ができるようになった。例えば犬の識別問題に関し、正解が1であるべき場面において0.7という出力が得られた場合、その誤差は0.3となる。こうした誤差に基づいてネットワーク全体の重みを最適化していく。

単層パーセプトロンの入力と出力に関する領域の考え方
当初、基本的な2分類問題を解くために使われた

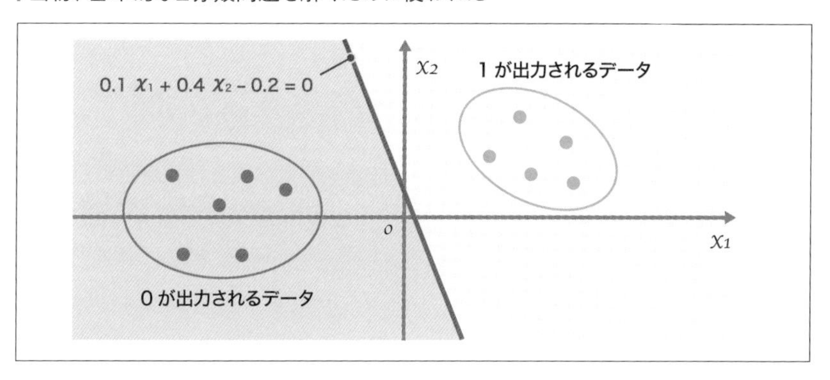

パーセプトロンの系譜
冬の時代を経て、再び注目を浴びる

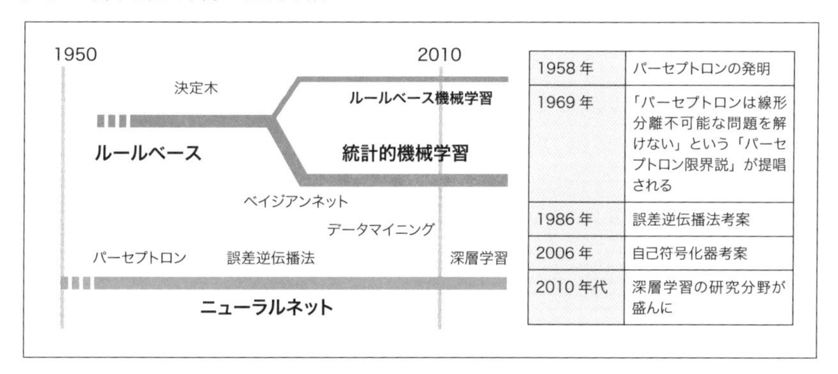

1958 年	パーセプトロンの発明
1969 年	「パーセプトロンは線形分離不可能な問題を解けない」という「パーセプトロン限界説」が提唱される
1986 年	誤差逆伝播法考案
2006 年	自己符号化器考案
2010 年代	深層学習の研究分野が盛んに

パーセプトロンの進化
認識能力が向上し、複雑な問題を解決できるようになる

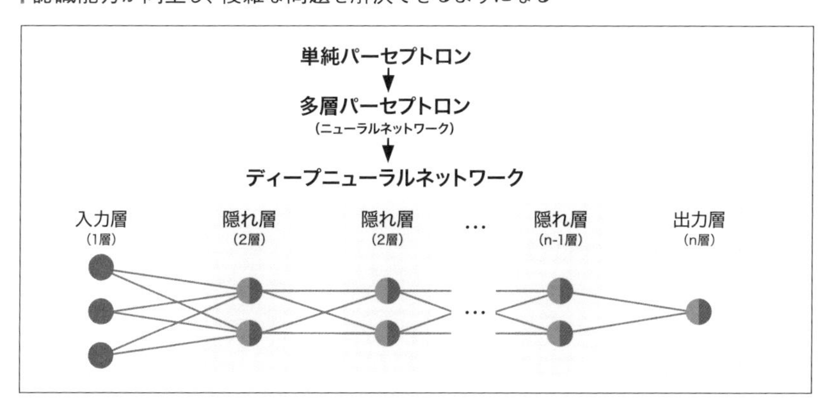

機械学習の要素技術 Ⅲ-04

深層学習とは何ですか

ニューラルネットワークの層を重ねた機械学習の一種です

深層学習とは、ニューラルネットワークを用いた機械学習の一種です。ディープラーニングとも呼ばれる深層学習は、AI研究における革新的な発見であり、2006年に登場しました。人間の脳が持つ神経ネットワークに代表される「生体ニューラルネットワーク」を簡易的に模倣にした構造の追求が深層学習の実現につながりました。

深層学習の特徴は、ニューラルネットワークによる情報処理方法の学習を通じて、AIが複雑な判断や細かな処理をできる点です。これは、ニューラルネットワークを多層構造にすることで、データからパターンを学習して予測や分類が可能になるからです。深層学習のもう1つの特徴は、大量のデータから特定の問題を解く方法を学習している点です。これは、子供に犬や猫の視覚的な特徴を覚えさせるのをイメージするとよいでしょう。人間が経験から学ぶように、AIはデータから学習するのです。深層学習によって実現されるAI技術の代表例が、生成AIです。例えば、テキストの生成AIは、大量のテキストデータを学習した大規模言語モデルによって、高精度の文書作成が可能になります。

Key word

生体ネットワーク

生体ネットワークとは、神経ネットワークや代謝、細胞間通信ネットワークといった生体内の細胞や分子が相互につながり、情報や物質をやり取りするシステムである。生物学的なデータの集積や分析を可能にする生体ネットワークは、情報処理やAI分野のほか、創薬や農業といった分野において活用が進んでいる。例えば農業では、生体ネットワークを利用して、作物の生育状況や病害虫の発生を監視し、最適な栽培管理を支援する技術が開発されている。なお、コンピュータと培養液中の脳細胞を直接つないだチップによって、生体ネットワークを超高速学習させる試みも始まっている。

深層学習モデルの構造

ニューラルネットワークを多層構造にしている

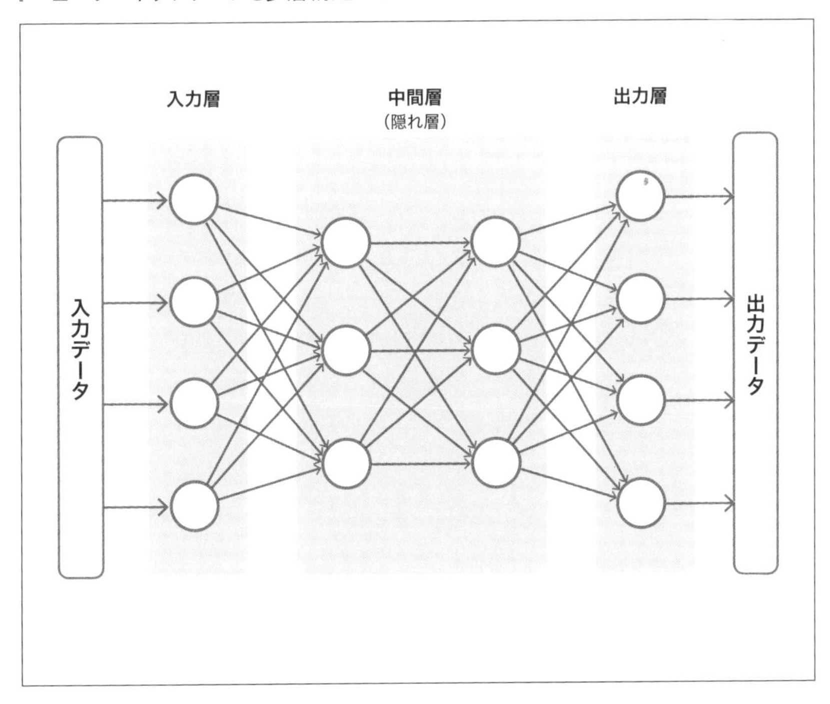

脳細胞を用いたコンピュータチップのイメージ図

培養した脳細胞とチップをつなぐことで、超高速学習が可能になる

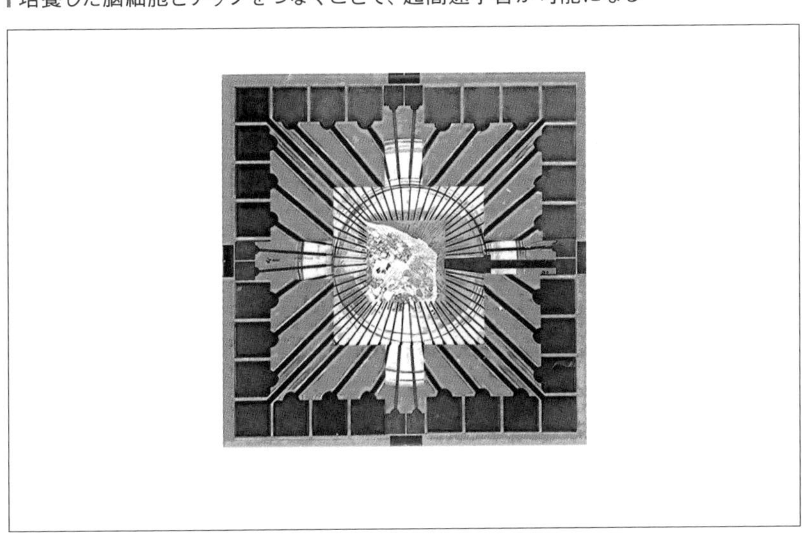

教師あり学習とは何ですか

入力と正解の出力をペアとしたデータに基づく学習です

機械学習は、AIの学習方法によって、「教師あり学習」「教師なし学習」「強化学習」に類別されます。教師あり学習とは、テキストや画像の入力とそれに対応する正解の出力をペアとした学習データに基づいて機械に学習させる方法です。教師あり学習では、例えば「犬」と「猫」の画像を見分ける能力をAIに持たせる場合、多くの犬や猫の画像を入力として、各画像に符合する犬や猫の「正解ラベル」を出力としてAIに読み込ませます。AIはこれらのデータから犬と猫の目や耳や尾などの特徴を学習して、新しい未知の画像に対しても、犬か猫かを判断するモデルを構築します。こうした教師あり学習の方法は、迷惑メールの判別や天気の予測、人の顔の認識、手書き文字の識別など、正解が明確な問題に適しています。教師あり学習の手法には、「分類」と「回帰」という2つのアルゴリズムが使われます。

教師なし学習と比べ、教師あり学習の方が学習精度は高いとされています。ただし、教師あり学習の実施にあたっては、大量のラベル付きデータの準備が必要で、教師なし学習よりも準備に手間がかかります。

Key word

アノテーション

アノテーションとは、機械学習の文脈において、AIに学習させる各データに教師となる正解ラベルを付与する作業を指す。アノテーションを的確に実施することで、AIはデータに含まれるルールやパターンを覚え、正しい出力が可能になる。例えば、画像データセットで果物を識別するモデルを訓練する場合、各画像に「リンゴ」や「ミカン」、「バナナ」といった正解ラベルを付与する。一部のアノテーションは手動で行われるが、多大な時間と労力がかかるため、アノテーション専用ソフトが使われるケースが多い。なお、教師なし学習では、アノテーションは不要となる。

教師あり学習の位置づけ
学習難易度が最も低い

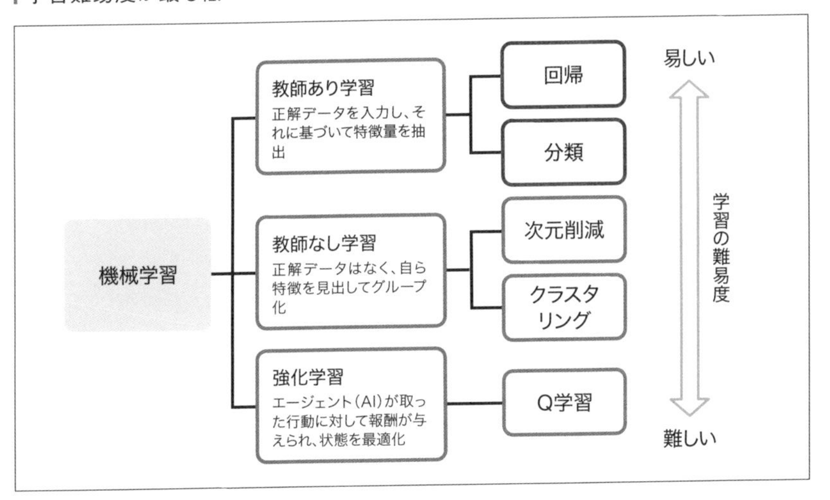

教師あり学習の種類
主に分類と回帰がある

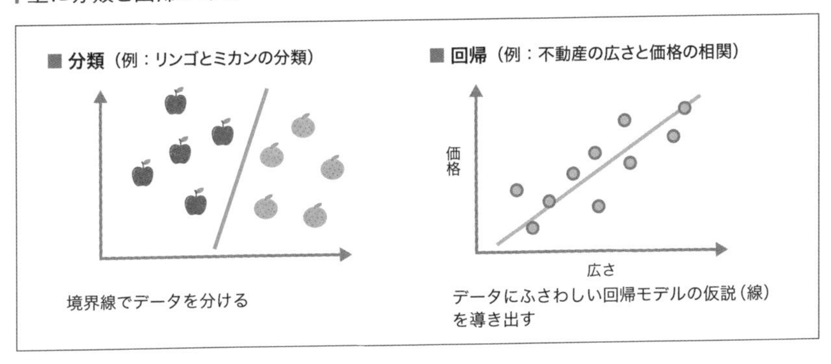

教師あり学習の主な用途
ユースケースが幅広い

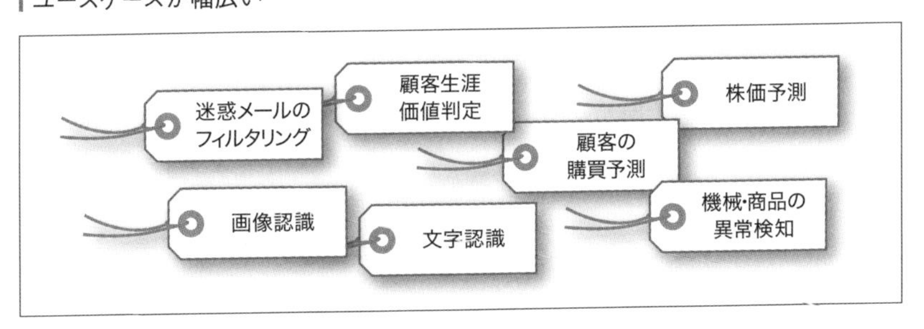

教師なし学習とは何ですか

正解ラベルを与えないデータに基づいた学習手法です

教師なし学習とは、正解ラベルが付いていないデータを機械に学習させる方法です。教師なし学習は、データに潜む構造やパターンを発見するのに適しており、人間が気付かない示唆を与えてくれるため、正解が不明確な問題に適しています。例えば、教師なし学習で「犬」と「猫」の画像を見分ける場合、多くの動物の画像を入力としてAIに読み込ませ、AIが自ら目や耳や尾などの特徴から犬か猫かを判断します。

教師なし学習の主たる手法には、「クラスタリング」と「次元削減」があります。クラスタリングは、似た特徴を持つデータ群をサブグループに仕分ける手法であり、顧客セグメントの識別などで使われます。一方、次元削減は、データの本質的な特徴を保持しつつ、複雑さを低減します。次元数が多過ぎると、データ間の相関関係が見えづらく、学習や分析に時間がかかるためです。教師なし学習のメリットは、ラベルなしデータを活用でき、新たな洞察が得られることです。ただ、結果の解釈が難しく、教師あり学習に比べてしばしば精度が劣るため、他の機械学習手法との適切な併用が求められます。

Key word

次元削減

次元削減とは、データの特徴量を減少させる機械学習のプロセス。特に、次元が大きいデータ、すなわち特徴量が多いデータでは、計算量が桁違いに膨らみ、モデルの性能が低下する。それを防ぐため、次元削減の処理は不可欠となる。次元削減には主に「特徴選択」と「特徴量抽出」のアプローチがある。特徴選択では、元のデータのうち、最も重要な特徴を選び出して、冗長な、関連性の低い特徴を排除する。一方、特徴量抽出では、元の特徴空間の本質的なデータを保持しつつ、より低い次元の空間に変換するプロセスで、主成分分析（PCA）が代表的である。

教師なし学習の仕組み
AIが自らデータから特徴などを学び、分類する

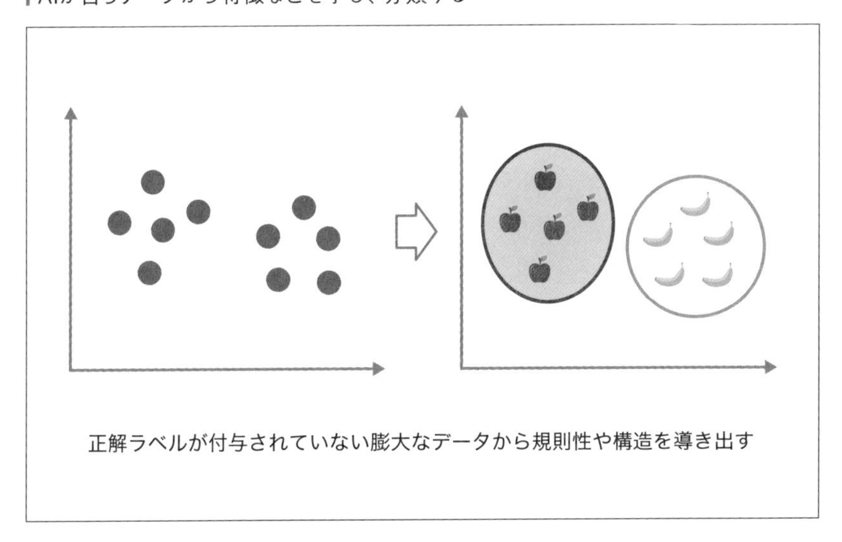

正解ラベルが付与されていない膨大なデータから規則性や構造を導き出す

分類（教師あり学習）とクラスタリング（教師なし学習）の違い
クラスタリング目的変数はなく、分類数のみを指定する

使われる技術	学習方法	目的変数	メリット
分類	教師あり	あり	学習が容易 分類精度が高い 目的に合った分類に対応
クラスタリング	教師なし	なし （分類数のみ指定）	学習データが不要 ラベル付けが不要 学習の手間が省ける 予測外の結果が得られる

半教師あり学習とは何ですか

少量のラベルありデータに基づいて学習する方法です

半教師あり学習とは、限られたラベル付きデータと大量のラベルなしデータを組み合わせてAIに学習させる方法です。教師あり学習と教師なし学習の中間に位置付けられ、両方の利点を兼ね備えています。データの共通性やパターンの把握に長けていながら、大量のラベルは不要なのです。半教師あり学習は、ラベル付けに手間とコストがかかる場合やラベルなしデータのみが豊富な場合に特に有効です。

半教師あり学習では基本的に、少量のラベル付きデータから学習した情報に基づいて、ラベルなしデータの構造パターンを理解し、新たな知見や傾向を導き出します。既存のラベル付きデータセットを拡張的に使うことで、ラベルなしデータの持つ隠れた規則性や関係性を効率的に探り当てるのです。加えて、擬似的なラベルでモデルを再トレーニングし、未知の、新たなデータに対する予測精度の向上を図ります。半教師あり学習の手法には「自己訓練」や「共訓練」があります。ただ、半教師あり学習で生成されるレベルは必ずしも正確ではありません。そのため、ラベルの品質を評価し、不確実性を低減する措置が重要となります。

Key word

自己訓練、共訓練

「自己訓練」と「共訓練」はいずれも半教師あり学習だが、アプローチが異なる。自己訓練は、最初に少量のラベル付きデータを使って1つの分類器を訓練し、その分類器をもとにラベルなしデータに対する予測を行い、確度の高いものを採用して、更新されたデータセットで分類器を再訓練するというプロセスを繰り返す。一方、共訓練は、ラベル付きデータを分割して異なる特徴セットを用意し、2つの分類器を訓練する。各分類器は、最初に少量のラベル付きデータで訓練後、一方の分類器がラベル付けしたデータをもう一方の分類器の訓練データとして使用するというプロセスを繰り返す。

半教師あり学習の長短
教師あり学習と教師なし学習の中間に位置付けられる

	メリット	デメリット
データ利用	少ないラベル付きデータでも、ラベルなしデータを活用可能	ラベルなしデータがノイズを含む場合、学習結果が不正確になるリスク
コスト	ラベル付けにかかるコストの削減	モデルの複雑さが増すと、計算コストが嵩む
汎用性	異なるタイプのデータを組み合わせられ、汎用性が高い	特定のタイプのデータや問題設定では、パフォーマンスが劣る恐れ。ラベル付きデータが不十分な場合、モデルの過学習を引き起こす懸念

半教師あり学習の一般的な流れ
プロセスの繰り返しで、モデルの精度を向上させる

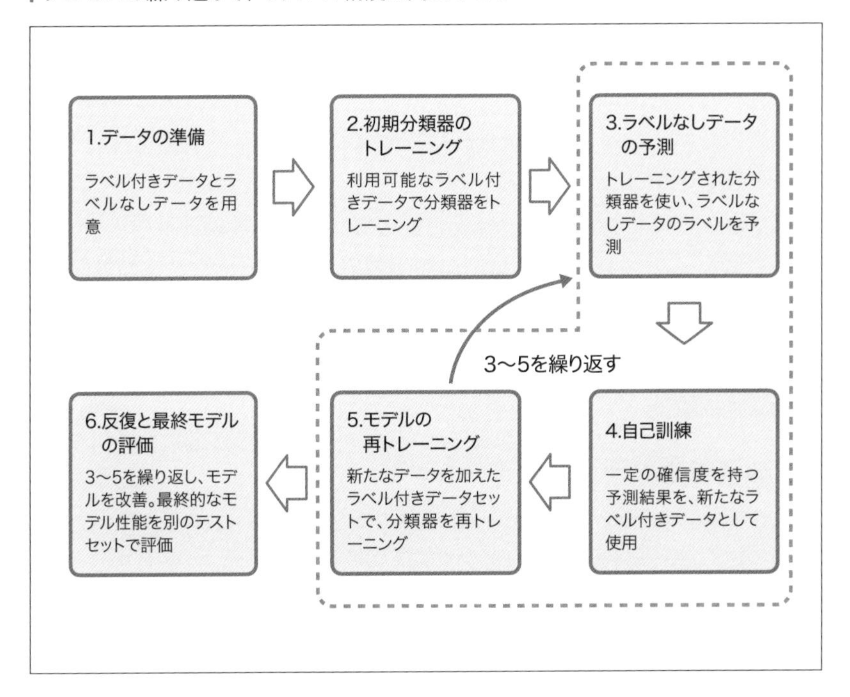

自己教師あり学習とは何ですか

データから自ら学習してラベルを生成するモデルです

自己教師あり学習とは、データ自体に含まれる情報を「教師」として活用して、AIに学習させる方法です。所与のラベル付きデータを一切使わず、自らラベルを自己生成するため、従来のラベル付けに依存しません。半教師あり学習と同様、教師あり学習と教師なし学習の中間に位置付けられ、それぞれの特徴を持ち合わせています。

教師あり学習で必要になるデータのラベル付けは手間とコストがかかるため、特に大規模なデータセットでは非効率で実用的ではありません。自己教師あり学習は、データセット内の自然な構造を活かし、データから直接、学習に必要な情報を抽出できます。これにより、ラベル付けにかかる労力や費用を省き、よりスケーラブルな学習プロセスを実現します。無数のラベルなしデータが利用可能な現代において、そうしたデータから価値を引き出すこの新しいアプローチは、重要性を増しており、機械学習の分野で注目が高まっているのです。自己教師あり学習のコアとなるアルゴリズムには、「自己予測学習」や「コントラスト学習」、その発展形の「モメンタムコントラスト（MoCo）」などがあります。

Key word

自己予測学習、コントラスト学習

自己予測学習とは、データの一部からその他を推し測る「自己予測タスク」を用いた学習手法である。文脈から欠落した単語を予測するBERTの「マスキング言語モデル」など、自然言語処理で成果を上げている。コントラスト学習とは、類似したサンプルを近付け、異なるサンプルを遠ざける表現学習である。例えば画像認識で、同じデータポイントの色や部位が異なるビューを「正のペア」、異なるポイント由来のビューを「負のペア」として扱う。正のペアの類似度を最大化、負のペアの類似度を最小化するように訓練され、コンピュータビジョンの特徴量抽出などに有効。

自己教師学習と教師あり学習の違い
学習手法やラベルの有無によって分類される

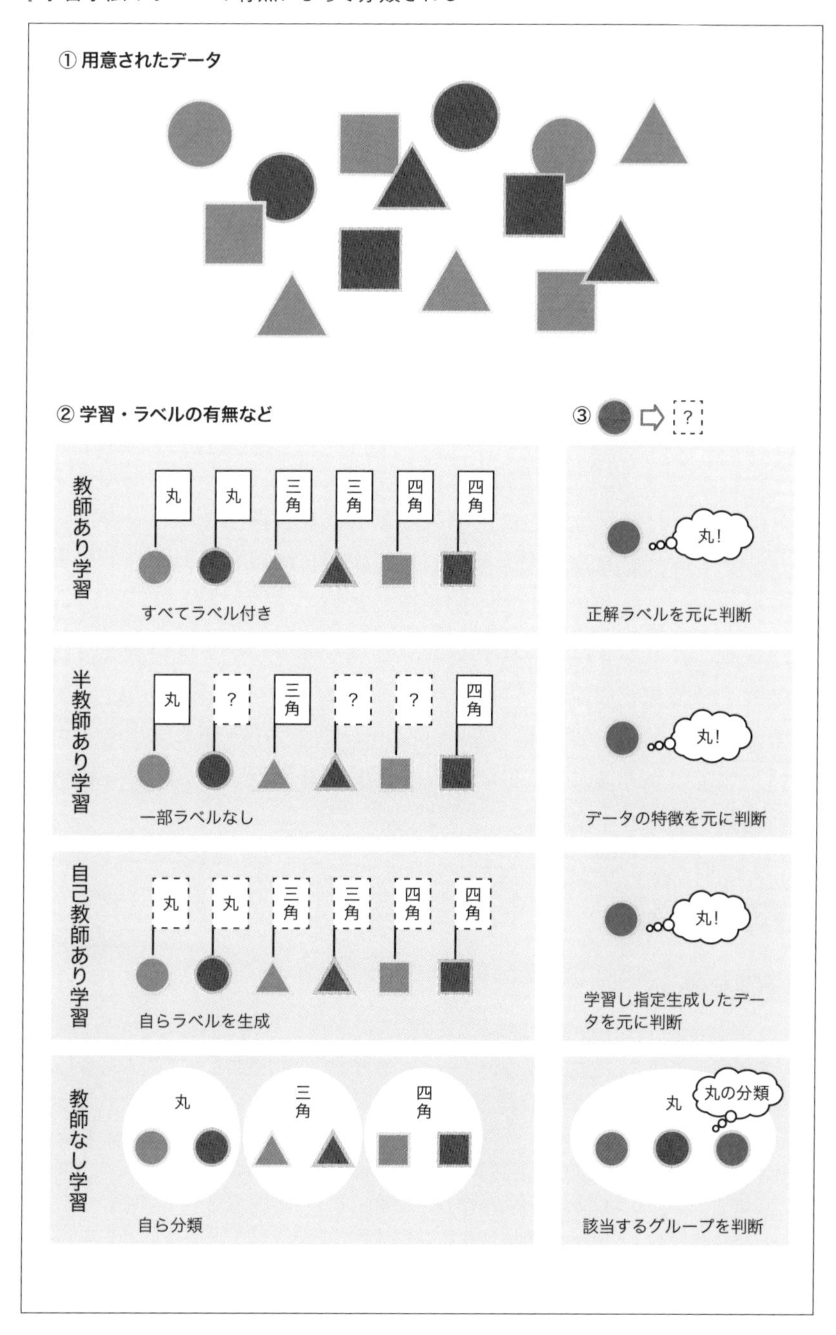

機械学習の要素技術 Ⅲ-09

強化学習とは何ですか

得られる報酬に基づき意思決定を最適化する技術です

強化学習とは、ある環境下で下した行動選択の良し悪しに基づき、意思決定を最適化させるAIの学習技術です。「エージェント」と呼ばれる仮想の学習主体が特定の「環境」で行動し、その結果として得られる報酬に基づいて学習します。エージェントと環境は「状態」「行動」「報酬」の情報を互いに送受信し、作用し合うのです。強化学習は、「1. エージェントが環境に対して行動を選び行動する」→「2. 環境がその行動を評価し、新しい状態と報酬をエージェントに伝える」→「3. エージェントは得られた報酬をもとに次の行動を選択し、再び1のステップに戻る」という流れで進みます。エージェントの目的は報酬の合計の最大化にあり、行動価値関数と方策を最適化します。

囲碁の世界トップ棋士に勝利したグーグルのアルファ碁が強化学習の成果の1つです、Webサイト上の対局3,000万手を学習し、AI同士で数千万局を戦ったとされています。強化学習は、「教師あり学習」と似ている側面もありますが、「長期的に価値を最大化する」ことを重視している点で異なります。

Key word

Q学習

Q学習とは、強化学習の手法の1つで、エージェントが環境との相互作用を通じて最適な行動方針を学習する。Q学習では、環境のモデルをあらかじめ知る必要がなく、試行錯誤を通じて最適な行動を学習できる。「状態行動価値」を意味する「Q値」の関数を使うのが特徴である。特定の状態においてエージェントが取り得る行動の対価となる報酬の期待値と解釈される。Q値は、1つの状態と行動の組み合わせに対して1つ割り振られ、別の新しい状態に遷移して別の行動を選ぶたびに更新される。エージェントは、最大のQ値を持つ行動を選択することで、長期的な報酬を最大化する。

強化学習の流れ

状態、行動、報酬の情報を互いに送受信する

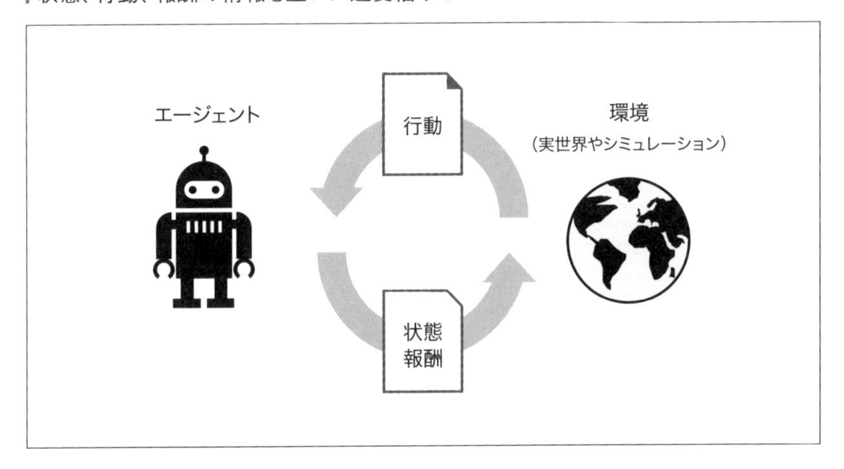

強化学習の主な用語

エージェントは環境に対して起こす学習者に位置付けられる

用語	意味
エージェント (Agent)	環境に対して行動を起こす学習者に位置付けられる。環境に対して取り得る行動を判断し、さまざまに試行しながら、行動を最適化していく。機械学習においてはエージェント＝ AI
環境 (Environment)	エージェントの行動に伴い、状態の更新と報酬の付与を担う、観測者のような位置付け。エージェントが行動を起こすための前提条件
行動 (Action)	特定の状態においてエージェントが取り得る振る舞い。行動を起こすと、環境から報酬が与えられる
状態 (State)	エージェントの行動を受けて保持される環境の様子。囲碁の打ち手のたびに変わる盤面のように、行動のたびに更新される
報酬 (Reward)	望ましいエージェントの行動に対し、環境から与えられる対価

機械学習の要素技術 Ⅲ-10

深層強化学習とは何ですか

フィードバックに基づき最適な行動を選ぶ手法です

深層強化学習とは、強化学習と深層学習を組み合わせて、AIを学習させる機械学習の技術です。それぞれの利点を兼ね備えた機械学習の一方法であり、「特定の環境下で、最適な行動を取るように学んでいく」ように、エージェントの行動決定の手掛かりとしてニューラルネットワークが活用されています。深層強化学習における2010年代の代表的なブレークスルーに、「深層Q ネットワークDQN)」があります。DeepMind（当時）によって開発されたこの手法は、Q学習に深層学習を組み合わせたものです。

DQNのAIは、有名なブロック崩しゲーム「Breakout」において、人間の能力を上回る高得点を叩き出し、大きな注目を集めました。もう1つは前項で触れたアルファ碁による棋界での活躍です。このように、深層強化学習の応用範囲は広く、ゲームだけでなく、エネルギー管理、物流、製造業など様々な産業分野での最適化や自律化に資すると期待されています。そのほか、逆強化学習や転移学習など、様々な強化学習の応用的な手法が開発され、AIの発展を支えてきたのです。

Key word

逆強化学習、転移学習

通常の強化学習では与えられた報酬の最大化に向けてエージェントが行動するように学習するのに対して、「逆強化学習」ではエージェントの行動が最大化しようとする報酬関数を推測する。熟練者の意思決定履歴を最適解として、その行動を模倣するための学習や、報酬関数が明示的に与えられない複雑な環境での学習に有効である。逆強化学習は組み合わせ最適化や最適制御に応用可能。一方の「転移学習」は、あるタスク（ソースタスク）で学習した知識を､別の関連するタスク（ターゲットタスク）に適用する技術である。新しいタスクの学習プロセスを高速化し、必要なデータを減少できる。

深層強化学習のイメージ図
深層学習と強化学習の組み合わせ

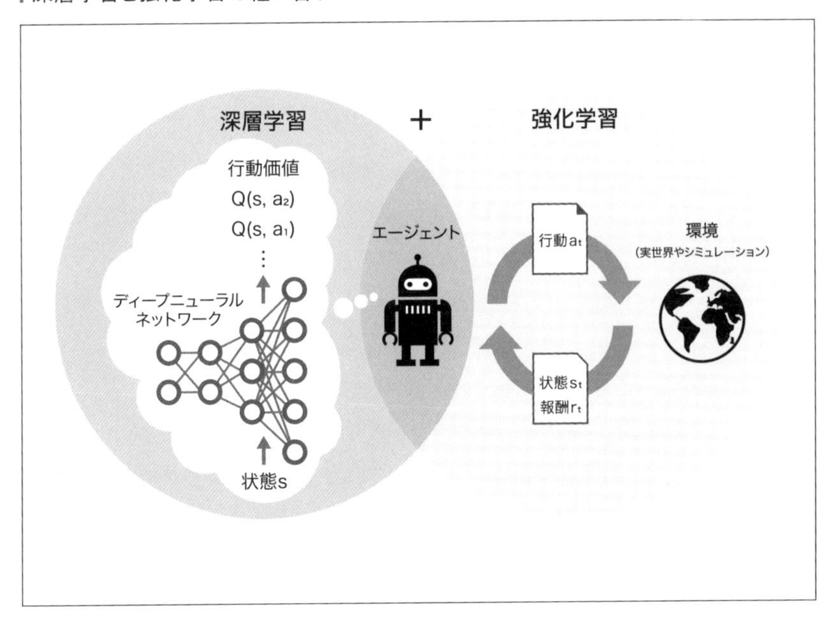

機械学習の相関図
用途に応じて、様々な学習方法を使い分ける

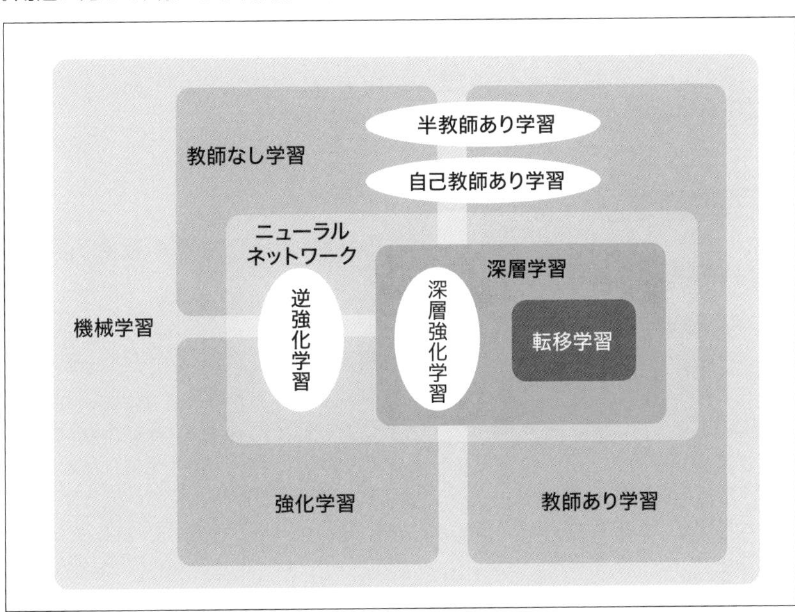

特徴量とは何ですか

予測や分類の要素や変数を定量的に表します

特徴量とは、テキストや画像といったデータにおいて、予測や分類の手掛かりとなる要素や変数を定量的に表したものです。特徴量は、機械学習、特に深層学習の分野で重視されます。人が「犬」と「猫」を見分ける際に、目や口、体の大きさなどの特徴に注目するように、AI もそうした特徴量を学習して識別に活かします。

画像認識の場合、特徴量は画像内のピクセルの集合体や色の情報として捉えられます。例えば腫瘍の良性・悪性を判定する際、腫瘍部分の色合いや形状が特徴量として利用されます。特徴量を機械学習に活かす技術に、元データから有用な情報を選別する「特徴量抽出」があります。また、抽出された特徴量を学習モデルが扱いやすい形式に変換する過程は、「特徴量表現」と呼ばれます。これらの特徴がいかに表現されているかを可視化した「特徴量マップ」は、特に畳み込みニューラルネットワーク各層の出力を画像として表示します。特徴量の精度は、機械学習モデルの性能に直結します。予測精度向上では、適切な特徴量を設計する「特徴量エンジニアリング」が重要になります。

Key word

特徴量抽出、特徴量表現、特徴量マップ

特徴量抽出とは、元データから有意な情報を抜き出すプロセス。ノイズ除去や欠損値補完、正規化といったデータの前処理を通じて学習に必要な情報のみを取り出すことにより、データの次元削減を図り、学習アルゴリズムを効率化する。特徴量表現は、抽出された特徴量を数値化したり、複数の特徴量を１つにまとめてベクトル化したりして、学習モデルが解釈しやすいデータ形式に変換するプロセス。表現方法には、画像のピクセル強度やテキストの単語出現頻度などがある。特徴量マップは、データの特徴量を可視化するために用いられる手法である。

教師あり学習における特徴量

犬の画像認識における、目、口、尾の形状などが特徴量に当たる

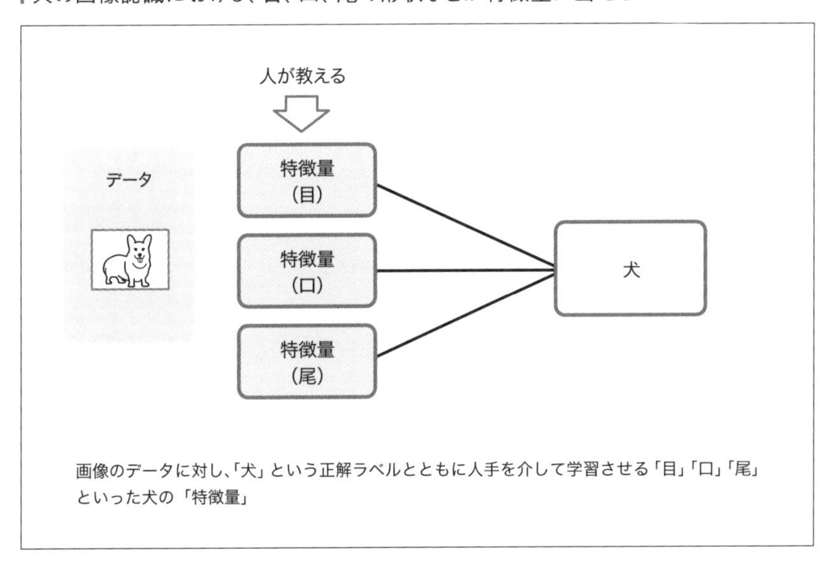

画像のデータに対し、「犬」という正解ラベルとともに人手を介して学習させる「目」「口」「尾」といった犬の「特徴量」

教師なし学習における特徴量

AIが自ら、特徴量を見つけ出す

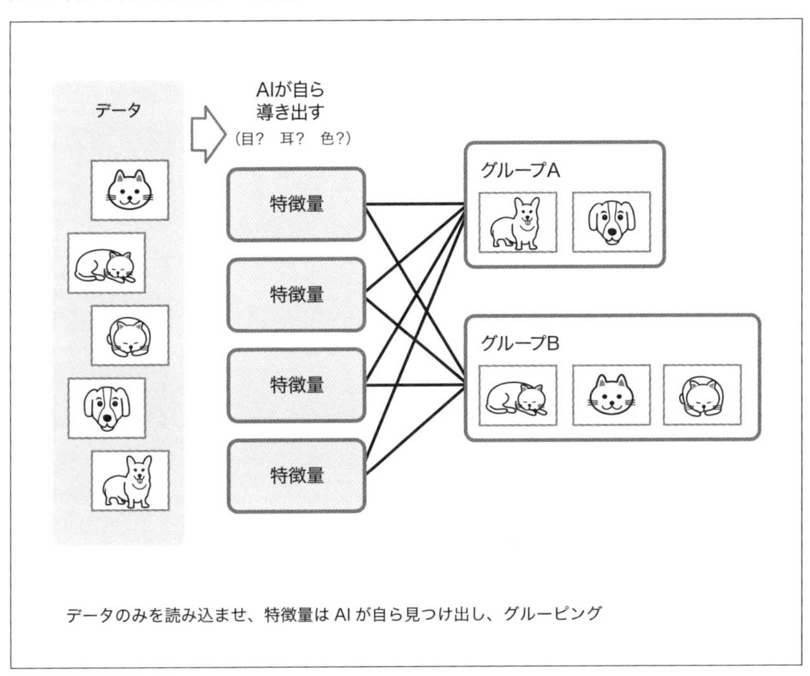

データのみを読み込ませ、特徴量は AI が自ら見つけ出し、グルーピング

パターン認識とは何ですか

各種データから規則性を見出し、識別する技術です

パターン認識とは、文字や画像、音声といった各種データから、特定のルールや規則性を見出し、識別する技術です。AIは、人間の認識活動の原理を学び、対象のパターンを認識し、データを処理しています。パターン認識の仕組みは、抽出した特徴に基づいて規則性を導き出したり、分類や予測をしたり、判断を下したりすることです。

パターン認識の対象は音声、画像、テキスト、生体信号などであり、画像認識や文字認識、音声認識や生体認証といった技術がその代表例です。例えば、人は何かを探すとき、その形や色の特徴を手掛かりにします。AIも同様に、教師あり学習で特徴を学習し、パターン認識しているのです。パターン認識は、教師あり学習との組み合わせによって、AIの精度を飛躍的に高めることに貢献してきました。パターン認識技術の確立により、「人の顔」など定量的な表現が難しいデータも扱えるようになりました。画像認識による防犯システムや音声認識を通じたスマートスピーカーなど、応用範囲は高度化しています。なお、最も初期の画像認識技術の1つにバーコードがあります。

Key word

生体認証（バイオメトリクス）

生体認証とは、人間の身体的、行動的特徴に基づいて個人を識別する技術である。パターン認識では、指紋、虹彩、顔の形状、声紋といった個々人に特有の生体的特徴を認識、記録、比較することで個人を特定する。生体認証は、パスワードやIDカードによる従来型の認証方法に比べると安全で、なりすまし防止などに役立つほか、パスワードの入力やカードの携帯といった必要がなく、利便性が高い。利用例としては、セキュリティシステムでの身元確認、スマートフォンやPCのロック解除、空港でのパスポートコントロールなどがある。

パターン認識の対象

テキスト、画像、音声、物体など、対象は様々

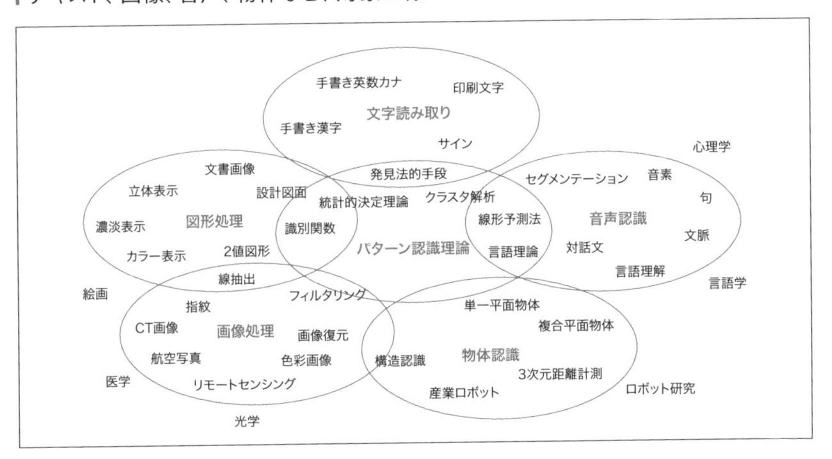

AIによる主なパターン認識

応用分野は、多岐にわたる

応用分野	対象	概要
画像認識		画像や動画のデータから、顔などの特徴を識別、検出
文字認識	7	活字や手書きテキストの画像を文字コードに変換
音声認識		コンピュータが声を認識、文字列に変換

パターン認識の仕組み（例：文字認識）

特徴から、文字を識別する

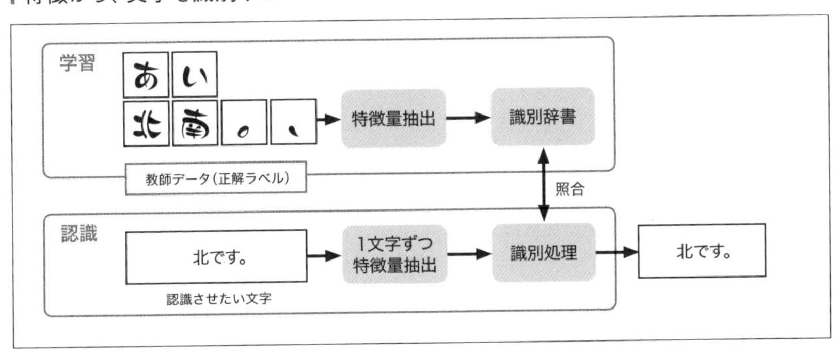

機械学習の要素技術 Ⅲ-13

自然言語処理とは何ですか

人間が交わす言葉に基づくコンピューティング技術です

自然言語処理とは、人間が日常で使う「自然言語」をコンピュータが識別、抽出する技術です。書き言葉だけでなく、話し言葉も自然言語処理の対象であり、言葉の意味を多面的に解析します。自然言語処理では、文章の構造や全体像を読み解く「形態素解析」、単語同士を結び付ける「構文解析」、フレーズごとの相関性を表す「意味解析」、文章の流れの整合を確認する「文脈解析」といった各工程で自然言語を処理します。この一連の処理には、機械可読目録とコーパスが必要になります。

自然言語処理は近年、深層学習の技術革新と共に進歩し、生成 AI の台頭に結び付きました。テキスト生成 AI は、大量の文章データの学習により精度を高めています。入力文を「トークン」という単位に分解し、各トークンの配列から次に来るトークンを予測する「言語モデル」により、連続的なトークンを予測し、意味のある文章を生成しているのです。特に最先端の生成 AI システムは、「大規模言語モデル」の進化に支えられています。自然言語処理技術の進化が質問やリクエストへの違和感のない応答、機械翻訳や Web 検索を可能にしたのです。

Key word

機械可読目録 (MARC)

機械可読目録とは、自然言語処理に際して言葉の分析に用いられる、参照すべき膨大なデータ群である。機械可読目録は、コンピュータが書き言葉を読んで理解できるように機械的に変換したリストの通信規格であり、書籍検索システム「OPAC」がよく知られている。書籍やその他のメディアのタイトル、著者、出版情報といった図書データの標準化に寄与し、図書館業務の効率化に貢献した。米国議会図書館が主導して、1965 年に世界初となる MARC 形式の記録が公開された。1970 年代以降に国際標準の整備が進み、各国での採用が広がるにつれ、多言語化に対応している。

ChatGPTに搭載された主な自然言語処理の関連技術

ファインチューニングにより、特定タスクに最適な応答の生成が可能

トークン化	入力されたテキストを一連の「トークン」（単語、句読点、その他の言語の要素）に分解
言語モデル	各トークンの並びに基づき、次に来るトークンが何か予測
生成	トークンを連続的に予測し、結果として意味のある文を構築
ファインチューニング	特定の作業により適した文章を生成するために行う、元のモデルの微調整

自然言語処理の流れ

「私は本を買った。」を主部、述部などに分けて解析

ステップ		概要	解析
形態素解析 ↓	単語分割	文を形態素に分ける	私 / は / 本 / を / 買った。
	品詞付け	形態素に品詞を付与する	私 / は / 本 / を / 買った。 代名詞 助詞 名詞 助詞 助詞過去形
構文解析 ↓		形態素の相関性を明確にする	私 / は / 本 / を / 買った。 名詞句 助詞 動詞句 主部 述部
意味解析 ↓		構文の意味合いを解釈する	主体：私 動作：買う（財布） 対象：本 時制：過去
文脈解析		全体の文意を読み 解く	

コーパスとは何ですか

AIが言葉を理解する上で欠かせないデータ集です

コーパスとは、自然言語の文章や使い方を大規模に収集し、コンピュータで検索できるように整理したデータベースです。日本語で「言語全集」とも呼ばれ、AIが自然言語を扱う上で欠かせません。コーパスにおいて、様々なメディアから収集された自然言語のデータは構造化され、品詞や文法の情報が付与されます。コーパスは、AIが非構造化データの自然言語を「読む」ための辞書の役割を果たしています。

コーパスの進化はそのまま、自然言語処理技術の向上を意味します。例えば、IBMのWatsonは、Wikipediaや論文、判決文といった複雑で膨大な文章のコーパスを活用することで、流暢な自然言語を操れるようになりました。現在、日本語や英語、中国語など各国語に対応したコーパスが構築されており、複数言語の処理、翻訳に使われる「対訳コーパス」も存在します。また、医療や金融といった業界ごとに特化したコーパスも構築されており、利用シーンに応じて多様化しています。読み込ませるコーパスが多いほど翻訳の精度は高まり、一般に機械翻訳には20万〜100万ワードのコーパスが必要とされます。

Key word

パラレルコーパス

パラレルコーパスとは、ある言語の文章に対し、それに一致する文や段落の単位の翻訳(対訳)が付いている２言語以上から成るコーパスである。例えば、英語文に対する正確な和訳を含むデータが機械翻訳のアルゴリズムを訓練する上でパラレルコーパスが使用されるなど、新しい文の翻訳精度の改善に寄与してきた。欧米における異言語間での公文書の扱いをめぐる相互理解の醸成を目的に発展してきた経緯があり、幅広い言語ペアの膨大な語彙をカバーしている。AIの自然言語処理を含む言語技術の発展に不可欠な役割を果たす。

主なコーパス

用途に応じて、コーパスは使い分けられる

日本語コーパス	日本語の単語や文法、言い回しを構造化したデータベース。国立国語研究所が中心になって構築した大規模コーパス「現代日本語書き言葉均衡コーパス（BCCWJ）」があり、そのうち「KOTONOHA Corpus」は無償オンライン版で約 1 億語収録
英語コーパス	米英をはじめ世界中で利用される英語のデータベース。イギリス英語約 1 億語を収録した「BNC Simple Search」が有名。米国の新聞や小説、ラジオなどで登場する単語を集めた「The Corpus of Contemporary American English（COCA）」もある
学習者コーパス	英語や中国語など、特定言語を習得しようとしている人向けの、用途が限定されたコーパス。JEFLL（Japanese English as a Foreign Language Learners）学習者コーパスは、日本人の英語学習者である中学生と高校生の作文データをもとに収録
検索エンジンコーパス	Google や Bing、Yahoo！といった検索エンジンをコーパスとして活用する方法。検索したい単語や文章を「“ ”」で囲って検索欄に入力
2 言語パラレルコーパス	最も一般的な対訳コーパスで、原文と他の 1 つの言語の翻訳で構成されるパラレルコーパス。パラレルコーパスとは、ある言語のテクスト（source texts）と翻訳されたテクスト（target texts）を、文や段落の単位ごとに対応させて構築した 2 言語以上から成るコーパスのことである。

機械翻訳の種類

機械翻訳にコーパスは欠かせない

種類	略称	特徴
統計的機械翻訳	SMT（Statistic Machine Translation）	大量の対訳データの言語ペアに基づいて統計モデルを学習、翻訳
ルールベース機械翻訳	RMT（Rule-based Machine Translation）	対象言語特有の規則性や文法に基づいて翻訳、専門用語の翻訳
ニューラル機械翻訳	NMT（Neural Machine Translation）	深層学習とニューラルネットワークを用いて構築、文脈全体を考慮に入れるため、より流暢で自然な翻訳が可能

クラスタリングとは何ですか

答えのないデータから、特徴や傾向を導き出します

クラスタリングとは、類似性に基づいてデータを「群・集団＝クラスタ」に分ける手法です。「クラスタ分析」とも呼ばれるクラスタリングは教師なし学習の手法であり、答えのないデータから、その特徴や傾向を学習します。顧客セグメンテーションやビッグデータ解析など、幅広い用途で活用されています。各データが1つのグループのみに所属するデータを分類する「ハードクラスタリング」と、複数のグループにまたがって属するデータを分類する「ソフトクラスタリング」の2つに大別されます。また、データ間の類似度が高いものから順にグループ化する「階層的クラスタリング」と、指定したクラスタ数に合わせてグループ化する「非階層的クラスタリング」という方法も使われます。

機械学習の文脈における「クラスタリング」と「分類」は、データをグループ分けする点では同じなため、混同されがちです。しかし、例えば分類では迷惑メールであるか否かの明確な「答え」が存在するのに対して、クラスタリングではメールの内容や特徴から類似のメールをグループ化しますが、迷惑メールの当否は教えられません。

Key word

k-means法

k-means法とは、互いに近いデータを同じクラスタと捉え、データ群をk個のグループに分けるクラスタリング手法である。「k平均法」とも呼ばれるk-means法は、クラスタの「平均的な位置（重心）」を求めるため、非階層的クラスタリングに用いられるアルゴリズムと捉えられる。K-means法は、「①「いくつ（k個）のクラスタに分けるか」を設定→②無作為にクラスタの「代表点」を設定→③データと代表点の距離を計算、最も近い代表点のクラスタにデータを係属→④クラスタの「重心」を新たな「代表点」に決定→⑤重心が動かなくなるまで③④の繰り返し」という流れで進められる。

階層的クラスタリングと非階層的クラスタリング

非階層型はランダムで大量なデータの傾向調査に適している

	階層的クラスタリング	非階層的クラスタリング
対象となるクラスタリングの目安	数十	数百
あらかじめクラスタ数を与える必要	なし	あり
クラスタリングの対象数が多い場合	不向き	好適
その他	デンドログラムにより、グループ分けの過程が可視化	結果が初期値に依存

階層的クラスタリングの流れ

階層型はブランドや商品など視点定めてクラスター化するときに有効

	説明	デンドログラム
① 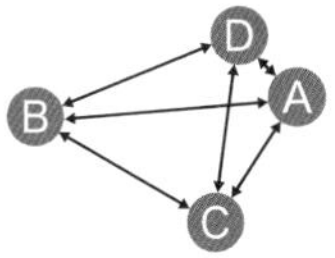 B, D, A, C	個々のデータを1つのクラスタと見なし、すべてのクラスタ同士の距離を計算	 A D 高さは併合するクラスタ同士の距離
② 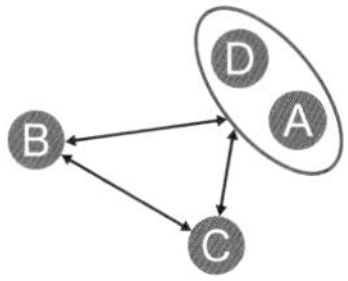 D, A, B, C	最短距離のクラスタ同士を1つのクラスタとして併合	 A D
③ D, A, B, C 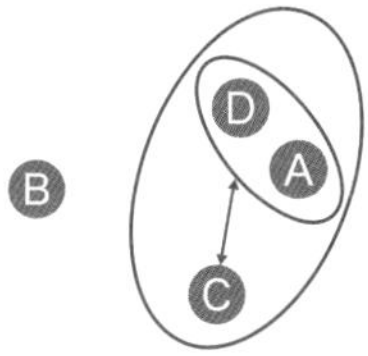	すべてのクラスタの距離を再計算、最短距離のクラスタの組み合わせを併合	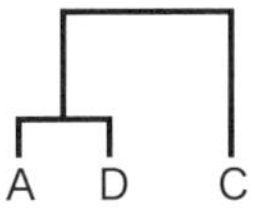 A D C
④ D, A, B, C 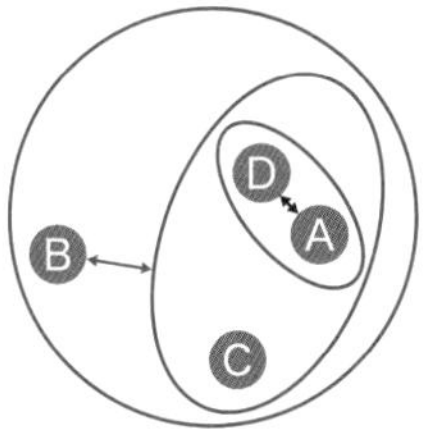	全体が1つのクラスタとなるまで②と③を繰り返す	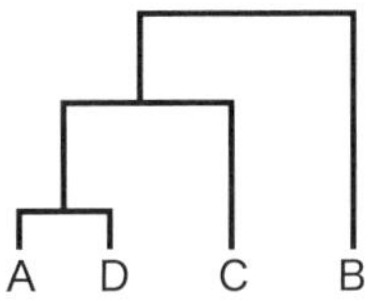 A D C B

AIの学習で使われるデータには、どのような種類がありますか

チューニングや評価など目的ごとに使い分けられます

AIの学習で使われるデータは大きく、「訓練データ」「検証データ」「テストデータ」の3つに分けられ、それぞれ使用目的が異なります。勉強に例えて言えば、訓練データは教科書、検証データは模擬試験、テストデータは本試験に相当します。

訓練データは、モデルの学習に使用され、モデルの重みやパラメータが更新されます。具体的には、データの特徴量や正解の傾向の学習に使われます。訓練データは教科書のようなものであり、基本的な知識や技術を身に付ける情報源の位置付けです。検証データはモデルのチューニングに使用されます。検証データでモデルの精度を確認しながらハイパーパラメータを調整し、最適化することでモデルの性能を飛躍的に向上させます。この過程は、模擬試験の結果を踏まえて勉強方法を見直す作業に相当します。そして、テストデータはモデルの最終的な評価に用います。訓練データや検証データには存在しない、未知のデータであり、モデルの実際の性能を評価します。これは、本番の、未知の試験を受けて、実際の能力、頭の良さを試す過程に当たります。

Key word

過学習

AIの学習に使われるデータが3つに分かれているのは、モデルが未知のデータに対しても高い性能を発揮できるようにするためである。訓練データだけで学習し、評価すると、そのデータに特化したモデルが構築され、実際に使用する環境において未知のデータにうまく対応できずに性能が低下する恐れがある。この現象は「過学習」と呼ばれる。過学習を防ぐには、検証データやテストデータを使用して、モデルの汎用性を確認しなければならない。具体的には、データの個数や説明変数の調整、シンプルなモデルの構築といった対策が取られる。

データの種類

勉強に例えれば、教科書、模擬試験、本試験に相当する

データ	使用のタイミング	データの用途
訓練データ (train data)	学習時	学習時に重みの更新に利用
検証データ (validation data)	学習時	ニューラルネットワークの各層のニューロン数や隠れ層の数といった手動で設定するハイパーパラメータのチューニングに利用
テストデータ (test data)	評価時	パラメータの学習後、作ったモデルの汎化性能を確かめるための精度評価に利用。学習には不使用

MNISTのデータセットの例

手書き文字（数字）の学習用データ

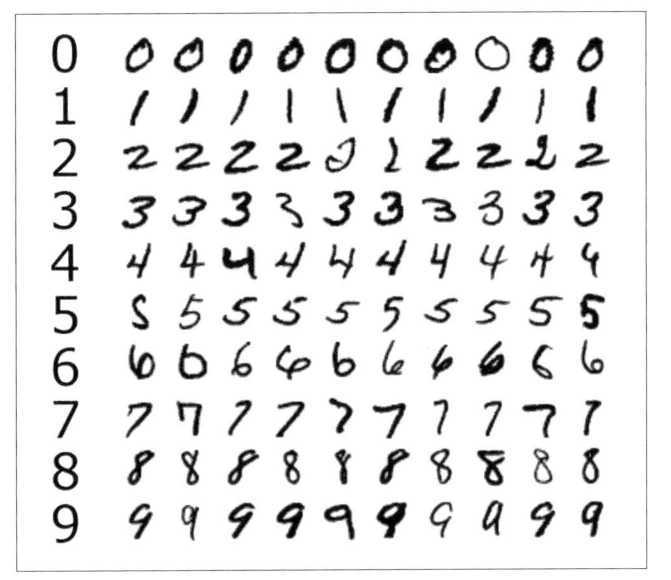

有名なデータセットの１つ、「MNIST（Modified National Institute of Standards and Technology database、エムニスト）のデータ。訓練用６万セット、評価用１万セットの計７万枚の手書き数字を無料で機械学習に使える。著名なAI研究者ヤン・ルカンらが作成

出典：Yann LeCun's MNIST DATEBASE　https://yann.lecun.com/exdb/mnist/

活性化関数とは何ですか

ニューロンの発火の判断軸となる重要な要素です

ニューラルネットワークにおいて、ニューロンは複数の入力信号を受け取り、それらの信号の総和を計算します。この総和を変換するのが活性化関数であり、その結果が最終的なニューロンの出力となります。活性化関数は「ニューロンの発火」の境目、閾値として機能し、ニューロンから次のニューロンへの出力を制御するための重要な要素です。

ニューラルネットワークには、様々な活性化関数が存在し、現在も増え続けています。活性化関数の選択や使用は、時代や技術の進化とともに変わってきました。例えば、パーセプトロンは、初期モデルの活性化関数として活用されていましたが、深層学習が主流の現代ではあまり使われません。一方、シグモイド関数は0から1の間の値を出力する関数で、誤差逆伝播法の概念の登場後、二値分類の出力層でよく使われるようになりました。ただ、勾配消失問題を受け、中間層のニューロンでの使用は控えられます。この重みが更新されなくなる勾配消失問題を解消するReLU関数は、現代の深層学習で最も利用頻度の高い活性化関数の1つであり、学習の速度が速いといった利点もあります。

Key word

ニューロンの発火

ニューロンは、別のニューロンからシナプスを経由して入力となる刺激を受けた結果、細胞の内部の電位（膜電位）が上がる。そして電位が一定の大きさ、つまり閾値を超えると一気に上昇する。こうした細胞の興奮状態は「ニューロンの発火」と呼ばれ、発火により別のニューロンに信号が出力される。ニューロンの活動を数理的に模して単純化した「形式モデル」においては、ニューラルネットワークにおいて入力それぞれに対して重みを掛け合わせた。その総計値が閾値を超えていれば、出力は「1」となり発火し、超えていなければ出力は「0」、すなわち発火しない。

主な活性化関数

用途に応じて、様々な活性化関数が使い分けられる

活性化関数	グラフ	概要	関係の深い分野
ステップ関数	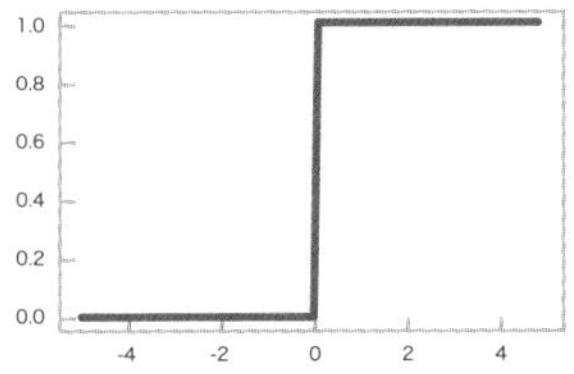	関数への入力値が0未満の場合、出力値は常に0、入力値が0以上の場合は常に出力値1となるような関数。0を基点として階段（step）状のグラフとなり、階段関数とも言われる。基点は閾値	パーセプトロン
シグモイド関数	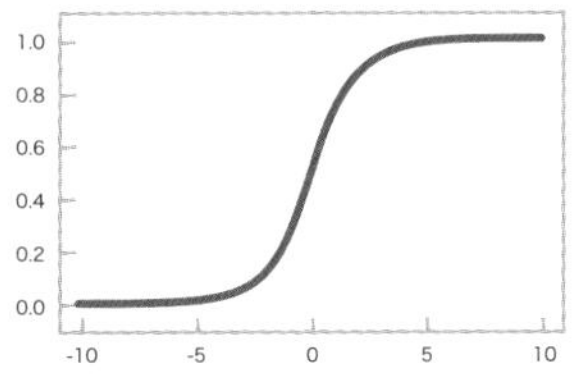	あらゆる入力値を0.0～1.0の範囲の数値に変換して出力する関数。座標点(0, 0.5)を基点（変曲点）とした点対称のグラフで、σ（シグマ）字型曲線を描く	逆誤差伝播法
tanh関数（ハイパボリックタンジェント、タンエイチ）	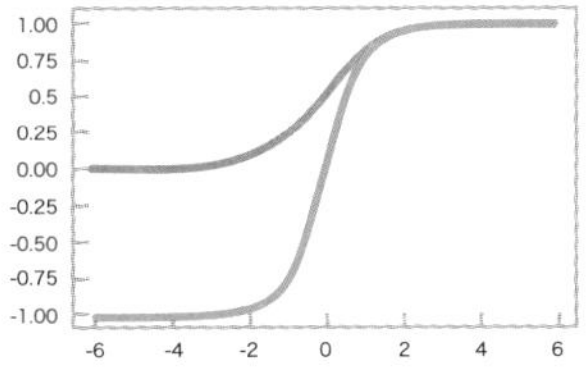	入力値を-1.0～1.0の範囲の数値に変換して出力する関数。座標点(0, 0)が基点（変曲点）のとした、σ字型曲線の点対称のグラフになる。シグモイド関数の出力0～1に対し、tanh関数の出力は-1～1	勾配消失問題
ReLU関数（Rectified Linear Unit、「レルー」）	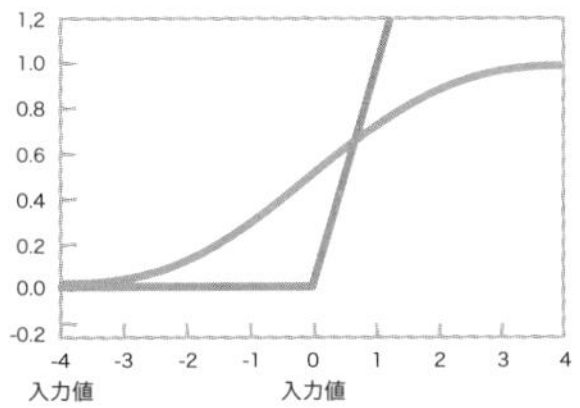	入力値が0以下の場合は出力値が常に0、入力値が0より大きい場合は入出力が同値になる関数。 座標点(0, 0)を基点にランプ（ramp; 傾斜路）型のグラフを描くため、「ランプ関数」とも呼ばれる。計算式がシンプルで処理が高速	ディープニューラルネットワーク

機械学習の要素技術 Ⅲ-18

線形回帰とは何ですか

既知の傾向から予測的なデータを導き出す手法です

線形回帰とは、関連する他の既知のデータ値に基づいて未知のデータ値を予測する分析手法です。機械学習の文脈でよく耳にする線形回帰は、散らばったデータを「y = ax + b」のような一次関数で表現するための統計的手法であり、教師あり学習の一種です。統計学でも基本的な手法として知られ、「単回帰」や「重回帰」など様々な種類が存在します。

線形回帰の主たるアルゴリズムの1つにデータの中央値の算出があります。線形回帰ではデータ群を直線的な関数で表現することを目指すため、例えば、ある学校に通う50人の身長と体重のデータが与えられたとき、ある人の身長データから体重を予測できるのです。データの分布に応じて引いた直線は「仮説」であり、この直線を求めることがすなわち「線形回帰」です。ただし、すべてのデータを完璧に再現することは難しく、誤差は付きものです。また、身長は160センチなど3桁、体重は50キロなど2桁というように桁数が異なる場合、機械学習がうまく進まないケースもあります。そうした事態に備え、あらかじめ正規化や標準化といった前処理により、データを揃えることが求められます。

Key word

ロジスティック回帰（分析）

ロジスティック回帰とは、「いくつかの要因＝説明変数」から、「ある出来事における2値の結果＝目的変数」の発生確率の予測や説明をする統計学の分析手法である。2値の結果とは「合格か不合格か」「当選から落選か」「承認か不承認か」「届いたメールがスパムか否か」といった2択の答えを指す。例えば、ある学生の「大学入試の合否」という目的変数に対し、「1日の勉強時間」「1日のテレビ視聴・ゲームの時間」「アルバイトの有無」という「説明変数」のそれぞれに応じて変動する「回帰変数」を統合することにより、合格率が算出される。

線形回帰とロジスティック回帰の分析手法の違い
違いは、データ群を表現する関数にある

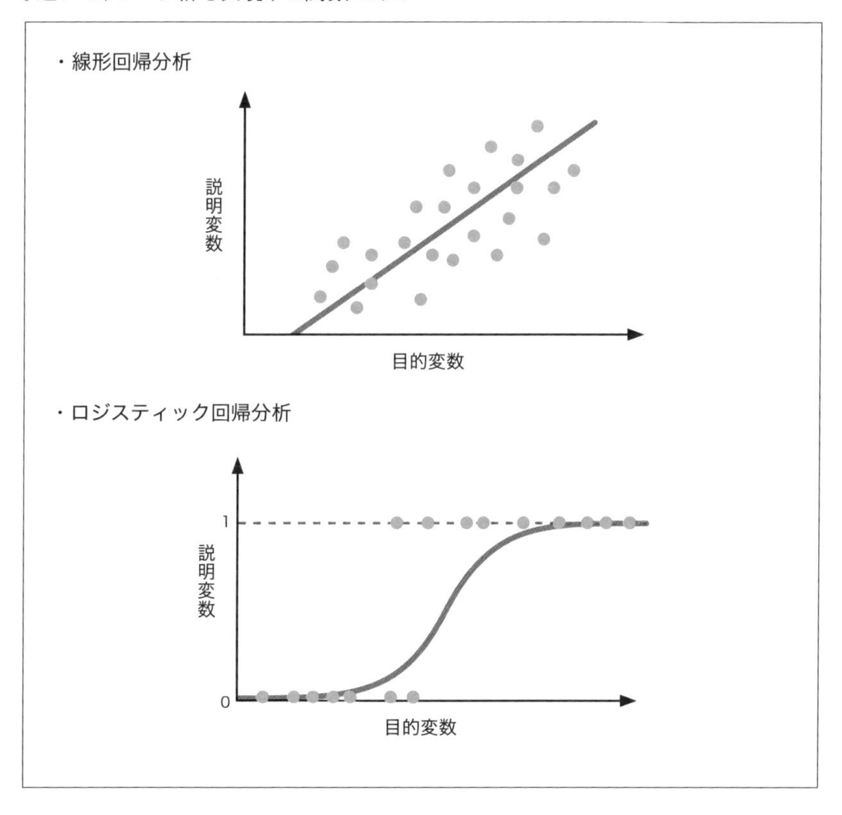

ロジスティック回帰の仕組み
発生確率の予測や説明が可能になる

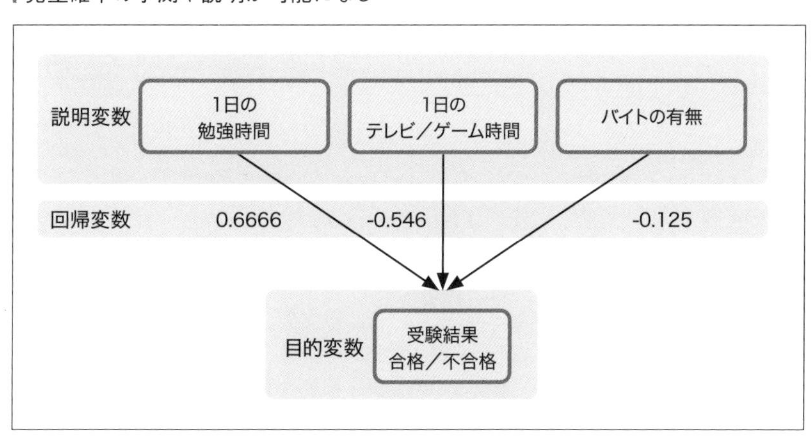

CNNとは何ですか

畳み込み技術を活用した深層学習の1つです

畳み込みニューラルネットワーク（CNN）とは深層学習の一手法で、特に画像の認識や分類の分野で真価を発揮します。入力される画像から特徴量を効果的に抽出し、高精度で認識し、画像のキャプションを自動的に案出するような技術にも、CNNが使われます。

CNNの特徴は「畳み込み層」です。通常のニューラルネットワークでは、各ニューロンがすべて結合されていますが、畳み込み層には複数の重みフィルタが存在します。畳み込み層の初めの層では点や線のような基本的な特徴を押さえ、後続の層では目や鼻といった、より複雑な特徴を捉えるように設計されています。例えば、40 × 40 ピクセルの数字の「5」の画像が入力として与えられたとき、「カーネル」と呼ばれる切り出された一部において特徴量抽出を行い、畳み込みや「プーリング」を繰り返しながら特徴量マップを生成します。そして「全結合層」を経て、数字の「5」である確率が高いとの出力を得るのです。画像認識の分野において、CNNは不可欠な技術とされ、「AlexNet」「ResNet」など、多くのモデルが存在します。

Key word

プーリング

プーリングとは、主に画像認識の機械学習で、縦横の画像平面をより小さいサイズにまとめる演算である。仮に4×4の行列の範囲を設定した場合（この行列は「カーネル」と呼ばれる）、その特徴を捉えたまま、より小さい2×2の小領域に縮約する。最大値を集約する「最大プーリング」と平均値を採る「平均プーリング」があり、いずれもCNNで用いられる。最大プーリングのほうが効果的と考えられている一方、平均プーリングも特定の状況やタスクにおいては有用とされる。最大プーリングは、局所的な最大値に基づくために特徴量マップの平均的な特性を捉え損ねる恐れがある。

CNNの仕組み
「畳み込み層」＝CNNの特徴

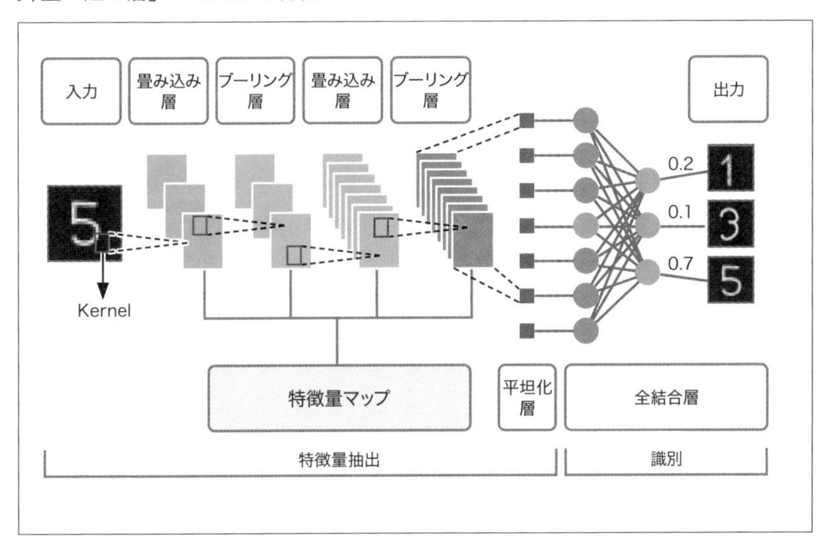

プーリングの仕組み
プーリング＝画像のある範囲のウィンドウ値から1つを取り出す処理

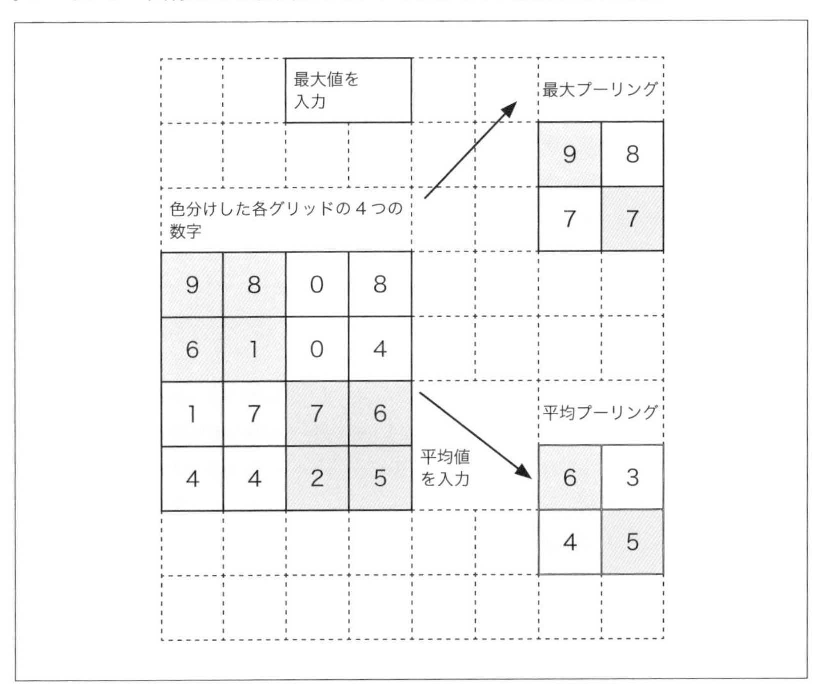

RNNとは何ですか

過去の情報を入力に応用する再帰型の学習構造です

RNNとは、時系列データや文章のような連続的なデータを扱うのに特に適した技術であり、「再帰型ニューラルネットワーク」と訳されます。RNNの最大の特徴は、「過去の情報に基づいて予測する」能力にあります。この能力は、ネットワーク内にある「ループ構造」と「隠れ層」によって実現されています。隠れ状態は、過去の情報を保持するフィードバック機構を備え、次のステップの入力として利用されるのです。

例えば、文章中の次の言葉を予測する場面で、通常のニューラルネットワークの入力においては、その前の言葉が何であったかを考慮せずに予測します。一方、RNNは前の言葉やその前の文脈を「記憶」しておくことで、より正確な予測ができます。直前の情報だけでなく、過去の情報も加味して処理することを表しているのです。

RNNの実装には注意が必要です。ネットワークは、入力の重みと隠れ層の重みの両方を学習しなければなりません。この学習プロセスは複雑であり、高い性能を実現するには、適切なパラメータや設定の選択が不可欠です。

Key word

時系列データ

ある特定の情報について、時系列で取得・整理された取得データは「時系列データ」と呼ばれる。典型例として、企業や店舗の月次の売上高や来店者数、1時間ごとの降雨量がある。一連の数値を一体的に捉えることで「ある時点のデータが、それ以降に発生するデータに影響している」と捉える。例えば、文章の最初に「吾輩」という単語があれば、続いて「は」や「が」といった助詞が来ると予測できる。その意味では、自然言語も時系列データの性質を備えていると言える。時系列データを用いた予測手法には、季節要因を踏まえた分析の「季節手法」や、踏まえない「非季節手法」など複数ある。

RNN（再帰型ニューラルネットワーク）
時系列データなど、連続的なデータを扱うのに適した技術である

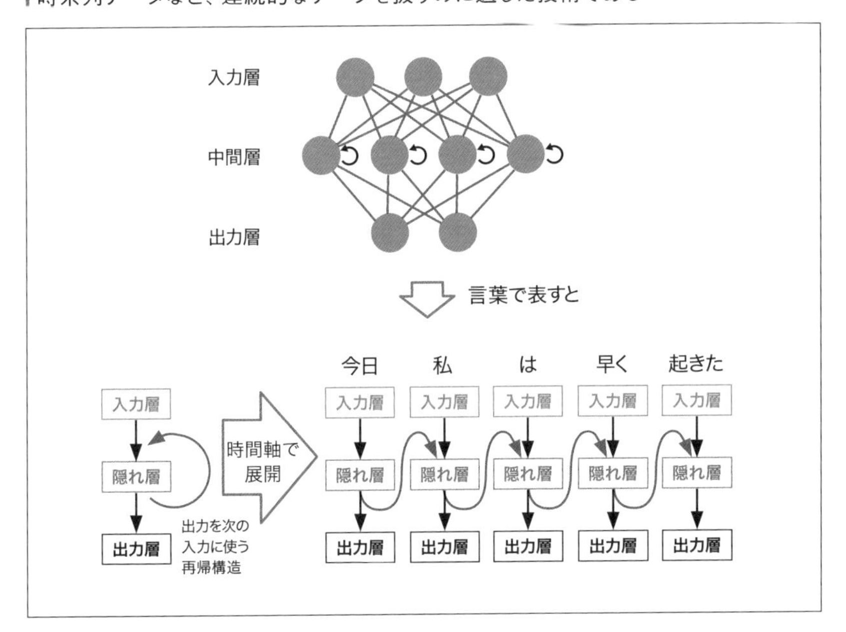

RNNの活用場面
感情分析、機械翻訳、音声認識など、様々な用途で使われる

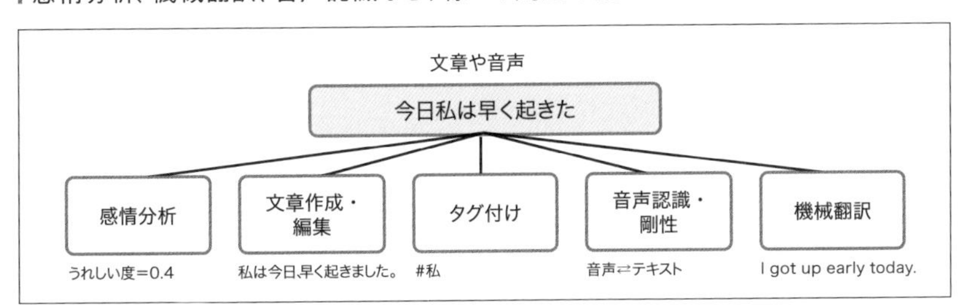

RNNの入出力の模式図
入力データと出力データの組合せで分類できる

入力データ	単	複	複
出力データ	複	単	複
模式			
応用例	画像キャプション生成	感情分析	翻訳

パラメータ、ハイパーパラメータとは何ですか

学習実行後に獲得される値、プロセス全体を制御する値です

AI学習におけるパラメータとは、モデルの予測に直接作用する、モデル学習実行後に獲得される値です。「重み」や「バイアス」が、パラメータに該当します。一方、AI学習におけるハイパーパラメータは、機械学習アルゴリズムの挙動、プロセス全体を制御するための特定の設定値です。機械学習を微調整する「設定」のような機能であり、モデルの性能やパフォーマンスの向上や過学習の抑制を担っており、AIの出来不出来を左右することさえあります。具体的なハイパーパラメータには、エポック数や学習率、閾値、層数、一層当たりのニューロン数などが該当します。パラメータはモデルがデータに基づいて自動的に学習するのに対して、ハイパーパラメータは人が手動で設定します。

例えば、自転車と三輪車を分類する教師あり学習のモデル構築において、出力としての正解率が当初89%だった場合、ハイパーパラメータによって正解率を90%以上に引き上げられるかもしれません。このような調整は「ハイパーパラメータチューニング」と呼ばれ、機械学習の性能を最大限引き出す上では欠かせない処理です。

Key word

エポック（数）と学習率

エポックとは1つの訓練データをすべて利用し終え、その1サイクルを1として、何回繰り返して学習させるかを表した数。エポック数が増えると、モデルは訓練データに適応できるが、多過ぎると訓練データへの過剰な適応（過学習）に陥る恐れがある。そのため、適当なエポック数に抑えることが肝要となる。学習率はAIの学習の速さと比例しており、学習率の値が高いほど学習のスピードは上がり、反対に低ければ学習スピードは落ちる。ただし、学習率が高過ぎると期待される最適解がうまく出力されないなど、学習が収束しなくなる。一方、低い学習率はスピードが遅い分、精度は増す。

ハイパーパラメータチューニングの手法

グリッドサーチ、ランダムサーチ、ベイズ最適化などが主な手法である

手法	概要	メリット	デメリット
グリッドサーチ	●探索するハイパーパラメータの範囲を決め、その組み合わせをすべて使い、学習・検証。その結果から予測精度が最も高いパラメータを採用 ●調整するハイパーパラメータ数が少ない場合や調整の目星が付いている場合に利用される	●指定した範囲については漏れなく網羅的に探索 ●「True / False」といった連続ではない値の組み合わせの探索に好適	●場合によっては、数百パターンの組み合わせを計算するため、学習時間が長大。大規模データの学習には不向き ●モデルの訓練回数も増えるため計算コスト増
ランダムサーチ	●無作為に組み合わせたモデルの訓練によりハイパーパラメータを検証する手法 ●回数を決め、異なる値で複数回モデル訓練を行うことにより適切なハイパーパラメータの方向感が掴める	●調整する値が多い場合や、調整する値に見当がつかない場合も、範囲を区切り、連続する値の探索に対応 ●ランダムに組み合わせを決めるため、グリッドサーチよりも計算コストは低廉	●ランダムに検証するので「運任せ」の要素あり ●確率的な探索のため、試行回数が少ない場合などは適切なハイパーパラメータが見つからない恐れ
ベイズ最適化	●過去のハイパーパラメータの結果に基づき、次に探索すべき値を決めていく最適化アルゴリズム ●探索（Exploration）と活用（Exploitation）の二方面から最適化を図る。場合分けしながら最適解を探る探索に対し、活用は過去に良い結果が出た近辺を調べ続けるやり方	●概してランダムサーチよりも効率的に解を導出	●大きな検索空間や高次元の問題の場合、計算コストが非常に高くなる傾向

トークンとは何ですか

テキスト処理の基本単位で、不可欠です

トークンとは、テキストデータを処理する際に基本となる単位であり、大規模言語モデルによるテキストの理解や生成において不可欠な要素です。テキストを個々の単語、文字といった小さな単位のトークンに分割することは「トークン化」と呼ばれ、その手法は言語やモデルの要件に応じて異なります。例えば、単語トークン化はテキストを単語に分割する手法であり、"I like apples." であれば ["I", "like", "apples", "."] というトークンに分割します。一方、文字トークン化はテキストを文字に細分する手法であり、"apple" ならば ["a", "p", "p", "l", "e"] というトークンにします。

OpenAIの公開している「Tokenizer」というツールを使用すると、テキストのトークン化を視覚的に理解できます。このツールは、英語や日本語など様々な言語にも対応しており、特に日本語の場合、漢字1文字が2～3トークンに分割されます。なお、トークン化には制約もあり、例えばChatGPTのGPT-4 Turboモデルには12万8,000トークンという制限があり、これを超えると計算効率が悪くなります。

Key word

句読点トークン化とカスタムトークン化

句読点トークン化とは、テキストを分割する際、句読点を個別のトークンとして扱う手法である。ピリオドやカンマ、感嘆符や疑問符も単独のトークンとして認識される。テキストの意味や感情のニュアンス、文法的構造がより正確に解釈できる。例えば、「今日はいい天気ですね！」を句読点トークン化で処理すると、「'今日', 'は', 'いい', '天気', 'です', 'ね', '!'」となる。一方のカスタムトークン化とは、特定の目的に合わせてテキストをトークンに分割する手法。標準的な単語トークン化のルールに加え、特定用途の専門用語、略語といった特別なルールや基準を設けてトークン化する。

ChatGPTのTokenizerトークン化

テキストがどのようにトークン化されるのかを視覚的に理解できる

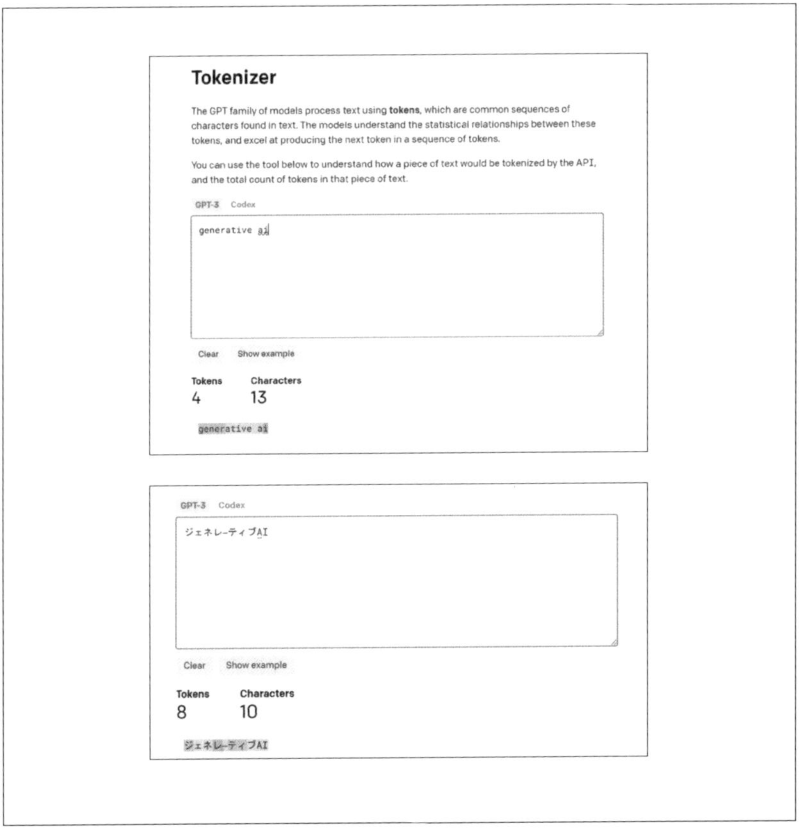

Tokenizer

The GPT family of models process text using **tokens**, which are common sequences of characters found in text. The models understand the statistical relationships between these tokens, and excel at producing the next token in a sequence of tokens.

You can use the tool below to understand how a piece of text would be tokenized by the API, and the total count of tokens in that piece of text.

GPT-3 Codex

generative ai

Clear Show example

Tokens 4 Characters 13

generative ai

GPT-3 Codex

ジェネレーティブAI

Clear Show example

Tokens 8 Characters 10

ジェネレーティブAI

トークン化の種類と差異

「今日はいい天気ですね」をトークン化

種類	概要	トークン化された結果
単語トークン化	句読点を無視して、意味を持つ最小単位の単語に、文章を分割	['今日', 'は', 'いい', '天気', 'です', 'ね']
文字トークン化	文を、句読点も含めて個々の文字に分割	['今', '日', 'は', '、', 'い', 'い', '天', '気', 'で', 'す', 'ね', '!']
句読点トークン化	文を単語に分割すると同時に、句読点を独立したトークンとして認識	['今日', 'は', '、', 'いい', '天気', 'です', 'ね', '!']

データマイニングとは何ですか

膨大なデータから有益な情報を掘り起こす技術です

データマイニングとは、膨大なデータの中から有益な情報や知識を掘り起こす技術です。統計学や機械学習などを活用して、データの中に埋もれた価値ある知見や関連性の発見を目指します。データマイニングにおいて、データは「データ」「情報」「知識」「知恵」の4つに分類され、後者になるほど価値や有用性が増します。データマイニングの役割は「知識」を導出することであり、残る「知恵」を絞るのは人間の役割となります。例えば、販売や顧客のデータに基づいた仕入れや在庫の調整、きめ細やかなカスタマーサポート、診療データに基づく罹患や発症リスクの早期発見など、データマイニングは幅広い活用が見込まれています。

データマイニングの工程はデータの「収集」「加工」「分析」の3ステップで構成されます。目的に合わせてデータを集め、扱いやすい形に整え、整形されたデータから新たな知識や規則性を見出だしていくのです。この一連の作業のうち統計分析は、統計論や分析論に基づいて仮説を立てますが、機械学習では仮説を立てずにコンピュータが自ら学習しながら人間が気づかない相関関係や法則を導き出します。

Key word

テキストマイニング

テキストマイニングは文字列データのみを対象とし、文字列を単語ごとに分割して扱い、知見や規則性を見いだす。テキストマイニングは、テキストデータの自動分析に関する研究が進んだ1980年代から用語として登場していたが、本格的な実用化はビッグデータの利活用が盛んになり始めた2000年代以降となる。SNSが発達した現代において、膨大な投稿文の中から今話題のトレンドや関心事など有益な情報を取り出す作業に適している。テキストマイニングは現在、幅広い産業、分野で使われており、商品やサービスのレビューに基づいて、様々な施策を検討する際にも有用である。

データマイニングの流れ

「データ収集」「データ加工」「データ分析」の3ステップで構成される

1．データ収集	生データの収集量の目安としては10万データ。一般的にデータが大量にあるほど、正確で価値のある分析結果を得られる
2．データ加工	データの内容ごとに適したツールを使い、csv ファイルなど特定の形式に統一する。この作業は「クレンジング」と呼ばれる
3．データ分析	データ分析のデータマイニングの本作業であり、分析手法は「機械学習」と「統計分析」に大別される

DIKWモデル

データマイニングでは、データを4つに分類する

データ（Data）	未整理の生データ	データマイニングで処理
情報（Information）	データをある基準で整理・分類した文章や画像	
知識（Knowledge）	情報をもとに見いだされる知見や規則性	
知恵（Wisdom）	知識を活かして得られた考えの総体	人間の営み

データマイニングの活用

様々な業界において、データマイニングは使われている

分野	データマイニングの活用例
医療	基礎疾患や既往歴、服用薬、遺伝的要因など多岐にわたるデータから、高い確率での診断が可能。医師の手腕や経験則などの属人性にとらわれず、データに基づく客観的な病気の特定や原因解明が期待される
金融	各種ローンの事前審査、自動車保険や火災保険、生命保険の見直し、顧客の事情に応じた金融商品選定など幅広く応用。クレジットカードによる詐欺被害のパターンに基づいた不正利用防止にも役立つ
流通・小売	顧客や売上の分析、商品の在庫管理といった業務に応用可。天候や季節といった要因による売れ行きの傾向などを踏まえ、有望な顧客にターゲットを絞り、商品の販促キャンペーンなどを効率的に実施できる
教育	児童・生徒ごとに科目の得手不得手を把握・分析し、個々人に最適な指導方針やカリキュラムを策定。苦手な科目を重点的に勉強するなど、成績に応じた対策が取りやすくなる

主成分分析とは何ですか

説明変数を持つデータを少ない指標や変数で表す

主成分分析（PCA）とは、データの次元削減や特徴量抽出に広く用いられる統計的手法です。多次元のデータを、情報を損なわずに低次元に縮約することで、データを解釈し、可視化して分析対象の本質を捉えます。一般にデータセットの次元が多い場合、データの全体像の把握は難しく、計算コストも増加します。この問題の解決のため、主成分分析による特徴量抽出で、データセット内の特徴量を減らします。ただし、主成分分析の抽出作業は不可逆で、実行後は元のデータセットの特徴量に戻らないため、情報の一部が失われる恐れもあります。

主成分分析では、データの分散が最大となる方向を見つけ、それを新しい軸としてデータを変換します。この新しい軸上における位置は「主成分得点」と呼ばれ、それに基づいて多次元データを低次元で表現します。果物で考えてみましょう。各果物のデータが持つ色や大きさ、形、甘みといった変数に基づいて主成分分析を行います。そこから抽出された「第一主成分」と「第二主成分」が新たな座標軸となり、それぞれの果物が座標上の位置、すなわち「主成分得点」として表されるのです。

Key word

因子分析

データの全体的な構造を把握することを目指す主成分分析に対し、因子分析とは、多変量の観測データの背後に存在する潜在的な構造、共通の要素を見つけ出すことを目指す手法である。因子分析では、データセット内の変数間の相関関係を分析し、少数の因子に還元することにより、データの次元を削減し、データの潜在的なパターンや構造を発見する。主に多くの変数の背後に潜む要因をを明らかにするために使われる。ただし、変数同士にある程度の相関がないと、有効に機能しないほか、データの欠損値や異常値の影響を受けやすいといった欠点もある。

主成分分析の考え方
要素は座標上の位置、すなわち「主成分得点」として表される

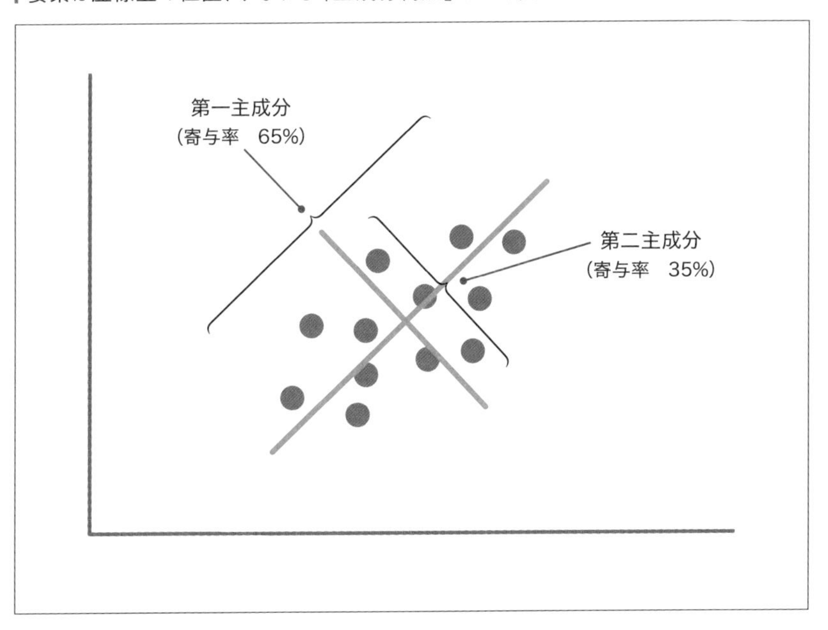

主成分分析の要素
データの背後にある構造や傾向を見出すことが可能

説明変数	果物や野菜の色や大きさ、形、におい、味など、種類ごとに異なる変数
固有値	各主成分が持つ情報の量や質といった、データに対する説明可能な指標。大きく丸く縞々のスイカなど、固有値が大きいほど、その主成分は元のデータをよく表現する。主成分分析により、「色と大きさが類似する果物」、「大きさと味が相関しそうな果物」といった新しい指標、すなわち「主成分」が生まれ、この各指標が、元データをどれだけ説明できるかが固有値
寄与率	固有値をすべての固有値の合計で割り、主成分が元のデータ全体をどの程度説明可能なパーセンテージで表す。寄与率が高いほど、その主成分が含む元データの情報は多い
累積寄与率	選択した主成分までの寄与率の合計値。選んだ主成分が元データの全情報をどの程度説明できるかを把握できる。累積寄与率 70~80% を超える主成分を選ぶのが好適

感情分析とは何ですか

AIにより、人間の感情を読み解く技術です

感情分析とは、人間の文章や声、顔の表情などから感情や気持ちの状態を分析する技術であり、感情を読み取るAIは「感情分析AI」と総称されます。現在、感情に関わるデータや、それを知覚するセンサー、解読技術の発達により、感情分析の精度は年々高まっており、接客やマーケティング、ヘルスケアなど幅広い分野で活用され始めています。

文章による感情分析では、AIは自然言語処理を用いてテキスト情報を解析し、全体の語感や頻出する言葉といった内容から感情を読み解きます。例えば、クレームの文面から、顧客の感情を把握するといった利用法が広まっています。音声による感情分析技術も進歩しており、話す速さや声のトーンが重要な解析データとなります。音声による感情分析の導入で、コールセンターなどの応対時に、ユーザーの感情をリアルタイムで把握し、適切な受け答えが可能になります。表情分析では、顔認識技術を活用し、喜怒哀楽や興味の度合いを読み取ります。最新の技術では、目の動きや瞳孔の大きさといったわずかな変化まで捉え、人間以上に微妙な感情のニュアンスを汲み取れるようになっています。

Key word

センチメントスコア

センチメントスコアとは、テキストや音声などのデータに含まれる感情の度合いを数値で示した指標である。一般には「ポジティブ」「ネガティブ」「ニュートラル」に大別され、それぞれ連続値で表される。例えば、ある製品に対する顧客のレビューを分析する際、ポジティブなレビューは「+1」、ネガティブであれば「-1」、ニュートラルなら「0」といった形で数値化される。センチメントスコアの算出方法には「辞書ベース」と「機械学習」がある。前者は文章に頻出するフレーズ、後者は事前に感情表現のデータを学習させたモデルを用いて、テキストに含まれる感情を推定し、スコアを算出する。

感情認識AIの例

文章で使われている言葉や文章のトーンから感情を分析する

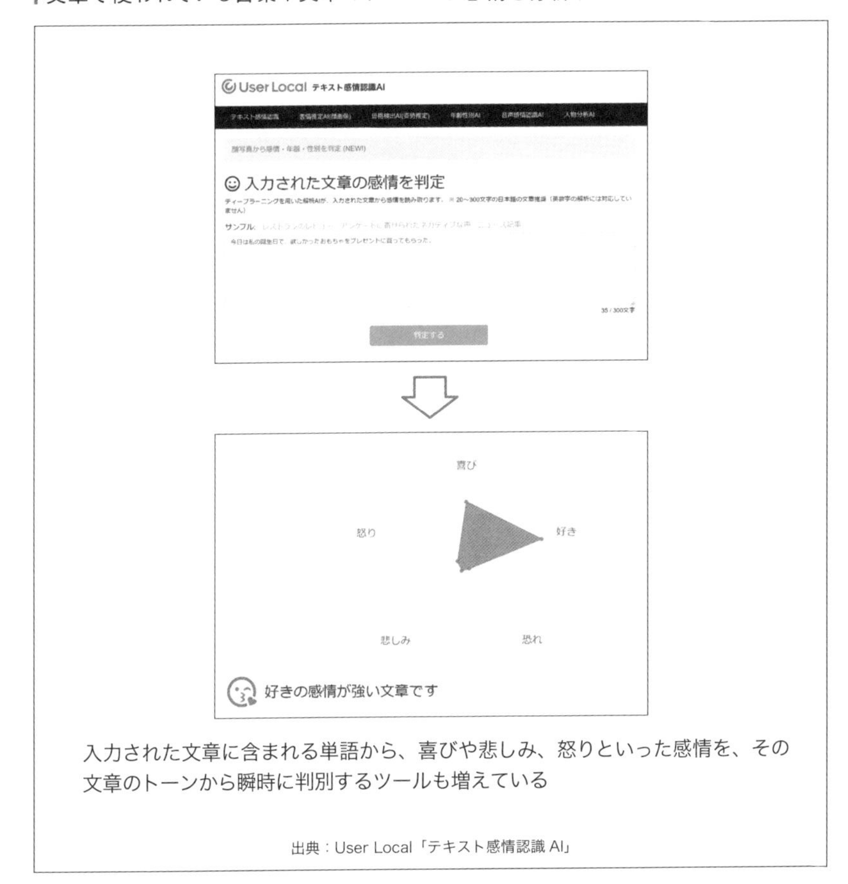

入力された文章に含まれる単語から、喜びや悲しみ、怒りといった感情を、その文章のトーンから瞬時に判別するツールも増えている

出典：User Local「テキスト感情認識 AI」

表情に基づく感情分析のイメージ

目や口などの形状から、感情を読み取る

深層学習により顔画像から感情を読み取る技術

ネガポジ判定とは何ですか

文中の感情や評価を解析し、自動判定する技術です

自然言語処理の技術向上により、感情分析の活用に関心が集まっています。特に注目されているのが「ネガポジ判定」で、文章内に含まれる感情や評価を解析し、その内容がポジティブかネガティブかを判定する技術です。単語や用語ごとに肯定的、否定的の度合いを数値化した「極性辞書」を使います。例えば、「疑う」や「苦しい」といった単語はネガティブ、「信じる」や「楽しい」といった単語はポジティブとして登録されています。その度合いをスコア化した辞書もあり、「日本語評価極性辞書」などが有名です。

既成の辞書によっては収録語彙が少なかったり、実際の感情とスコアとが異なったりするといった問題点もあります。また、単語ごとにネガティブ、ポジティブと割り振るチューニングの作業に手間取ることも難点です。そうした課題を解決しようと、ビッグデータなどから辞書を自動生成する試みも始まっています。ネガポジ判定は現在、店や商品のレビューから顧客満足度や社員の意識を調査して、それらのデータに基づいてメンタルケアを実施するなどの用途で活用されています。

Key word

ワードクラウド

ワードクラウドとは、ある文章の単語の出現頻度に応じ、文字の大きさを変えるなど視覚的に表現した雲（Cloud）のような形状のデータ群である。頻繁に出現する単語は大きく、あまり出現しない単語は小さく表示することで、対象テキストの主要なテーマやキーワード、要点を視覚的に把握しやすいのが特徴である。また表示形式によっては、話題単位でも単語をグルーピングできるため、一目で具体的な状況を把握できる。現在、ワードクラウドは、マーケティング戦略の資料などとして、効果的な訴求方法として広く使われるようになっている。

昔話「かぐや姫」に関するワードクラウドのイメージ

ワードクラウドには、他にも様々なビジュアル表現がある

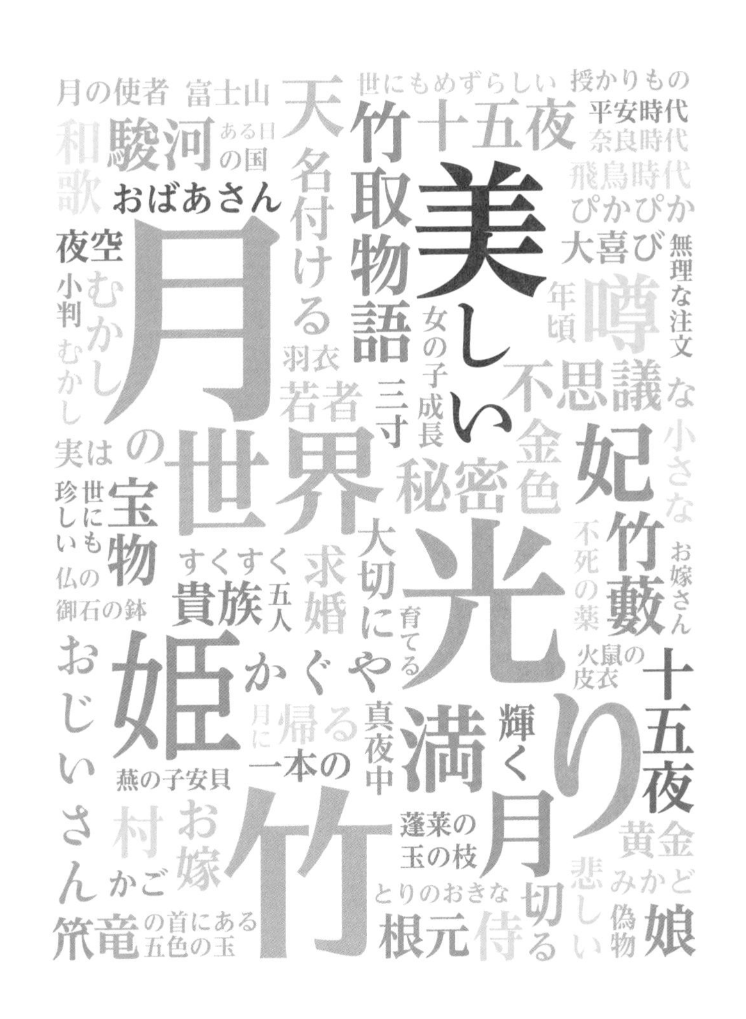

機械学習の要素技術 Ⅲ-27

構造化データとは何ですか

コンピュータが処理しやすい表形式のデータです

機械学習に欠かせないビッグデータは、「構造化データ」と「非構造化データ」、その中間の「半構造化データ」に大別されます。ビッグデータの大半は非構造化データであり、その処理には高度な技術を要するため、未活用のまま眠っています。構造化データは、RDB（リレーショナルデータベース）やCSVのように、「列」と「行」で整理されたデータで、各「列」が特徴量として扱われます。一方、非構造化データは画像や音声、文章などで、統一的な「列」や「行」の構造を持たず、特徴量の抽出には高度な技術が求められます。

非構造化データの構造化データへの変換は、データの「識別・収集」「前処理」「特徴量抽出」「構造化」というプロセスを経ます。識別・収集では、データレイクに収集された対象データが文章か画像か音声かを特定し、例えばテキストなら、クリーニングや正規化、トークン化を施します（前処理）。その上で、整えられたデータをもとに、特定の頻出ワードや傾向といったカギとなる情報を選りすぐり（特徴量抽出）、特徴的なデータを表形式に落とし込みます（構造化）。

Key word

データレイク

データレイクとは、構造化データ、半構造化データ、非構造化データの別を問わずに、データを原形のままで格納する大規模なストレージシステムである。データレイクには、モバイルアプリやSNSにあふれる情報、IoTデバイスセンサのログデータ、GPSの位置情報といった、膨大で種々雑多な情報源から集まった生の「ローデータ」が格納される。データレイクは柔軟性を持っており、必要に応じてデータの分析や処理を可能にする。データレイクはある意味、収集データを一元管理できる「貯蔵庫＝リポジトリ」の役割を果たしているのである。

データの分類

非構造化データ、半構造化データ、構造化データに分類可能

特徴／データタイプ		非構造化データ	半構造化データ	構造化データ
定義・特徴		明確な構造がなく多様で複雑。形式が不規則なため、高度な処理・分析技術が必要	タグやマークアップにより部分的に構造化。柔軟性を持つが未完成なデータ	明確なスキーマや形式にしたがって整理されたデータ。直接分析や処理が可能
例		文章、画像・動画、音声、54 センサログ、GPS	html、XML、JSON	固定長ファイル、Excel・CSV
処理の難易度		難	中程度	易
応用分野	機械学習			
	データマイニング			
	データベース管理			

非構造化データの特徴量抽出

非構造化データでは、特徴量の抽出が難しい

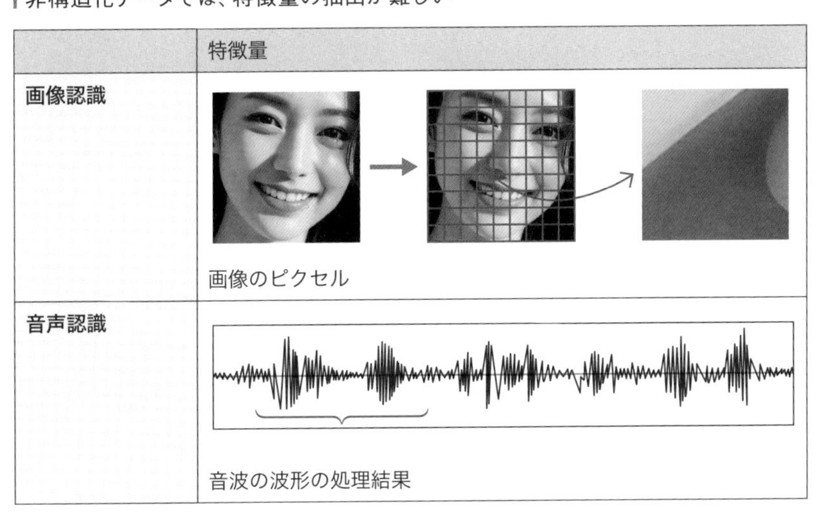

	特徴量
画像認識	画像のピクセル
音声認識	音波の波形の処理結果

Ⅳ章 生成AIの要素技術

Ⅳ-01　生成モデルとは何ですか

Ⅳ-02　エンコーダ・デコーダネットワークとは何ですか

Ⅳ-03　オートエンコーダとは何ですか

ほか、16 項目

生成AI関連ワード相関図

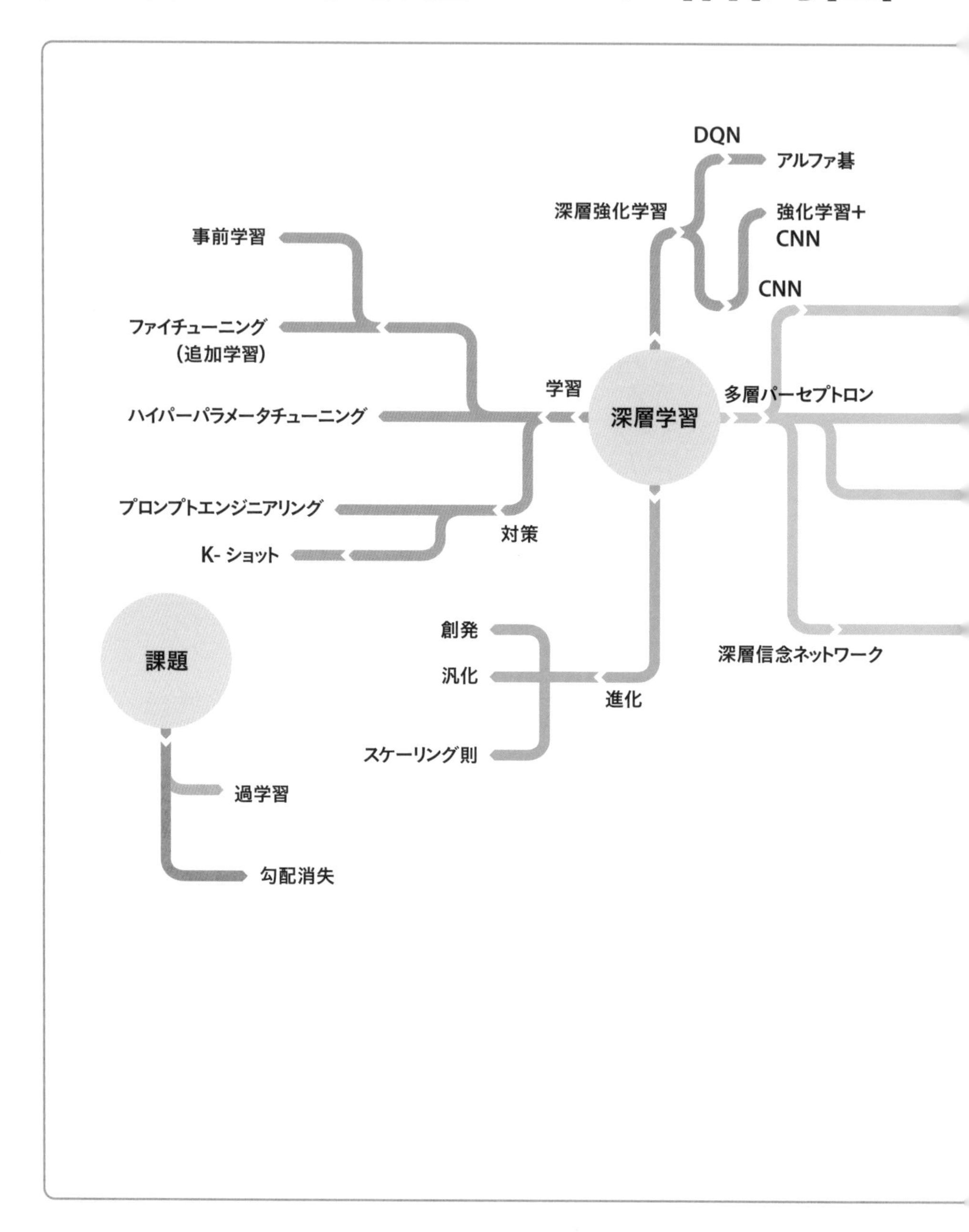

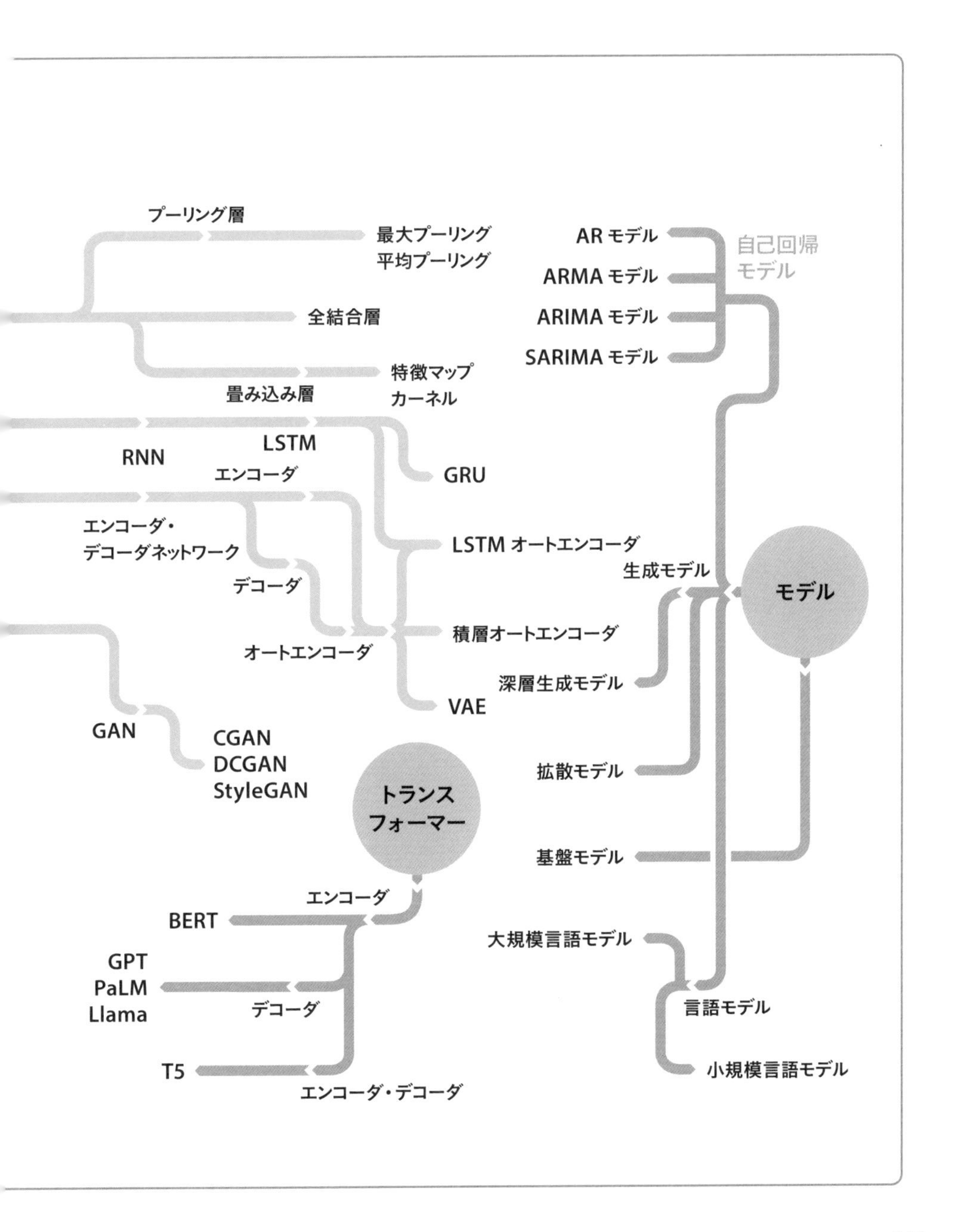

プーリング層
最大プーリング
平均プーリング
全結合層
特徴マップ
カーネル
畳み込み層
RNN
LSTM
GRU
エンコーダ
エンコーダ・
デコーダネットワーク
LSTM オートエンコーダ
デコーダ
積層オートエンコーダ
オートエンコーダ
VAE
GAN
CGAN
DCGAN
StyleGAN
トランス
フォーマー
エンコーダ
BERT
GPT
PaLM
Llama
デコーダ
T5
エンコーダ・デコーダ
AR モデル
ARMA モデル
ARIMA モデル
SARIMA モデル
自己回帰
モデル
生成モデル
モデル
深層生成モデル
拡散モデル
基盤モデル
大規模言語モデル
言語モデル
小規模言語モデル

生成モデルとは何ですか

確率分布を推定して、新しいデータを作り出すモデルです

機械学習のモデルは、生成AIの「生成モデル」と、従来型の「識別モデル」に大別できます。生成モデルは統計的な手法により、データセットから観測データを裏付ける確率分布を推定してモデルを構築します。そのモデルを使ってデータの裏側にある確率分布を読み解き、サンプリングで新しいデータを作り出すのです。生成モデルでは、入力画像も確率変数として扱います。つまり、「ある確率分布から生成された入力画像が、どの程度の確率でカテゴリAに当てはまるか」も考慮して、データを作成します。そのため、入力画像に結び付く確率分布から、入力画像に近い画像を生成できるのです。

一方、識別モデルは、データセットからモデルのパラメータを学習し、その結果に基づいて新たなデータの分類を予測します。教師あり学習の識別モデルによって画像を分類する場合には、入力画像とカテゴリの対応関係を学習させます。この際、入力された画像がAのカテゴリに当てはまる確率の値をフィードバックします。このように、識別の部分のみに確率の考え方が導入されたモデルが識別モデルと呼ばれるのです。

Key word

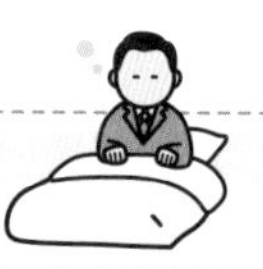

深層生成モデル

生成モデルのうち、深層学習などのニューラルネットワークを利用したタイプは、「深層生成モデル」と呼ばれる。後述するVAEやGAN、自己回帰モデルが代表的であり、これらは、従来の機械学習モデルでは難しかった数万～数百万もの高次元の高画素の画像や音声データの生成において、最重要な役割を果たす。深層生成モデルは、「入力データの特徴量抽出」「特徴量に基づく潜在変数（生成されるデータの性質を数値化した値）」「潜在変数からのデータ生成」といった手順で構築される。深層生成モデルはニューラルネットワーク研究の大きな節目となり、GANなどへと発展していく。

識別モデルと生成モデルの違い
生成モデルでは、確率分布が入力となる

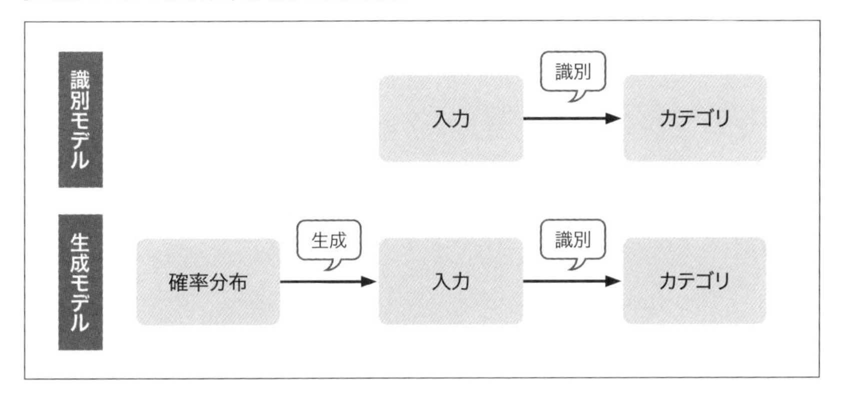

識別・生成モデルと深層学習の関係
深層生成モデルでは、既存の生成モデルよりも、より高度なコンテンツ生成が可能

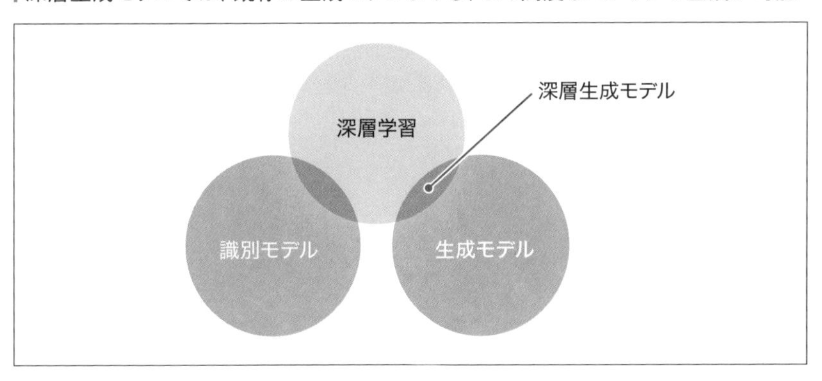

生成モデル関連の主要モデル
深層生成モデルは様々な派生モデルへと発展した

モデル	概要	主な用途
GAN（敵対的生成ネットワーク）	生成と識別、2つのAIモデルを敵対させることにより学習を深めていく仕組み。GANはさらに派生形のStyleGANやDCGANが主流に	画像生成
VAE（変分オートエンコーダ）	学習した訓練データの特徴から、似た画像を生成するモデル。エンコーダとデコーダで構成	画像生成
拡散モデル（Diffusion Model）	ノイズを少しずつ掛け合わせた画像から、ノイズを徐々に除去していき、最終的に元の画像に近づくように学習させたモデル。ノイズ加除のパラメーター制御が生成される画像の精度を左右	画像生成
言語モデル	テキストの生成や理解のために使用される統計モデル。特に規模の大きいモデルは「大規模言語モデル（LLM）」と呼ばれる	テキスト生成
自己回帰モデル	過去のデータをもとに現在・未来のデータを読み解くなど、時系列データの予測に特化した統計モデル	株価予測、気象予測

エンコーダ・デコーダネットワークとは何ですか

エンコーダとデコーダで構成される深層学習のアーキテクチャです

エンコーダ・デコーダネットワークとは、自然言語処理や画像処理などで使われる深層学習のアーキテクチャの一種です。エンコーダ・デコーダネットワークは、「入力データをエンコードする部分＝エンコーダ（符号化器）」と「符号化された情報に基づいて目的データをデコードする部分＝デコーダ（復号化器）」の２つで構成されます。エンコーダ・デコーダネットワークでは、入力部のエンコーダにおいて入力データをベクトルに変換し、出力部のデコーダにおいて生成されたベクトルから目的データを出力します。その際、文脈ベクトルや現在の入力を組み合わせて最適なデータを選びます。エンコーダとデコーダは、文章の終わりを示す特定のトークンが出力されるまで繰り返されます。例えば、処理を４回繰り返す場合、エンコーダでは４つの層（n=4）でデータが符号化され、デコーダでは同様に４層でデータが生成・復号されるのです。

現在、多くの機械翻訳モデルはエンコーダ・デコーダネットワークを採用しており、画像処理の「セマンティックセグメンテーション」や人物姿勢推定でも利用されています。

Key word

セマンティックセグメンテーション

セマンティックセグメンテーションとは、画像の全体像や一部ではなく、個々のピクセル（画素）に対して１つずつラベル付けをしていく手法であり、「領域分類」とも呼ばれる。道路や看板といった写っている物体などの種類ごとの領域で分割し、ピクセル単位でタグ付けし、カテゴリ分けする。自動運転や医療診断のほか、トンネルや橋梁といった公共インフラの経年劣化に伴う修繕が必要な箇所の検出などで有用。「画像検出」では画像のどこに何が写っているかを識別するのに対して、セマンティックセグメンテーションでは、画像に写る物体の「領域」まで分類する。

エンコーダ・デコーダネットワークの概念図

ベクトルを介して、データが入力、出力される

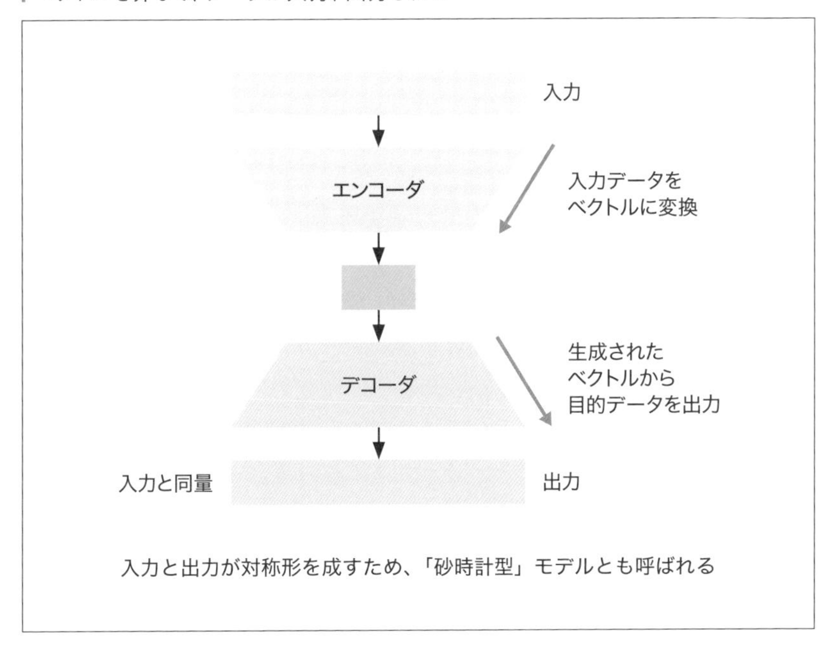

入力と出力が対称形を成すため、「砂時計型」モデルとも呼ばれる

セマンティックセグメンテーションの例

道路や建物、自動車などがそれぞれ領域として捉えられる

出典：メタ「Segment Anything」（https://segment-anything.com/demo）より筆者作成

オートエンコーダとは何ですか

圧縮後に復元するニューラルネットワークの一種です

オートエンコーダとは、入力データを符号化（エンコード）した後、元と同等か非常に近似するデータとして復号（デコード）するニューラルネットワークです。「自己符号化器」と訳され、入力層と中間層（隠れ層）と出力層の3層で構成されます。データはまず入力層のノードに届けられ、続いて中間層で圧縮されます。圧縮の際、各ノードで重要度に応じてデータのパラメータが重み付けされ、低い重みのデータは除外されるプロセスを経ます（エンコード）。その後、データは出力層に移動し、再び重み付けされます（デコード）。

オートエンコーダから出力されるデータは、データの細部やノイズが除去され、多くの場合、より一般的な特徴が強調されます。例えば、手書きの数字の画像をオートエンコーダに入力すると、出力される画像は元の画像よりも少しぼやけていることがあります。これは、中間層での圧縮と重み付けの結果、画像の細かい部分が省略され、主要な特徴だけが強調されるためです。不要な情報が削除されるため、過学習などの問題に対処できるのです。

Key word

積層オートエンコーダ

積層オートエンコーダとは、オートエンコーダを多層に積み重ね、最終的にシンプルな構造にしたモデル。積層オートエンコーダでは、すべての層を一気にエンコード、デコードするのではなく、1層ずつエンコード、デコードして、その結果を学習しながら、順次処理を進める。右図の「積層オートエンコーダの学習の流れ」のように中間層を次の入力層とし、1層ずつエンコードとデコードを交互に繰り返し学習していくことで、初期値を最適解に近づけられる。ファインチューニングによりすぐに使える形態だが、近年の技術進展に伴い、積層オートエンコーダの利点は薄れてきている。

オートエンコーダの概念図

エンコードとデコードを繰り返すことで、特徴が強調される

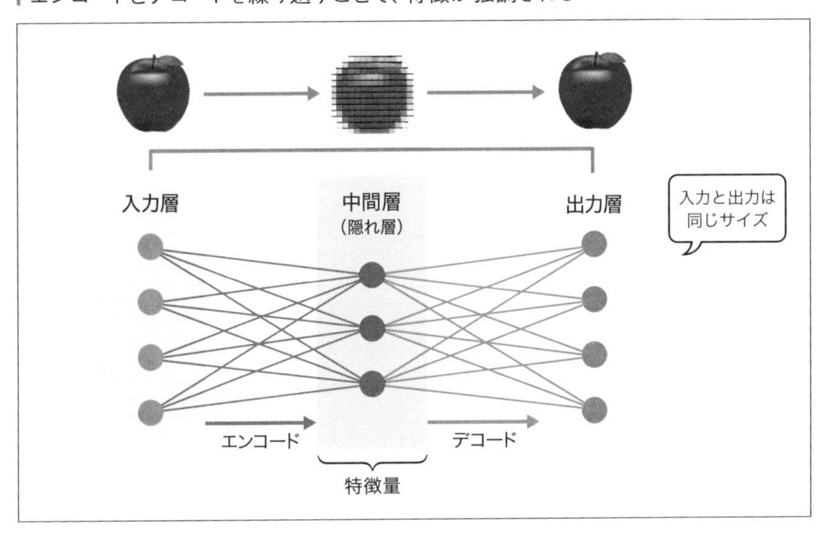

積層オートエンコーダの学習の流れ

1層ずつエンコードとデコードを繰り返して、結果を学習する

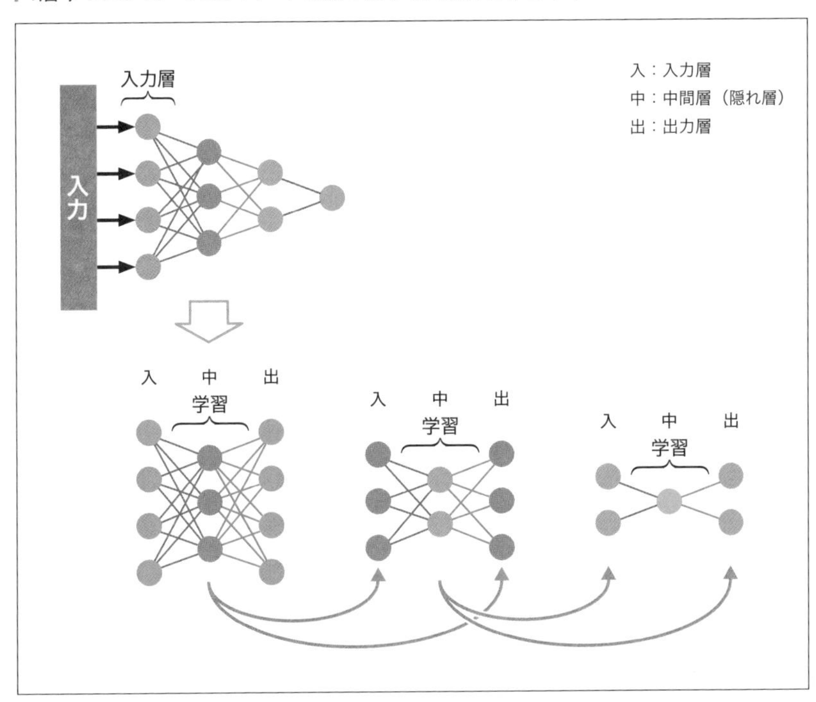

生成AIの要素技術 Ⅳ-04

VAEとは何ですか

確率分布を用いたアプローチによるモデルです

VAE（変分オートエンコーダ）とは、エンコーダ、潜在空間、デコーダで構成される生成モデルであり、主に画像生成で使われます。深層生成モデルの主要なアプローチであり、後述のGANと同様、生成モデルの代表格です。深層学習と確率論を組み合わせたVAEでは、エンコーダが高次元の入力データを受け取り、低次元の潜在空間にマッピングすることで、データの次元を削減します。その後、潜在空間でデータの特徴を把握し、データ間の関係性を学習した上で、それらの情報に基づいてデコーダが元と同等か非常に近似するデータを生成します。

VAEのエンコーダとデコーダは、観測されたデータと生成されたデータの誤差を学習することで、自らも学習します。VAEにおいて、観測データの圧縮によって生成されるVAEベクトルなどの潜在変数は、実数ではなく「確率分布」です。すなわち、エンコーダ部分において、潜在変数に基づいて条件付き推論を行い、「ガウス分布」からサンプリングされたベクトルの潜在変数表現を経て、デコーダ部分において潜在変数からデータを生成するのです。

Key word

潜在変数とガウス分布

潜在変数とは、直接に観測や測定はできないが、観測データの背後に潜み、観測データの特性や構造を示す変数である。潜在変数は観測データの特徴量を抽出して、データをシンプルに表現することで、観測データに影響を与える内在的な特性や抽象的な概念をモデル化するために使用される。機械学習では、例えば、顧客の購買行動を分析する際に、個々の嗜好や好みなどの潜在変数がモデル化される。一方、ガウス分布とは正規分布と同義であり、統計学における最重要な概念である。「正規」という名称の通り、自然界や人間の行動・性質をはじめとした様々な現象によく当てはまる。

VAEの概念図

エンコーダとデコーダのデータは同等か極めて近似

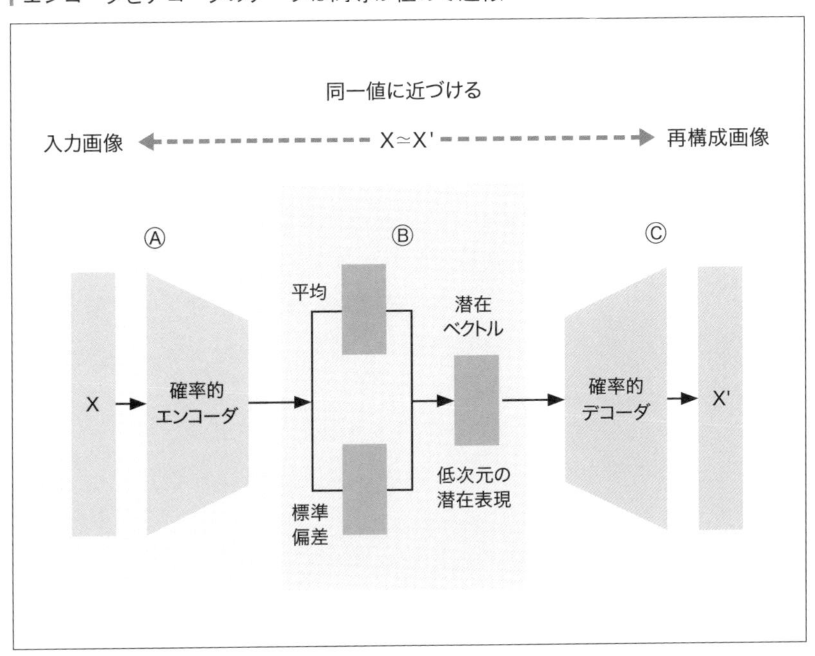

VAEにおける学習の仕組み

データの次元を削減し、特徴や関係性を学習の上で、新しいデータを生成する

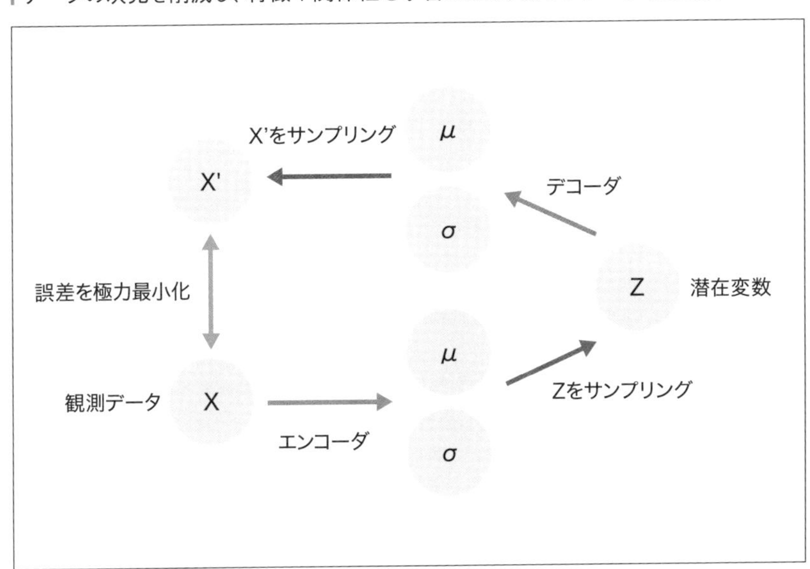

GANとは何ですか

画像生成分野に革新をもたらした機械学習の一手法です

GANとは、「敵対的生成ネットワーク」と呼ばれる機械学習の一手法です。ジェネレータ（生成器）とディスクリミネータ（識別器）という2つのニューラルネットワークが競い合い、高品質なデータを生成します。GANは、特に画像生成で能力を発揮し、データ不足の解決策としても注目されています。

GANでは、ジェネレータがデータを生成し、ディスクリミネータがそのデータの真偽を判定します。両者の関係は、「偽札業者とそれを見破ろうとする警察」の関係に例えるとわかりやすいでしょう。本物そっくりにデータ（偽札）を作り出そうとするジェネレータに対して、ディスクリミネータはそれが本物か偽物かを判断します。GANの学習プロセスにおいて、初期段階ではジェネレータが生成するデータはディスクリミネータによって容易に偽物と見破られます。しかし学習が進むにつれて、ジェネレータが生成するデータは精度が上がり、ディスクリミネータも騙されまいと判別能力を向上させます。この競争的な学習の繰り返しで、本物と区別がつかない偽性データが生成されるのです。

Key word

ディスクリミネータと損失関数

GANなどにおいては、ジェネレータが新たにデータ（偽物）を生成し、敵対的、対抗するディスクリミネータが実在データ（本物）であるかを見分ける役割を果たす。ディスクリミネータは、入力されたデータの真贋を判別するために損失関数などを用いる。損失関数は、ディスクリミネータが偽物を本物と見誤ったときの損失と、本物を本物と見破ったときの利益の和として表せる。損失関数の値が小さくなるように学習することにより、ディスクリミネータは偽物を本物と見破る能力を向上させる。一連のプロセスを通じ、GANは高品質な画像や音声、テキストの生成において大きな進歩を遂げた。

GANの仕組み

「偽札業者とそれを見破ろうとする警察」の関係に例えられる

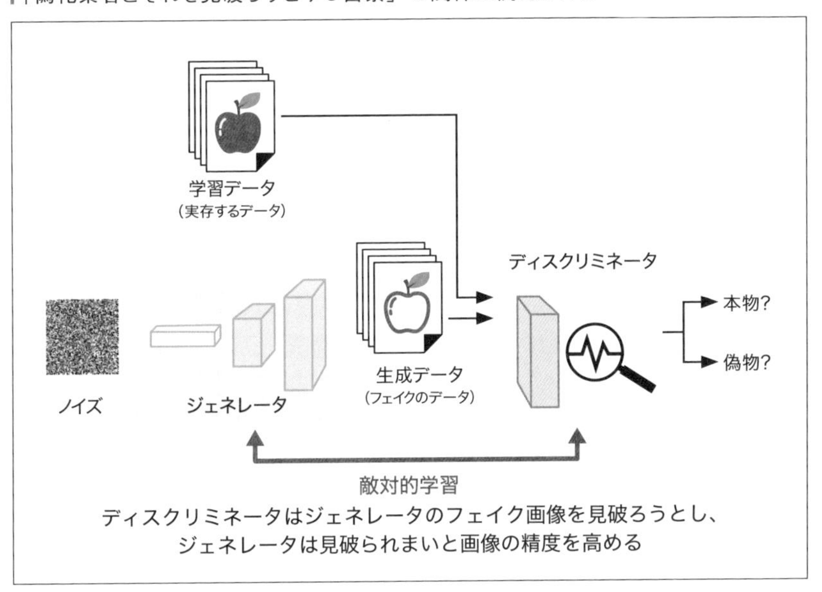

GANの種類

GANには、様々な派生モデルが存在する

モデル	対訳	概要
CGAN	条件付き(Conditional) GAN	GANの基本構造を保ちながらジェネレータとディスクリミネータに付与する条件データを与えるように拡張されたモデル。2014年に提唱された。モノクロのデータからカラーのデータを生成するように、入力画像から出力画像へのマッピングを学習する「pix2pix」もCGANの一種
DCGAN	深層畳み込み(Deep Convolutional) GAN	ぼやけずに、より自然な画像を生成できるGANの改良版モデル。2016年発表の論文で提唱された。全体の構造はオリジナルのGANと同様
StackGAN	スタックGAN	多段構成により、解像度の高い画像の生成を実現するモデル。学習の初期段階では大まかな低解像度の画像を用いて、後の段階では高解像度な画像を生成する
StyleGAN	スタイルGAN	低解像度の画像データの学習から始め、4×4、8×8、…512×512といった具合に徐々にデータの解像度を高めていく「プログレッシブ成長(progressive growing)」という学習アプローチにより、リアルな画像を生成するモデル。「droplet」と呼ばれるノイズが混じったり、画像の一部が不自然に生成されたりする問題を改善した「StyleGAN2」も登場
CycleGAN	サイクルGAN	変換前の画像と変換後に表現したい画像のペアがバラバラのデータセットであっても、量さえあれば整然とした画像を生成するモデル。学習を繰り返してエポック数をこなし、学習を通じて自然な画像を生成できるようになる。データの外見的特徴を変える「スタイル変換」の手法を使っている

上記はGANの派生モデルの例。GitHubのサイト「The-gan-zoo」に見られる通り、GANの派生形は相当数ある

言語モデルとは何ですか

テキストを生成・理解するために使用される統計モデルです

言語モデルとは、テキストを生成したり、理解したりするために使用される統計モデルです。テキストの過去の使用データに基づいて、テキストの次の単語を予測します。言語モデルの最も一般的な構築方法はニューラルネットワークの使用です。機械翻訳、テキスト要約、チャットボットなど様々な分野で使用されています。

AIにおける初期の言語モデルが登場したのは1950年頃で、当初は主にルールベースのアプローチでした。1980年代になると、統計的手法が導入され、単語の並びや文脈から言語のパターンを学習するようになりました。1990～2000年代初頭には、統計的な手法が主流となり、大量のテキストデータから言語のパターンを学習するモデルが開発されたのです。2000年代後半以降には、ニューラルネットワークに基づくモデルの開発が加速し、LSTM（長短期記憶）などの技術が進歩した結果、より複雑な言語の特徴を捉えられるようになりました。そして2010年代にはグーグルの「Transformer」を活用したOpenAIのGPTシリーズをはじめとした事前学習済モデルが登場したのです。

Key word

確率モデル

確率モデルとは、データの背後にある確率的な構造やパターンをモデリングした確率モデルである。確率モデルは主に、ある現象が起こる確率などの予測や推論を行うために利用される。確率モデルは、確率分布を組み合わせることや、データから確率分布のパラメータを推定することを通じて、データの特性やパターンを捉えるのに適しており、現在、様々な分野で広く使用されている。例えば、自然言語処理の分野では言語モデルや機械翻訳モデルに、画像処理の分野では画像生成モデルや画像分類モデルに確率モデルが応用されている。

言語モデルのイメージ（上段）
想定される答えが出現する確率を示す

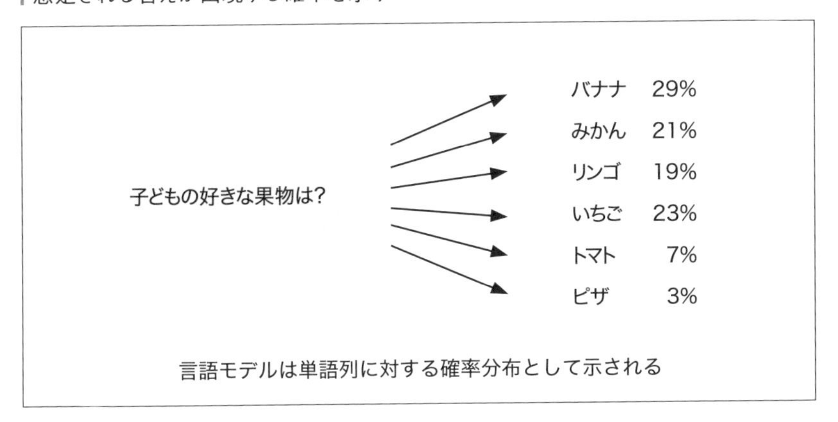

言語モデル発展の歴史
Transformerが大きなブレークスルーとなった

1948年	シャノンが情報理論を提案。情報量の計算と統計的な言語モデルの基礎を築く
1950年代	n-gramモデルが導入。言語の統計的な特性のモデル化に利用
1970年代	言語モデルの一部として、「マルコフモデル」が広く採用
1980年代	音声認識や機械翻訳の用途で、「隠れマルコフモデル（HMM）」が自然言語処理のタスクに適用される
1990年代	ニューラルネットワークの応用が進む
2000年代	非常に大規模なコーパスを使用した統計的言語モデルが主流となる
2010年代	深層学習の台頭により、リカレントニューラルネットワーク（RNN）やその派生形のLSTM、GRUなどのモデルが普及
2017年	グーグルがTransformerを開発
2018年	OpenAIがGPTモデルを発表
2019年	グーグルがBERTモデルを発表。事前学習済モデルの進展が加速

n-gramに基づく単語の区別
単語を単位として捉えることで、難解な文章を解釈する（例：I am glad to see you）

Uni-gram（単語を1つずつ区別）	Bi-gram（単語を2つずつ区別）	Tri-gram（単語を3つずつ区別）
I	I am	I am glad
am	am glad	am glad to
glad	glad to	glad to see
to	to see	to see you
see	see you	
you		

大規模言語モデルにはどのような種類がありますか

GAFAMなどのほか、日本企業もLLMを提供しています

大規模言語モデル（LLM）とは、「計算量」「データ量」「パラメータ数」が大規模な極めて精度の高い言語モデルです。LLMの開発では、多種多様なデータセットを用いて事前学習を行います。膨大なテキストデータから、単語やフレーズの出現パターンを学習し、検証用データでテストします。その結果を踏まえ、パラメータの微調整（ファインチューニング）などにより、モデルを最適化します。

現在、LLMでは、パラメータ数がある値を超えると、急激に高性能化が進むことが知られています(スケーリング則)。また大規模化により、文章生成や要約、翻訳、穴埋め問題といった高度な文脈理解・解釈、さらにはコーディングや計算など、様々なタスクをこなせるようになるとされ、こうした現象は、「汎化」と呼ばれます。その結果、現在、LLMには、従来想定されていなかったような「創発的能力」が新たに備わりつつあります。ただし、学習データの偏りなどにより、出力データにバイアスや誤情報が含まれることもあり、データの著作権やプライバシーをめぐる訴訟も起きています。

Key word

パラメータ数

AIの学習におけるパラメータ数は、特徴量抽出の重みやアルゴリズムの変数を表し、その多寡が生成AI開発におけるモデルの複雑さと性能を左右する。つまり、パラメータ数はモデルの挙動を決定する変数や係数である。一般に、パラメータ数が多いほどモデルは複雑になる一方、より多くの情報を処理でき、より高度な言語の理解や生成が可能となる。ただし、パラメータ数が多いと、学習にかかる時間や計算コストが増加したり、学習する情報が多過ぎることによる学習不全や「過学習」に陥ったりするため、目的や用途に応じた、適切なパラメータ数の設定が求められる。

大規模言語モデルのサイズ（2023年3月時点）
LLMの進化に伴って、生成AIもバージョンアップしている

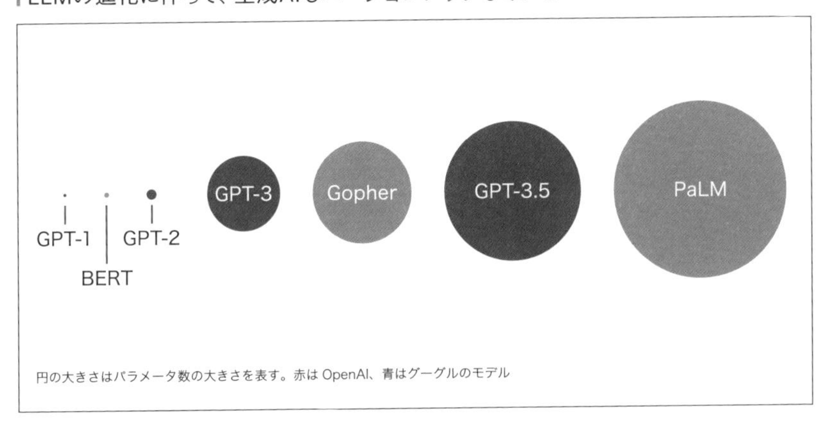

主な大規模言語モデル
日本語に特化した言語モデルも登場している

モデル名	リリース年（基準年）	パラメータ数	開発元
GPT-3	2020年5月	1,750億	OpenAI
Switch Transformer	2021年1月	1兆6,000億	Google Brain
LAMDA	2021年5月	1,370億	グーグル
悟道 2.0	2021年6月	1兆7,500億	北京智源人工知能研究院
HyperCLOVA	2021年11月	820億	LINE、NAVER
日本語GPT	2022年1月	13億	Rinna
Gopher	2022年2月	2,800億	DeepMind
GPT-3.5	2022年3月	3,550億	OpenAI
PaLM	2022年4月	5,400億	Google Research
GPT-4	2023年3月	-	OpenAI

Transformerとは何ですか

ChatGPTのLLMが発展する礎となった基盤モデルです

Transformerとは、革新的な理論に基づく深層学習のモデルであり、最大の特徴は、従来のRNNのリカレント層やCNNの畳み込み層を使わずに、アテンション層のみを用いるところにあります。このシンプルで効果的なアプローチにより、高速で高精度な自然言語処理が可能になりました。

特に、1つでなく複数の箇所に同時に注意を向ける「アテンション機構」により、文脈や全体像の理解力が格段に高まりました。Transformer登場以前のニューラルネットワークは、事前学習のために大量のラベル付きデータを用意する必要がありましたが、Transformerでは比較的少ない量のラベル付きデータで済みます。Transformerの登場により、正解ラベルが付いていないデータも効果的に使えるようになりました。さらに、Transformerは並列処理に適しているため、高速なモデルの計算が可能です。Transformerは現在、多くのAIのアプリケーションで採用されており、BERTやGPTといった派生モデルの発展を支えています。

Key word

アテンション機構

アテンション機構とは、AIが入力データの一部に注意、着目するように学習させる技術である。例えば、人間が猫を認識する際、「顔」や「体形」から「猫である」と判別する。この際、通常、毛並みや色合いなどは重視されない。あるいは英文の穴埋め問題において、解答箇所の前後、周辺の単語に注意を向けて回答を選ぶ。アテンション機構は、それと同様の仕組みを機械的にプログラムすることで、入力データの一部に対する注目度を高め、他の部分に対する注目度を低める。アテンション機能を実装することで、AIは人間に近い形で画像や文章を認識できるようになった。

Transformerのモデル構造
従来のRNNのリカレント層やCNNの畳み込み層を使わない

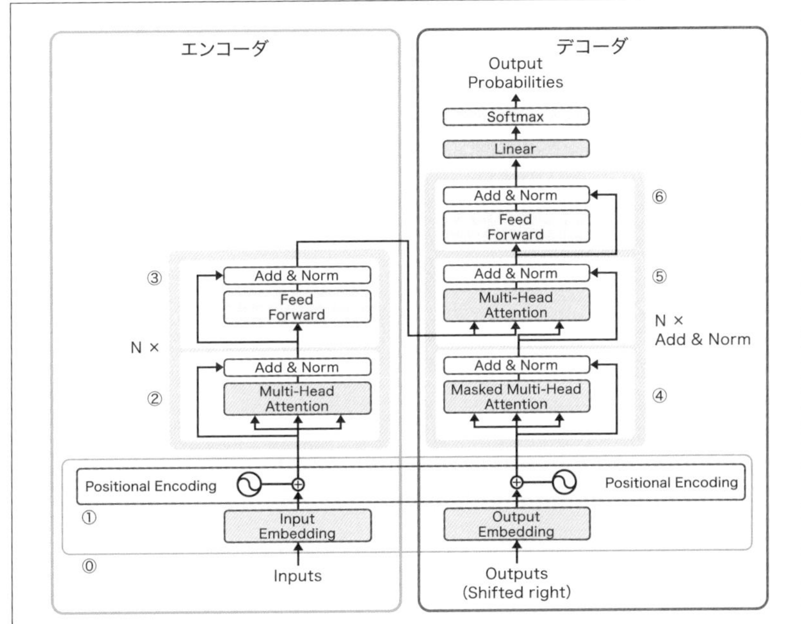

⓪…前処理、①…単語の相対的な位置を関係付ける、②…単語同士の関係を数値化し文章構造を理解する、③…全結合層のニューラルネットワーク、④…入力を隠して（Masked）処理する（翻訳では翻訳する単語より前の単語を隠す）、⑤…タスクに対して重要な単語を把握する（②、④、⑤はアテンション層）

出典：グーグル研究者らの論文『Attention Is All You Need』に加筆

Transformerから派生した大規模言語モデル
GPTも派生モデルの1つ

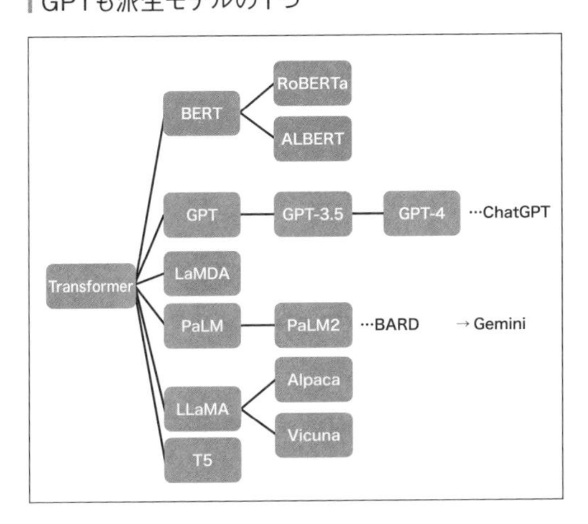

Transformerの用途
利用法は様々

形態	特徴	派生形
エンコーダ・デコーダ方式	特定の系列を別の系列に変換する機械翻訳などのタスクでの利用が典型	T5
エンコーダのみ	入力系列の学習に応用。ラベリングや系列分類といったタスクへの転用も	BERT
デコーダのみ	自己回帰生成のデコーダ部分だけ残した構造。言語モデルなど生成が主なタスク	GPT

BERTとは何ですか

Transformerを利用した自然言語処理モデルです

BERTとはグーグルが発表した自然言語処理モデルであり、Transformerを利用して文章を文頭と文末の「双方向」からの学習により、文意を掴みます。また、BERT以前の言語モデルが特定のタスクのみに対応していたのに対し、BERTは感情分析を含む様々なタスクに適用できます。事前学習済モデルに既存のタスクモデルを追加することで、分析精度の大幅な向上も可能です。例えば、数百、数千ものレビューに基づき、映画に対する評価が肯定的か、否定的かなどを分析、判断できるのです。グーグルの検索エンジンや企業のコンタクトセンターなど、様々な分野で実用化されています。

大規模言語モデルと同様に、BERTにおいても、事前学習とファインチューニングという2つのプロセスによって精度向上が図られます。事前学習には、マスク言語モデル（MLM）と次文予測（NSP）を使うことで、大量のラベルなしデータを活用できます。続くファインチューニングは、比較的少ないラベル付きデータで特定タスクに対応できるように調整することにより、特徴量抽出が可能です。

Key word

GLUE

GLUE（グルー）とは、BERTやGPTといった汎用型の言語モデルによる言語理解タスクの精度やパフォーマンスを評価する手法として開発されたベンチマークである。GLUEには、英文が文法的に正しいか否かを判定する「CoLA」、映画鑑賞レビューの感情分析を行う「SST-2」など、自然言語理解能力を測定するためのいくつかのテストが含まれる。CoLA、SST-2はいずれも、複数のタスクに対応したデータセットのコレクションである。現在、GLUEは英語圏の自然言語処理の評価に初期に組み込まれており、新たな言語モデルを発表時は、「GLUEスコア」の明示が慣例となっている。

BERTの事前学習
大量のラベルなしデータの活用が可能になっている

・マスク言語モデル（Masked Language Model）

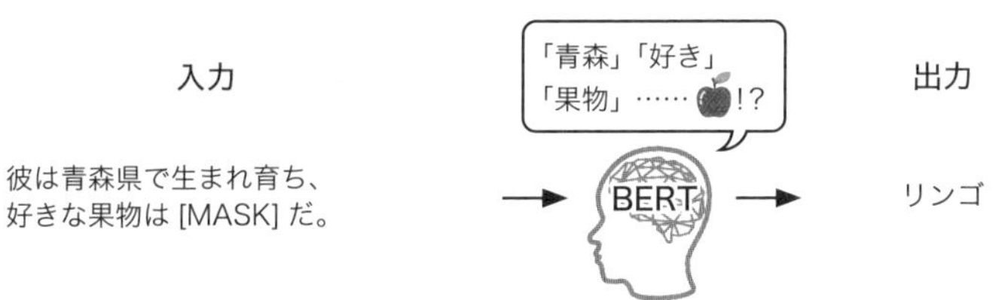
入力
「青森」「好き」
「果物」……!?
出力
彼は青森県で生まれ育ち、
好きな果物は [MASK] だ。
BERT
リンゴ

入力…「単語の一部を [MASK] という別の単語で置き換えた文」を入力
出力…BERT はその語順から文脈を考慮し、隠（[MASK]）された単語を予測

次文予測（Next Sentence Prediction）
後続する文を予測するように学習する

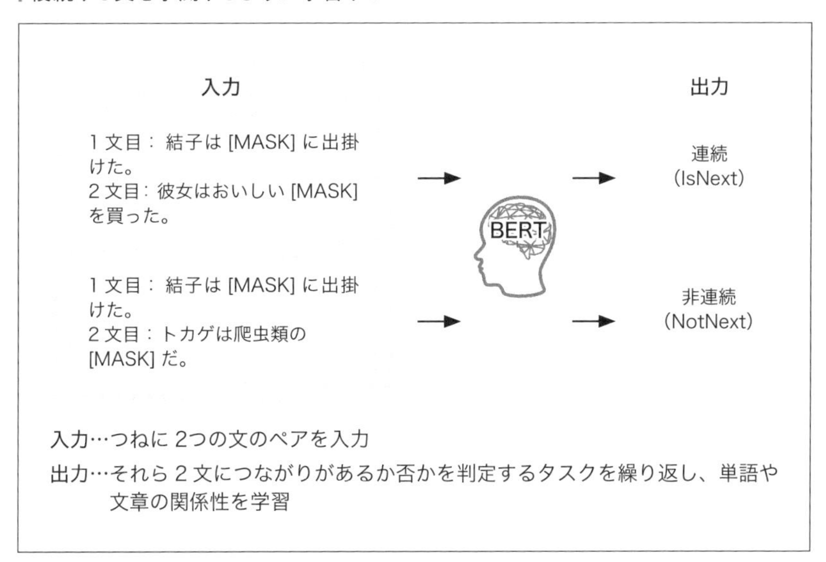
入力
出力
1 文目： 結子は [MASK] に出掛けた。
2 文目：彼女はおいしい [MASK] を買った。
連続
(IsNext)
BERT
1 文目： 結子は [MASK] に出掛けた。
2 文目：トカゲは爬虫類の [MASK] だ。
非連続
(NotNext)

入力…つねに 2つの文のペアを入力
出力…それら 2 文につながりがあるか否かを判定するタスクを繰り返し、単語や文章の関係性を学習

GLUEによるBERTのSOTA（最新技術）の評価
テストの目的に応じて使い分ける

SST-2	The Stanford Sentiment Treebank	映画レビューの感情解析（ネガポジ判定）
CoLA	The Corpus of Linguistic Acceptability	入力文が英語文法として正しいか判定
STS-B	Semantic Textual Similarity Benchmark	記事の見出しの意味的な類似度を評価
MRPC	Microsoft Research Paraphrase Corpus	2 つの入力文の等価性を判定

生成AIの要素技術 Ⅳ-10

プロンプトエンジニアリングとは何ですか

精度を高めるために、指示文を設計するテクニックです

生成AIの流行に伴い、新たな研究分野として「プロンプトエンジニアリング」に注目が集まっています。これは、大規模言語モデルの能力を効果的に引き出すためのプロンプト（指示文）の設計と最適化に関する領域です。ChatGPTのようなAIモデルでは、プロンプトが出力の精度、つまり生成されるコンテンツの質を大きく左右します。

プロンプトエンジニアリングの核心は、AIが担うべきタスクを明確に指示し、望ましい結果、最適な出力を導き出すことにあります。具体的な指示、背景情報の提供、入力データの選択、そして出力フォーマットの指定など、プロンプトの構成要素を適切に組み合わせることで、AIのパフォーマンスを最大限に引き出します。この分野の専門家、すなわちプロンプトエンジニアは、AI技術の隆盛に伴い、活躍の場が広がっています。急速な生成AIの普及と技術革新に対して、それを使いこなせるプロンプトエンジニアの人数は圧倒的に足りていないとされ、今後大きく伸びる人材市場の1つと見られています。なお、関連する解説資料としては、「プロンプトエンジニアリングガイド」が有名です。

Key word

プロンプトエンジニアリングガイド

プロンプトエンジニアリングガイドとは、プロンプトエンジニアリングのポイントを解説したマニュアルである。同ガイドは、「導入」「技術」「モデル」「リスクと誤用」などの項目で構成され、プロンプトの基礎的な用法や上手な生成のコツ、事実誤認など生成されたコンテンツの限界性や改善策が幅広く紹介されている。また記載内容も、「指示はプロンプトの最初に配置し、指示と文脈を明確に区切るために"###"のような記号の使用が推奨される」などのように具体的である。プロンプトエンジニアリングガイドは、日々アップデートされている。

主なプロンプトエンジニアリングの要素
指示、背景、入力データ、出力形式などを具体的に記述

要素	概要
指示	モデルが実行するタスクや命令
文脈・背景	より高い精度の回答を導くべく入力する、指示に関連した追加情報や補足
入力データ	望ましい応答を得るためのリクエストや質問
出力指示子	箇条書きや一覧表など出力のタイプや形式を指定

「プロンプトエンジニアリングガイド」をもとに作成

ChatGPTにおけるプロンプトエンジニアリングの実例
役割、時期、期間などを具体的に指示

Q. 何かいいヨーロッパの旅を考えて。

旅行を計画するには、様々な選択肢があります。自然の美しさを楽しむのか、文化や歴史に触れるのか、美食を堪能するのかによって、行き先が変わってきます。

当り障りのない、一般論的な回答しか得られない

Q.1月に巡るべき、快適な日本発ヨーロッパ旅行 5泊 7日のプランを考えてください。文化や遺産に興味があります。

###
あなたは旅行代理店の敏腕社員

1 月だと、比較的温暖な気候と豊かな文化遺産を兼ね備えた地域を選ぶことが重要です。イタリアのローマとフィレンツェなら、この時期でも楽しめるアート、歴史、建築の宝庫です。

上記改案のように、AI 側に役割を設定した上で、
具体的に問い掛けることで、より的確な回答が得られる

自己回帰モデルとは何ですか

過去に基づき現在・未来のデータを読み解くモデルです

自己回帰モデルとは、過去のデータをもとに現在・未来のデータを読み解くなど、時系列データの予測に特化した統計モデルです。株価予測や気象予測などの時系列分析をはじめとして、幅広い分野で利用されています。自己回帰モデルにおいて、過去に観測されたデータに基づいて導き出す将来の予測値は、その時系列の以前の値のつながりを表した線形となります。例えば、自己回帰モデルによる株価予測において、株価は時系列データとしての性質を持っており、経済指標や企業の決算、地政学的イベントなど、多種多様な要因に影響を受けます。そのため、過去の株価に基づいて、将来の株価の動きを予測できます。具体的には、過去の暴落データを収集し、そのデータに基づいて過去の価格と将来の価格の相関関係を計算し、将来の価格を予測するのです。

自己回帰モデルには、シンプルで実装しやすいこと、様々な時系列データに対応できる柔軟性、効率性など多くの利点があります。一方で、VAEやGANに比べると推論が遅く、生成に時間がかかるといった欠点もあります。

Key word

ベクトル自己回帰モデル

ベクトル自己回帰モデル（VAR）とは、自己回帰モデルの拡張型システムであり、複数の変数を考慮して一体的に捉える多変量時系列モデルである。VAR モデルは、システム内の各変数がその過去の値の関数であり、システム内の他のすべての変数の過去の値の線形結合として表される。言い換えれば、VAR モデルは、相互接続された複数の AR モデルのシステムと見ることができる。VAR モデルと変量の時系列データの AR モデルとの大きな違いは、過去の自分だけでなく、他の時系列データの過去も考慮されている点にある。

主な自己回帰モデルの利活用例
時系列データが整備されている領域での利用が容易

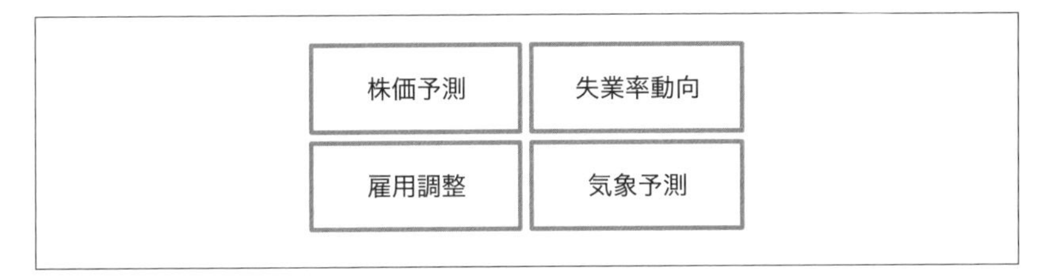

自己回帰モデルのイメージ
例：架空の○×商事の1株当たりの株価の推移

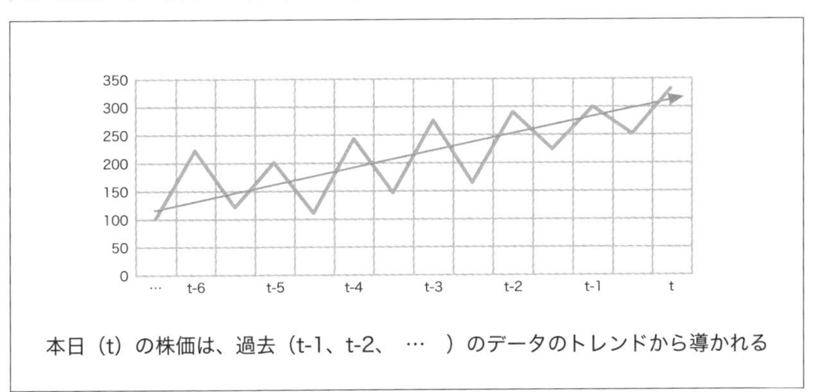

様々な時系列モデル
いずれも時系列モデリングのための統計手法

モデル	対訳	概要
AR モデル	自己回帰モデル	過去の時系列データに基づいて現在・将来の値を予測（回帰分析）する
MA モデル	移動平均モデル	特定期間のデータを平均した値で表す方法。為替に代表されるテクニカル指標など、刻々と変化しているデータで使われ、その傾向を細かく把握したい場合に用いる
ARMA モデル	自己回帰移動平均モデル	AR モデルと MA モデルを組み合わせたモデル
ARIMA モデル	自己回帰和分移動平均モデル	ある時点のデータとその直近の値との関係性・差分を分析し、それらの関係性が維持されるという仮定で減算操作を行い将来の値を予測する手法
SARIMA モデル	季節自己回帰和分移動平均モデル	トレンドの分析が可能な ARIMA モデルに、長周期的な季節変動要因を考慮した手法

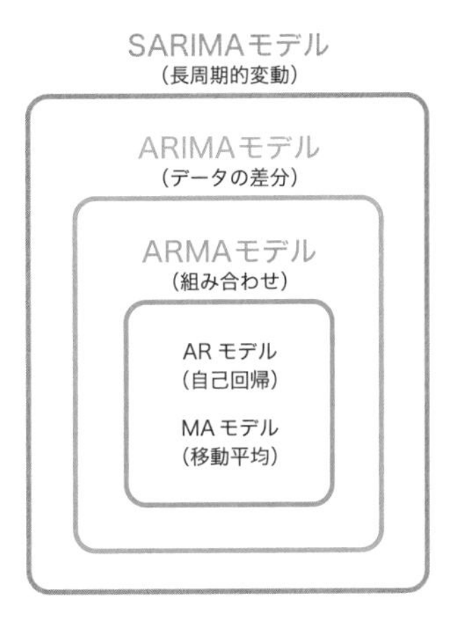

ファインチューニングとは何ですか

パラメータを微調整し、追加的に学習するプロセスです

ファインチューニングとは、機械学習において、事前学習済モデルの性能を特定のタスクやデータセットに最適化させる微調整のプロセスです。まずは、「ウィキペディア」や「コモンクール」などの大規模なデータセットで訓練された、事前学習済モデルを選びます。次に、金融や医療といった特定領域の知識や、事前学習済モデルが未学習の最新ニュースや論文などのデータセットを、前処理を施して用意します。事前学習済モデルをデータセットに適応させるため、モデルの出力層を削除してそのデータを追加の層として付け足し、再学習させます。そうしてカスタマイズした学習環境でモデルを訓練します。この際、過度な変更は避け、微細な調整にとどめます。

ChatGPTのPがPre-trainedを意味することからわかるように、GPTシリーズは事前学習済モデルです。なお、ファインチューニングと似た技術に転移学習があります。両者の違いは、ファインチューニングが出力する最終層以外の中間層を微調整するのに対し、転移学習は基本的に出力層以外のパラメータはいじらず、固定されている点にあります。

Key word

コモンクロール

コモンクロールとは、米国の非営利団体「Common Crawl Foundation」によるWebデータの収集と公開のプロジェクト。自動的にウェブサイトにアクセスしてデータを取得する「クローリング」のプログラム「クローラ」を通じて、2008年から継続的にWebを巡回している。データはWARC形式で保存され、誰でも自由にダウンロードできる。コモンクロールのデータはペタバイト規模の大容量で、画像認識や自然言語処理の事前学習済モデルの追加学習に用いられるなど、様々な研究や開発に役立っている。著作権で保護されたデータも含まれるが、「フェアユース」に基づいて提供。

事前学習済モデルと追加学習済モデル構築の流れ
ファインチューニングは手間や労力が比較的軽微

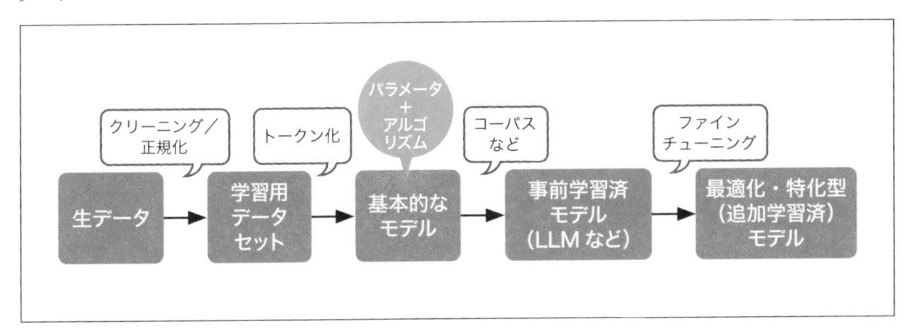

ファインチューニングの模式図
目的に応じて、特定タスクのデータを追加学習させる

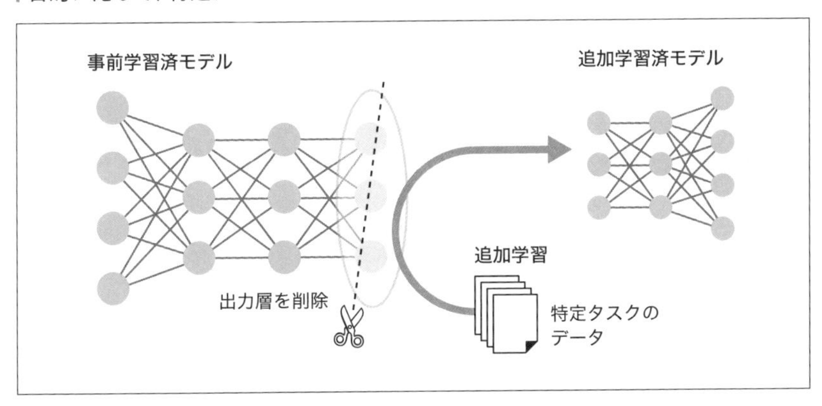

ファインチューニングの例
汎用的な事前学習済モデルに対して、追加学習させる

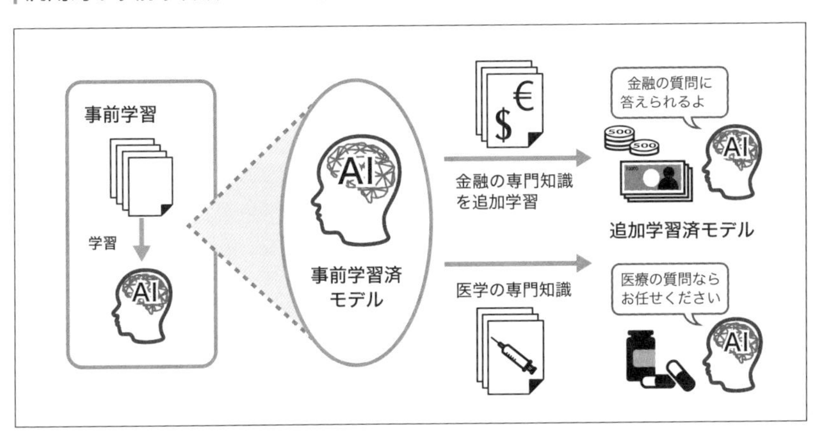

K-ショット学習とは何ですか

少数のデータを学習させ、性能向上を図る技術です

機械学習におけるK-ショット学習とは、限られたデータから学習する能力を向上させるための手法群です。「K」は学習するラベル付きデータの数であり、「ゼロ」「ワン」「フュー（少数）」といったKへ代入する数字によって効果が異なります。「ゼロショット学習」は、事前学習済モデルに対し、データを与えることなく、単に指示のみを与えるやり方で、事前学習に含まれない未知の情報、タスクに対するモデルの予測能力を開発します。「ワンショット学習」は、ラベル付きデータを1つだけ学習させる手法です。非常に限定的な情報から識別する能力を開発し、1つの画像から個人を特定する顔認識で特に有用です。そして「フューショット学習」は、ラベル付きデータを2つ、3つ学習させる手法であり、高い学習効果が見込めます。特にChatGPTやGeminiといった現代型生成AIモデルで有効とされます。

K-ショット学習はモデルの重みは更新せず、あくまでモデルへのヒントを例示します。そこが、新しいデータセットを用意して再学習させてモデルの重み自体も更新するファインチューニングと異なる点です。

Key word

メタ学習

メタ学習（メタラーニング）とは、学習モデルが新しいタスクを迅速に学習するための一般化能力の獲得に焦点を当てており、学習の仕方を学習する「学習のための学習」と呼ばれ、学習プロセス自体を習得する手法。モデルは新しいタスクに適応して学習効率を上げるために、過去の経験や複数のタスクの学習結果、学習過程を活用する。人間が新たな問題に遭遇した際、過去に経験した類似の問題に基づいて効率的な解決法を探る学習能力に着想を得た概念。少ないデータから迅速に学習できるようになるのが特徴で、フューショット学習やファインチューニングが代表例。

K-ショット学習の種類

学習させる学習データの数によって分類される

種類	例示数	定義	主な応用分野
K-ショット学習	K (=0,1,2,…5)	限られた数の学習データから学習を行う手法	多様な分野（自然言語処理、画像認識など）
ゼロショット学習	0 (ゼロ)	学習データなしで予測する学習手法	属性や関係性に基づくクラス分類
ワンショット学習	1 (ワン)	1つの学習データのみを用いて行う学習	顔認識、特定のオブジェクト検出
フューショット学習	少数 (2~5など)	2~5程度の少数の学習データにより学習	医療画像診断、種類が多いオブジェクトの認識

K-ショット学習のイメージ

学習データの数によって、得られる出力結果が変わってくる

「翼があるのは鳥」と
学習したモデルがあると仮定

学習データの数	プロンプト	出力例
ゼロショット学習	問：コウモリは鳥ですか	鳥です
ワンショット学習	問：鳥以外に翼のある生物はいますか→答え：はい 問：コウモリは鳥ですか	鳥であるとは言えません
フューショット学習	問：鳥以外に翼のある生物はいますか→答え：はい 問：コウモリは哺乳類ですか→答え：はい 問：コウモリは鳥ですか	鳥ではなさそうです

モデル圧縮の有効な手法を教えてください

プルーニング、量子化などの手法が知られています

現代のニューラルネットワーク（NN）は非常に複雑でパラメータ数が膨大なため、大きなメモリ容量と計算能力が必要です。そうした大容量モデルは、リソースが限られた環境には適さないため、サイズ削減や計算効率向上を可能にする「モデル圧縮」が求められ、その代表的な手法に「プルーニング（枝刈り）」「量子化」「蒸留」「重み共有」があります。

プルーニングは、NNのノード間の重みや活性化の頻度に応じて、重要度の低いノードや接続を削除してモデルの複雑さを減らすことで「スパース性」を高め、推論速度を向上させます。量子化は、モデルの重みや活性化関数の値をより少ないビットの浮動小数点で表現する手法です。精度が落ちる一方、サイズが縮減し、メモリ使用量が減ります。蒸留は、大規模で複雑なモデル（教師モデル）の知識をより小さくシンプルなモデル（生徒モデル）に転移する手法です。教師モデルと同等の性能ながらも、はるかに軽量で効率的です。重み共有は、畳み込みニューラルネットワークで、複数のノードまたは層の間で重みを共有することでパラメータ数を低減します。

Key word

スパース性

スパース性とは、モデルの重みの多くがゼロである状態を指し、物事を少数の情報から特徴を捉えられるようにする（スパースとは「まばらな」「スカスカ」を意味する）。プルーニングによって冗長な、または重要度が低いと判断された重みや接続が削除されると、モデルのネットワークがスパース化される。スパース性が高いモデルは、計算効率の向上、メモリ使用量やストレージ要件の削減、汎化能力の向上、ひいては消費電力の低減が見込めるようになる。ただし、スパース性が高まると、モデルの精度が低下する恐れもある。

モデル圧縮のイメージ

「モデル圧縮」の代表的な手法に「プルーニング」「量子化」「蒸留」などがある

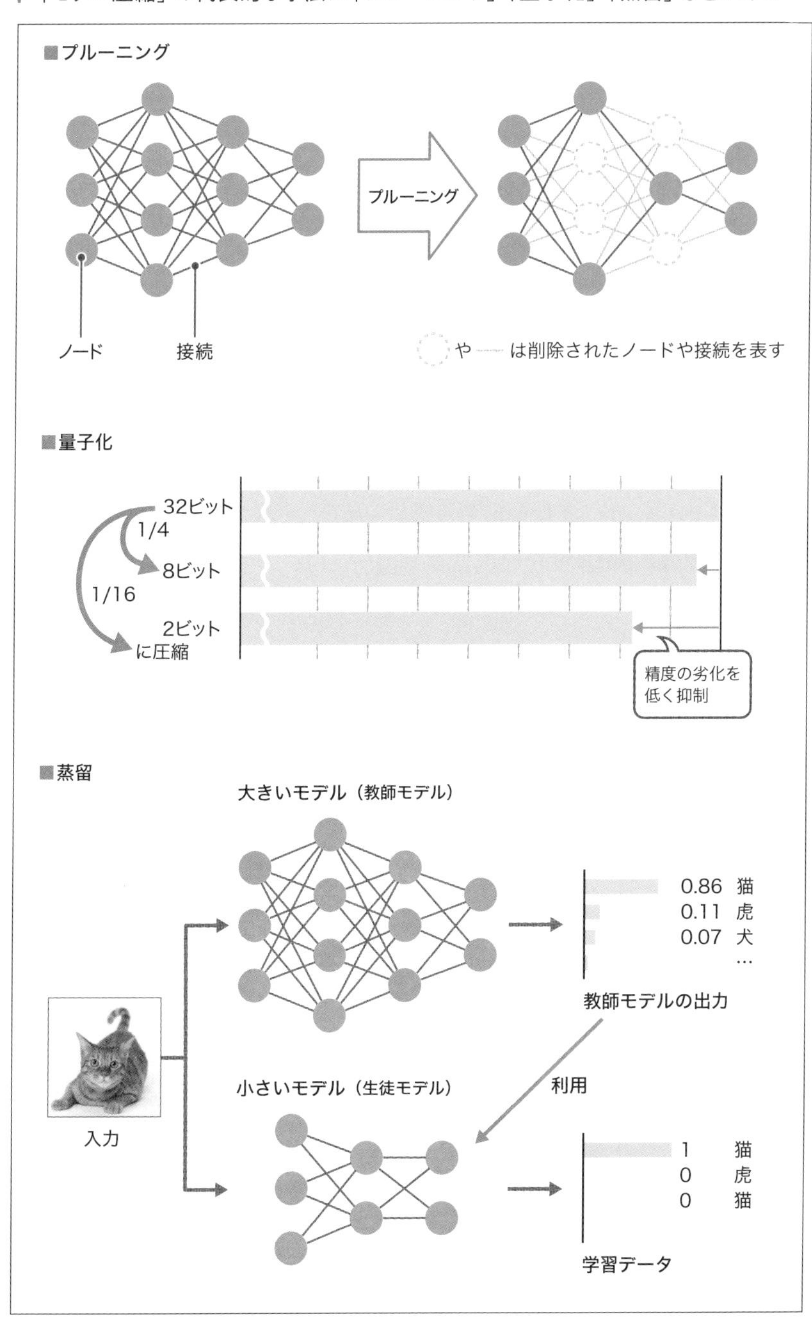

生成AIの要素技術 Ⅳ-15

グロッキングとは何ですか

過学習を超えて訓練すると、汎化性能が急向上します

「グロッキング」とは、機械学習において、大量のデータを学習させ、反復的に訓練する過程で、ある時点から突然、モデルがデータに潜む構造や規則性、深い洞察を「理解」し、「汎化＝データや問題への適応」が起こる現象です。特に、過学習を超えてさらに訓練を繰り返すことで、未知のデータに対する誤差「汎化誤差」が急に下がり始め、すなわち正解率が上がり始め、応用性が一気に高まる「汎化」の時点が訪れると指摘されています。この現象は「過学習を超えた汎化」と呼ばれており、研究者たちはその仕組みを解き明かそうとしてきました。

深層学習は、2010年代に飛躍的に進化しましたが、その原理は多くが謎のままです。「学習は初期化から過学習を経て表現学習の順で進む。グロッキングは過学習から表現学習への相転移だ」と説く論文もあります。これは、「量」をこなすと「質」が劇的に向上する「量質転化」とある意味で通底します。なお、グロッキングに似た概念に「創発」があります。学習モデルの計算量やパラメータ数が巨大化すると、ある時点で突然新しい能力を獲得するのです。

Key word

表現学習

表現学習とは、AIがタスクの実行に重要な特徴やパターンをデータから学習し、それらを有効な表現に変換するプロセスである。表現学習では、生データの複雑さを抽象化し、モデルが処理しやすい形式に変換することを目指す。従来の学習プロセスでは、人間が特徴量を設計する上で多大な手間やコストがかかっていた。表現学習では、コンピュータが自動で特徴を学習し、獲得した特徴表現により目的のタスクを遂行できるようになっている。データから最適な表現を見つけ出し、学習できるかが、表現学習を成功させる上での非常に重要なポイントとなる。

過学習から汎化へと向かうグロッキングのイメージ
過学習をはるかに超えて突如として汎化に至る

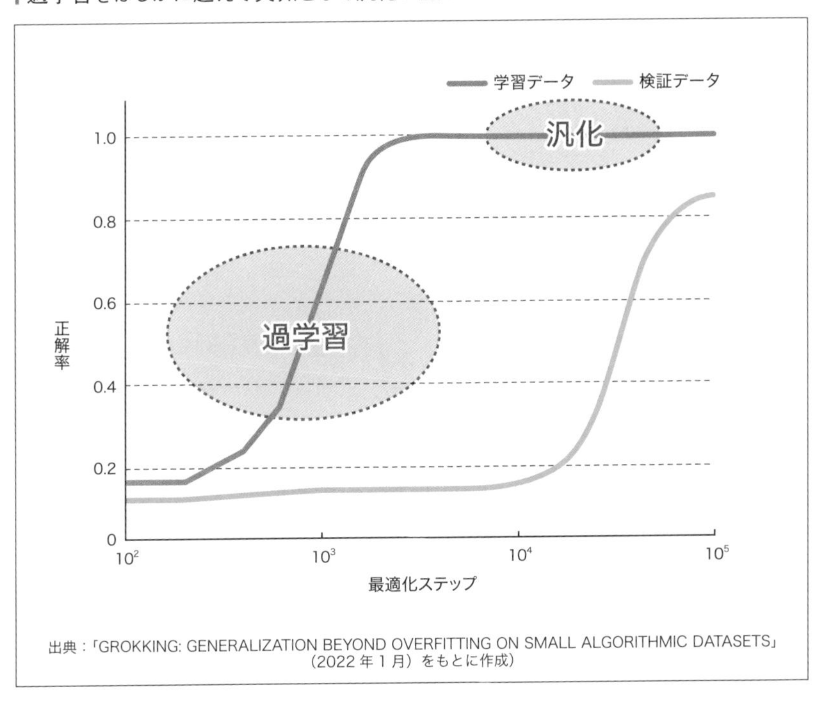

出典：「GROKKING: GENERALIZATION BEYOND OVERFITTING ON SMALL ALGORITHMIC DATASETS」（2022年1月）をもとに作成）

汎化性能の獲得過程
過学習を超えてさらに学習を進めることで汎化性能が獲得される

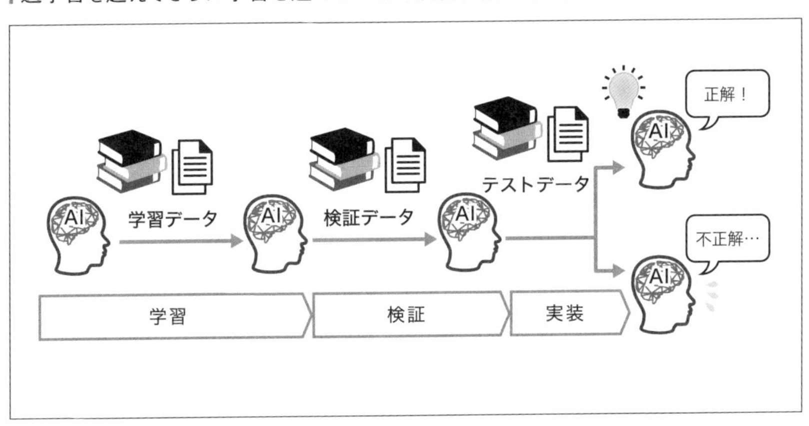

自然言語処理のスケーリング則について教えてください

パラメータ数、訓練データ量、などを増やすと性能が向上します

大規模言語モデルなど自然言語処理分野におけるスケーリング則とは、そのサイズ（パラメータ数）、訓練データ量、訓練に要する計算量を増やすことでモデルの性能が飛躍的に向上することを定量的に示した法則です。これらの3要素は、特定の範囲内で、予測性能や生成性能の向上に対数的またはべき乗則的な関係を示すと、OpenAIが発表した研究論文「ニューラル言語処理のスケーリング則」などで明らかにされました。つまり、ニューラルネットワークの性能は、この3変数の冪乗に比例するのです。モデルのパラメータ数が多いほど、より複雑な関数を学習する能力が高まり、より微妙な言語のニュアンスや文脈を捉えられます。そして、訓練データの量が増えると、モデルはより多様な言語表現を学習し、一般化能力が向上します。さらに、計算量が多いほど、モデルの訓練速度や実験の繰り返し速度を高めます。

ただ、いたずらに規模を追うことは、過学習のリスクを高めるほか、コストや時間の観点からも推奨できません。そのため、パラメータ数を抑えた、「小規模言語モデル」の開発も活発化しています。

Key word

小規模言語モデル

大規模言語モデルに対し、パラメータ数が小さいモデルは「小規模言語モデル」（SLM）と呼ばれる。2023年春にマイクロソフトが発表した論文「Tiny Stories」によれば、GPT-3.5、GPT-4で作成された3〜4歳児の知識レベルのテキストデータで学習されたSLMがGPT-4よりも出力の一部において高精度だったとされる。まだ試験的で限定的な応用だが、学習に必要なパラメータや計算の量のリソースの少なさ、消費電力の小ささ、モデル構築のしやすさの観点から、さらなる技術進歩が期待される。パラメータ数がわずか440万の「BERT Tiny」などがある。

言語モデルのスケーリング則
大規模化に伴い誤差が減る法則性を示したグラフ

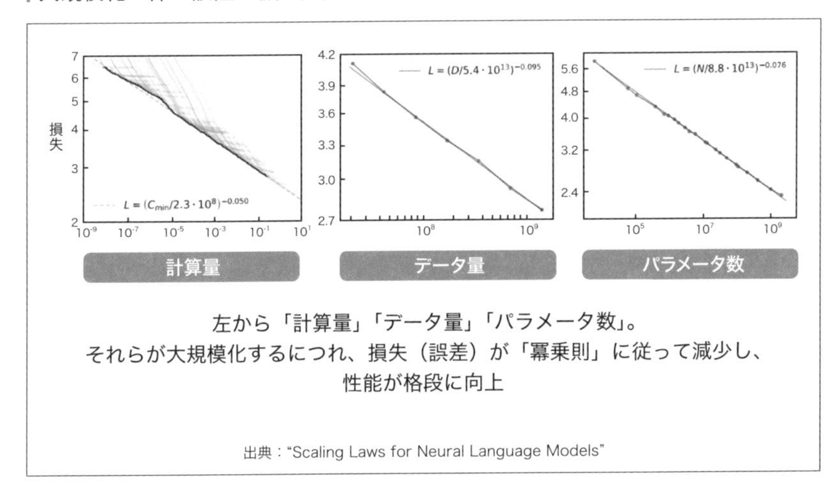

左から「計算量」「データ量」「パラメータ数」。
それらが大規模化するにつれ、損失（誤差）が「冪乗則」に従って減少し、
性能が格段に向上

出典：“Scaling Laws for Neural Language Models”

主な大規模モデルのパラメータ数の比較
パラメータ数が極めて大規模なLLMが登場している

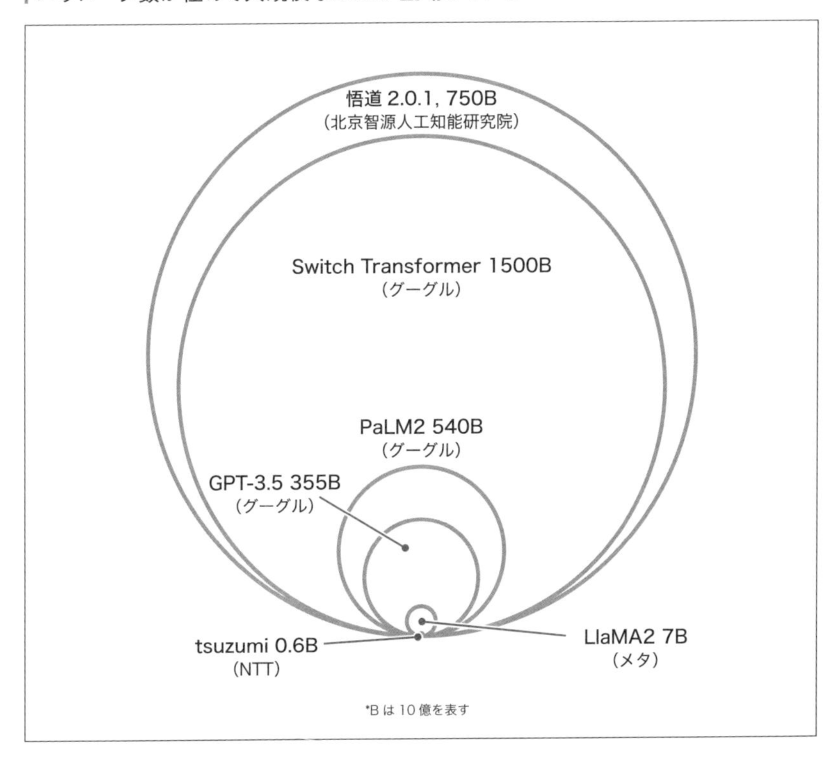

*B は 10 億を表す

生成AIの活用

V-01　企業はどのような形で、生成 AI に取り組んでいますか

V-02　金融の分野で、生成 AI はどのように使われていますか

V-03　医療の分野で、生成 AI はどのように使われていますか

ほか、15 項目

生成AIの利活用パターン

生成AI利活用の3区分

①開発＝作る
（大規模言語モデルなど）

生成AI自社開発

②協業・提携＝混ぜる
（「GPT×○○」、
"powered by ChatGPT" など）

生成AIに応じた自社サービス開発

③活用＝使う
（自社・組織内、教育現場、
私生活など）

生成AIサービスの直接利用
生成AI事業者提供のAPIとの連携
クラウドシステムなどとのAPI連携

①生成AIの自社開発

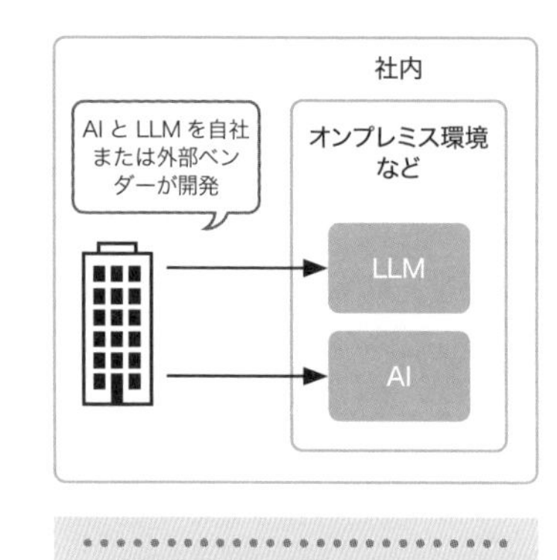

- 情報通信の分野
- 製造の分野（耐久消費財、機器・機械）

②生成AIサービスの直接利用

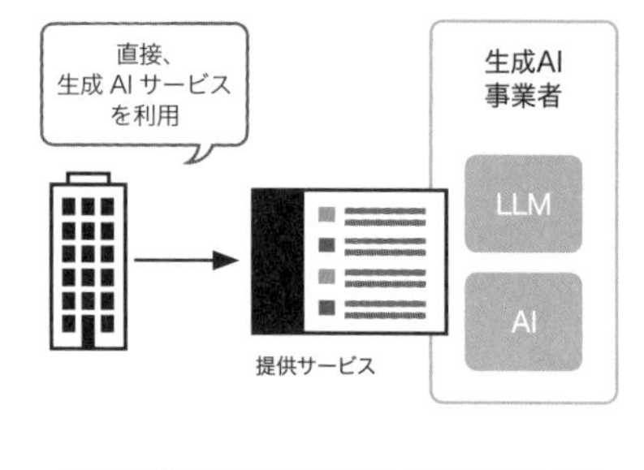

- 教育の分野
- 行政の分野

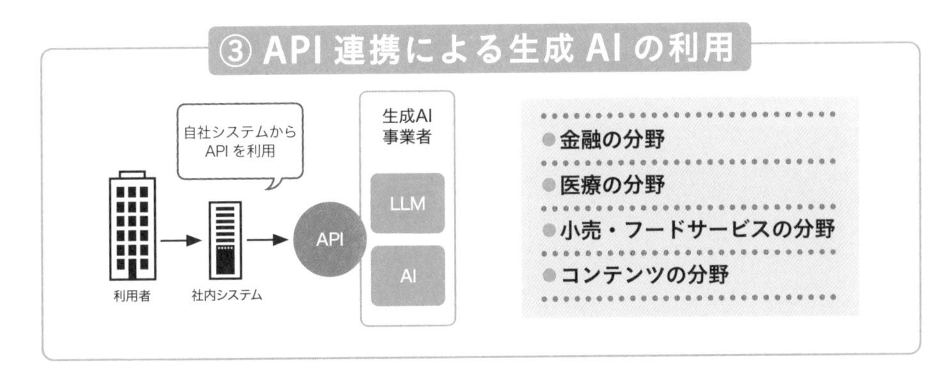
③ API連携による生成AIの利用
自社システムから
APIを利用
生成AI
事業者
LLM
API
AI
利用者
社内システム
金融の分野
医療の分野
小売・フードサービスの分野
コンテンツの分野

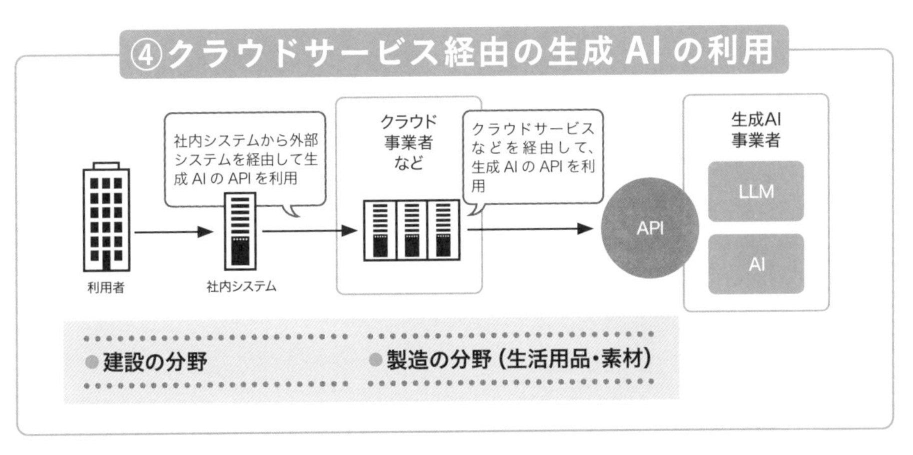
④クラウドサービス経由の生成AIの利用
社内システムから外部
システムを経由して生
成AIのAPIを利用
クラウド
事業者
など
クラウドサービス
などを経由して、
生成AIのAPIを利
用
生成AI
事業者
LLM
API
AI
利用者
社内システム
建設の分野
製造の分野（生活用品・素材）

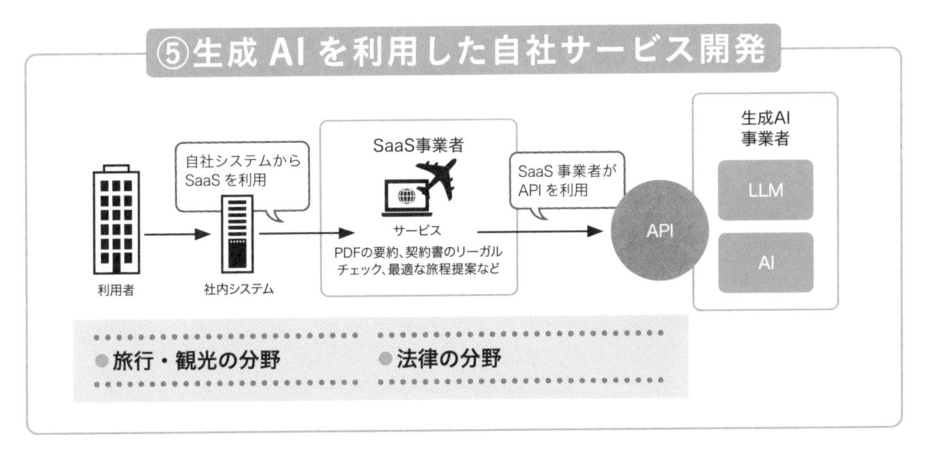
⑤生成AIを利用した自社サービス開発
SaaS事業者
自社システムから
SaaSを利用
SaaS事業者が
APIを利用
生成AI
事業者
LLM
サービス
API
PDFの要約、契約書のリーガル
チェック、最適な旅程提案など
AI
利用者
社内システム
旅行・観光の分野
法律の分野

企業は、どのような形で生成AIに取り組んでいますか

利用したり、開発したり、取り組み方は様々です

企業による生成AIの利用シーンは、大まかに生成AIを「①作る」「②混ぜる」「③使う」の3パターンに分けられます。このうち、最もハードルの高いのは「①作る」ことであり、主に通信事業者やIT事業者が取り組んでいます。①に取り組む企業は、独自のLLMを開発し、自社および他社が使えるようにしています。①に取り組むのは多大なコストと手間がかかり、AIの学習用データも必要です。

一方、最もハードルが低いのは「③使う」であり、多くの一般企業が取り組んでいます。ただし、情報セキュリティに対する配慮など、利用者にも相応のリテラシーが求められます。特に、機密情報や個人情報の生成AIへの入力は避けるべきでしょう。そして、2番目の利用シーンである「②混ぜる」とは、自社のサービスと生成AIサービスを組み合せて利用することであり、今後業種を問わずに多くの企業が取り組んでいくことになるでしょう。例えば、自社で開発したシステムからAPI経由で生成AIの機能を呼び出して入出力情報をフィルタリング・分析するなど、様々な業務の効率化や自動化が期待できます。

Key word

API

APIとは、広義ではソフトウェアコンポーネント同士が互いに情報をやりとりするのに使用するインタフェースの仕様である。APIを利用すれば、アプリケーションとアプリケーション、アプリケーションとデータを連携することで、外部のデータやアプリケーションを呼び出して、自社システム上で利用できる。例えば、APIの利用により、Webページ上にGoogle Mapを表示させたり、Webの記事などから直接Facebookに「いいね」を投稿したりすることが可能になる。現在、IT事業者を中心にAPIの公開を通じて、自社のプラットフォームを業界標準にする動きが少なくない。

生成AIの開発・協業・活用の3区分

大きく、作る、混ぜる、使うに3つに分類できる

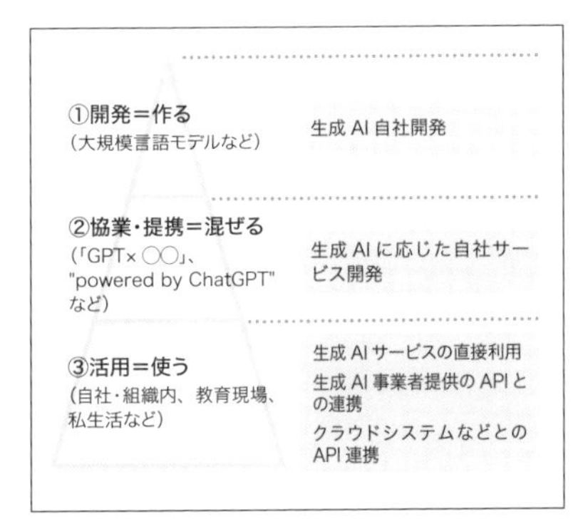

生成AIの利用パターン

主に事業領域によって、利用パターンが変わってくる

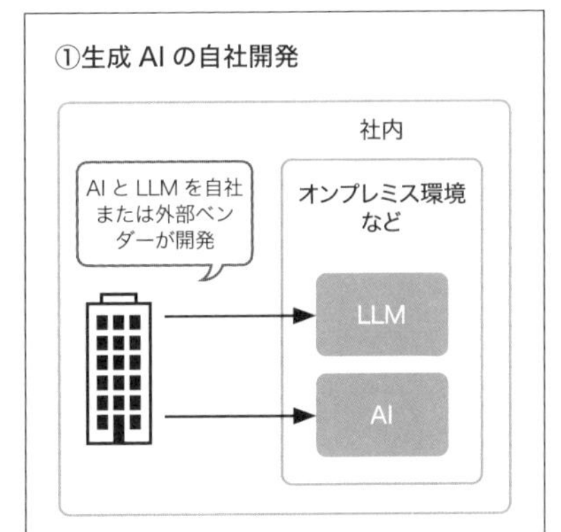

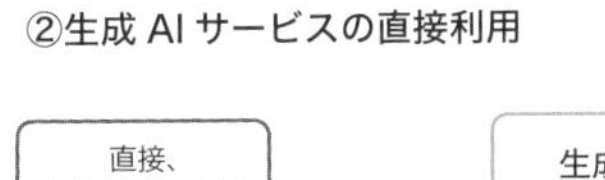

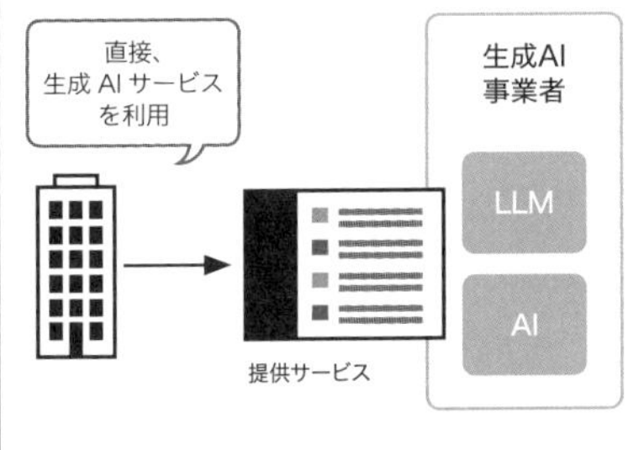

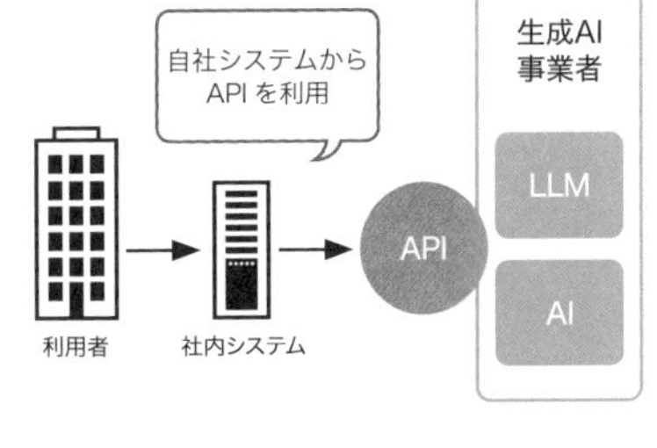

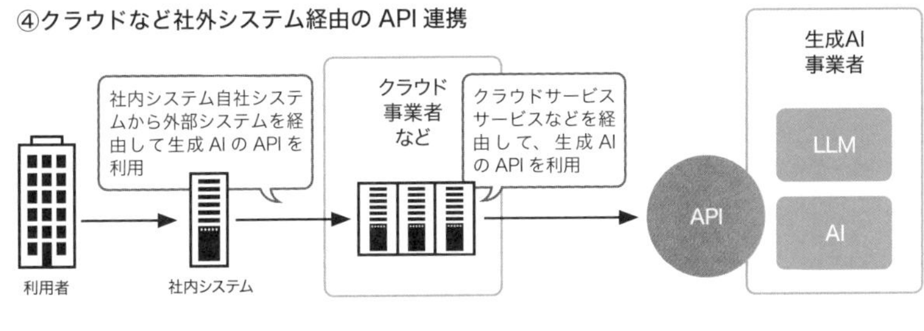

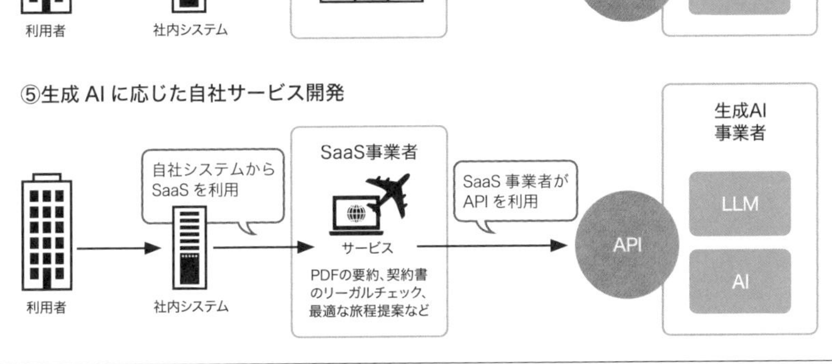

金融の分野で、生成AIはどのように使われていますか

稟議書の自動作成、想定問答作成などに使われています

ChatGPT やその基盤となる大規模言語モデル（LLM）を使ったAIサービスは、金融分野でも着実に広まっています。海外では、ブルームバーグが多種多様な金融データを学習させた500億のパラメータを有するLLM「Bloomberg GPT」を開発しています。個別企業の株価や時価総額を聞くと、的確かつタイムリーな情報を出力します。日本でも銀行の融資判断関連業務にAIが使われています。例えば、定型化されている融資の稟議書は、生成AIに適切なプロンプトと、融資対象である企業の名称や商況を入力すれば、半自動的に作成できます。

証券業界では、OpenAIと提携した楽天証券が、「投資AIアシスタント」を提供しています。投資AIアシスタントは、投資の基礎知識を人間のように答えてくれるロボットアドバイイザーです。また、上場企業が発行する有価証券報告書を通じたサービスも増えています。有価証券報告書をAIに読み込ませることで、個別企業の経営方針や経営課題や業界動向を分析・抽出したり、株主総会の想定問答を自動生成したりといった活用法が広まっています。

Key word

ロボットアドバイザー

ロボットアドバイザーとは、証券業界における自動化された投資助言サービスで、「ロボアド」と略称される。主にオンラインで提供され、投資家一人ひとりのリスク許容度や資産状況に合わせて、最適な投資ポートフォリオを提案し、運用をサポートする。個々に面談する必要がないため、手数料を抑えられ、最低投資額が小さいことが特徴。大量の市場データを分析し、最適な資産配分を計算するために、高度な数学モデルとアルゴリズム、統計的手法を駆使して構築されている。人間のように感情に左右されることなく、一貫性のある投資判断を期待でき、原則24時間365日対応する。

金融業界で活用できる生成AIの余地例

書類やQ&Aの作成業務などに使われている

業種	概要
全般	社内規定や関連法規に基づいたマニュアルやチャットボットの作成
	作成書類の誤字脱字やコンプライアンスチェック
銀行	稟議書の自動作成
証券	有価証券報告書に基づいた想定問答作成
保険	保険プランの作成、提案

銀行融資に際しての稟議書作成におけるChatGPTの活用例

定型化されている書類の作成では、AIは有効活用できる

「融資稟議書作成」のプロンプト例

A社は、取引先の増加に伴って、事業拡大を目的として、○○設備の導入するため、自社不動産を担保にして融資を希望しています。A社の「会社概要」「財務状況」「事業の注力分野」「市場動向」「担保物件」は以下の通りです。この情報に基づいて、「1. 案件概要：融資実行額、償還期間、金利、保全」「2. 企業概要：直近の決算や資金繰り状況、事業内容」「3. 融資の必要性：資金使途、回収期間、融資金額の妥当性」「4. 業界動向と売上・利益の将来予測」「5. リスク」「6. 結論」を記載した融資稟議書（案）を作成してください。

#A社の会社概要、決算概要、資金繰り状況、注力事業、市場動向、担保にする不動産概要を入力する

稟議書チェック」のプロンプト例

添付した稟議書に記載の1.～6.の各項目について、融資稟議に盛り込むべき論点を2つ教えてください。その上で、添付稟議書がそれら2つの論点に適っているかを判断して、判断の結果を5段階で評価し、改善点をそれぞれの観点について最低1つ記載してください。なお、結果は、「2つの論点」ごとに「評点」「改善点」を記載した表形式で示してください。

#書類を添付する

医療の分野で、生成AIはどのように使われていますか

カルテの管理、診療や創薬の効率化に貢献しています

医療業界は、レントゲン写真の患部特定などにAIを使ってきたこともあり、生成AIの活用が最も進んでいる分野の1つです。現在、患者記録、遺伝子情報、医療画像などの処理・分析、診断に使われています。またNTTは、開発を進める大規模言語モデル「tsuzumi」の業界特化領域として「メディカル」を選んでいます。tsuzumiは現在、京都大学医学部附属病院において、カルテの医療データを解読し、同一フォーマットに落とし込み、分析する作業に活用されています。

また、創薬の分野においても、NVIDIAが創薬向け生成AIプラットフォームサービス「BioNeMo」を提供しています。BioNeMoは、化合物の分子構造の生成や予測ができ、医薬品候補の開発期間短縮やコスト低減も可能です。日本では、理化学研究所と富士通が共同で、独自の生成AIに基づく創薬技術のDeepTwinを開発しました。これは、大量の電子顕微鏡画像に基づいて、タンパク質の構造変化を広範囲に予測する生成AIによる創薬技術です。高齢化社会の到来を背景に、医療分野での生成AIの活用は加速していくと見込まれます。

Key word

電子カルテ

電子カルテとは、医療記録、診療録をデジタル形式で保存するシステム。従来医師らが紙のカルテに記入していた内容を電子的なデータに置き換え、データベースに記録する。電子カルテは現在、日本国内で普及が進んでおり、新規開業する医療機関の多くが立ち上げ当初から電子カルテを導入している。従来の紙のカルテに比べ、電子カルテは、アクセスや管理性・検索性の良さ、手書きされた内容の誤読防止といった業務の効率性に加え、紙資源の削減による低コスト化が見込める。一方、カルテの電子化に伴う初期費用の負担や通信トラブル時などのアクセスといった課題が指摘されている。

大規模言語モデル「tsuzumi」による作業効率化のイメージ

電子カルテの標準化・構造化が可能になる

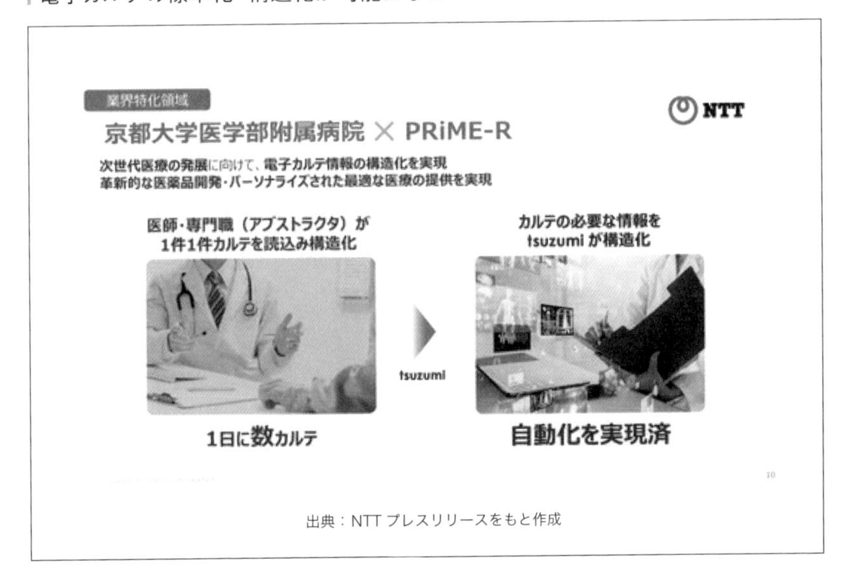

出典：NTT プレスリリースをもと作成

DeepTwinを応用した独自の生成AI

理化学研究所と富士通が共同で、独自の生成AIに基づく創薬技術

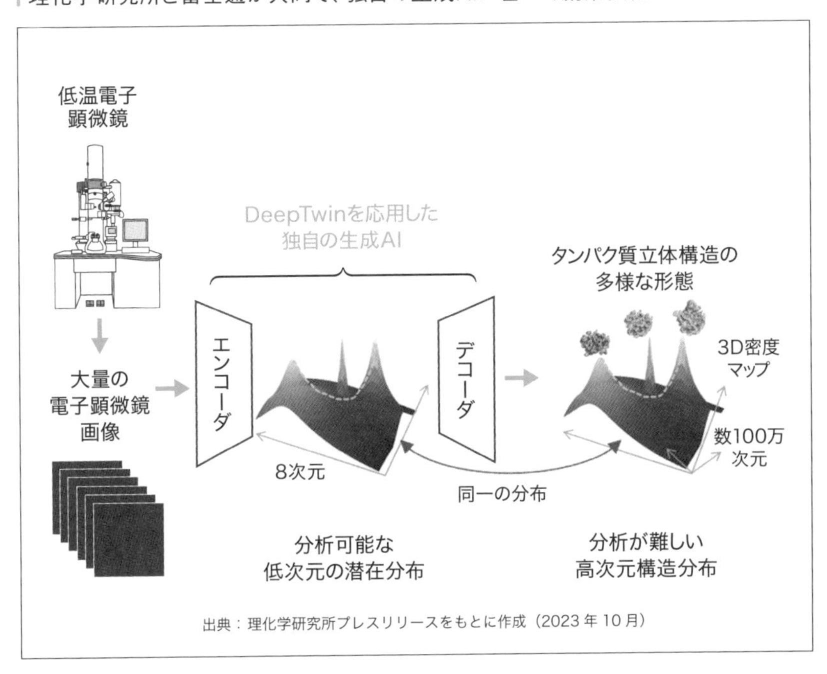

出典：理化学研究所プレスリリースをもとに作成（2023年10月）

教育の分野で、生成AIはどのように使われていますか

問題作成に使われるなど、負担軽減につながっています

教育は、ChatGPTなどの生成AIの活用が最も早かった分野の1つですが、ニューヨーク市教育当局による使用制限など、現場で混乱もありました。日本では、各大学が独自に生成AIの利用方針を決め、国立大学協会なども生成AIの利活用をめぐる声明やガイドラインを公表しています。さらに、文部科学省も、大学や高等専門学校における生成AI利用の指針と、小中高生向けの初等中等教育ガイドラインを定めました。

教育関連の企業もまた、に生成AIを商機と捉えています。ソフトバンクロボティクスはヒト型ロボット「Pepper」を通じた教育機関向け学習サービス「Pepper for Education」にChatGPTを組み込んで機能を充実させました。また、「進研ゼミ」や「こどもちゃれんじ」で知られるベネッセはGPTを応用した独自の社内チャットシステム「Benesse GPT（現Benesse Chat）」を発表、グループ全社に展開しています。なお、ChatGPTやGeminiは原則、利用規約で13歳未満は使用不可とされているため、主要ユーザーは教職員やスタッフ、高校生や大学生となります。

Key word

教育にまつわる生成AIのガイドライン

教育にまつわる生成AIのガイドラインとは、教育現場で奨励される使い方や禁止事項を示した指針。利用が目立ち始めた2023年春先から、大学側が独自のガイドラインを相次いで公表し、論文やレポートでの生成AIの利用を禁じる一方、生成AIの規約や一般倫理にもとらない形で、勉学においての利用を認める大学も少なくない。各大学の自主的な動きを受け、国立大学協会なども生成AI利用のルールづくりを奨励した。小中高では生成AIの利用が規約で認められないケースがあるものの、特例的かつ実験的に授業で積極活用を試みる先進的な学校も散見される。

大学教育における生成 AI の活用に向けたチェックリスト

導入にあたってのガイドラインが発表されている

1. 全般

第 1 ステップ：最優先事項	第 2 ステップ：最優先事項
生成 AI の基本的な情報、課題・問題点の周知 今後の活用に向けた準備	生成 AI についての理解の深化 生成 AI の活用
【大学が組織的に検討すべき事項】 □生成 AI についての学内方針を示しているか □学内方針に至った背景（考え方）を示しているか □生成 AI についての特徴、基本的な性質やしくみを示しているか □生成 AI に入力した情報が AI の学習データとして使われる可能性があることの注意喚起をしているか □生成 AI に個人情報や機密情報を入力することを禁じているか □生成 AI に入力した情報及び出力した情報が著作権に抵触する恐れがあることの注意喚起をしているか □生成 AI から出力された情報の情報源が示されず、また全てが正確とは限らないことの注意喚起をしているか	**【大学が組織的に検討すべき事項】** □学生に対して生成 AI の理解を深める情報リテラシー教育を行っているか □教育に対して生成 AI の理解を深める FD を行っているか □学生に対してより詳細な利用ガイドラインを作成しているか (例)・オプトイン［申請すれば送信情報が取り込まれる］やオプトアプト［申請すれば送信情報が取り込まれない］設定等 □活用の対象とする生成 AI の種類を明示しているか。また、当該生成 AI の特徴や課題に即したガイドラインを作成しているか (例)・ChatGPT（OpenAI 社） ・BingAI（Microsoft 社） ・Bard（Google 社） ・Stable Diffusion（Stability AI 社） ・Midjourney　等

2. 教育
（1）成績評価

第 1 ステップ：最優先事項	第 2 ステップ：最優先事項
生成 AI の基本的な情報、課題・問題点の周知 今後の活用に向けた準備	生成 AI についての理解の深化 生成 AI の活用
【大学が組織的に検討すべき事項】 □学生に対して禁止する場面と活用できる場面を示しているか □学生に対して生成 AI で作成したレポートや論文を自らが作成したとして提出することは不正行為であることを示しているか □学生に対して禁止する場面で活用した場面の罰則を示しているか	
【教員が個々の工夫で検討すべき事項】 □レポートや論文の審査に関しては、生成 AI が利用される可能性を十分認識した上で、…（後略）	**【教員が個々の工夫で検討すべき事項】** □生成 AI に対応できる評価方法を検討しているか

（2）授業運営

第 1 ステップ：最優先事項	第 2 ステップ：最優先事項
生成 AI の基本的な情報、課題・問題点の周知 今後の活用に向けた準備	生成 AI についての理解の深化 生成 AI の活用
【大学が組織的に検討すべき事項】 □学生に対して大学で学ぶことの意義を伝えているか □学生に対して生成 AI の出力をレポート等の解答にそのまま利用することは学力向上に繋がらないことを伝えているか	**【大学が組織的に検討すべき事項】** □生成 AI に関する指針やガイドラインを必要に応じて適宜見直しているか
【教員が個々の工夫で検討すべき事項】 □学生に対して利用場面や利用方法を明確に指示・説明しているか	**【教員が個々の工夫で検討すべき事項】** □生成 AI の利用についてシラバスに記載しているか

※チェックリスト各項目は、各大学や教員に検討を促すことを目的に作成されたものであり、実際の運用については各大学や教員の判断、決定に委ねられるものである。

出典：日本私立大学連盟
「大学教育における生成 AI の活用に向けたチェックリスト〔第 1 版〕」（2023 年 7 月 18 日）をもとに作成

メディア・広告の分野で、生成AIはどのように使われていますか

記事の要約や執筆をAIに任せる動きが広まっています

テキスト生成AIが文章の作成や要約、校正に長けていることから、記事やプレスリリースを手掛けるメディア業界では、すでに多くの企業が導入を進めています。キュレーションサイト「ライブドアニュース」は、記事を要約するサービス「ざっくりポン」の試行版を提供し始めました。過去10年分のライブドアニュースの要約データを学習し、記事を3つのポイントに要約した独自の見出しを自動生成します。また「Yahoo!ニュース」は、「ヤフコメ」で知られる記事へのコメントに対して、「生成AIで要約する機能」の試験提供を始めました。

このほか、米国のAP通信がOpenAIとの業務提携を発表しました。AP通信がOpenAIの技術と製品に関する専門知識を活用でき、OpenAIにはAP通信の記事データベースのライセンスが供与されます。一方、GPT-3.5の学習に大量に記事が使われたとされるニューヨークタイムズは、OpenAIと係争中です。なお、広告業界でも、キャッチコピーの作成にテキスト生成AIを使ったり、デザインのアイディア出しに画像生成AIを活用したりする動きが盛んになっています。

Key word

AIタレント

AIを活用して生成された人間のような容姿や声、性格を持つ仮想のタレント。バーチャルアイドルの先駆けのボーカロイド「初音ミク」などのキャラクターが人気を博してきたがAI技術の発展に伴い、実在する人物と見まがうようなAIタレントも登場している。海外では、Instagramのバーチャルインフルエンサーで数百万のフォロワーを持つ「Lil Miquela（リル・ミケーラ）」が有名。日本でも2023年に伊藤園が主力商品「おーいお茶」のテレビCMにAIタレントを登場させ、反響を呼んだ。AIタレントは動画配信、SNSによる情報発信など活躍の場を広げている。

ライブドアニュースの「ざっくりポン」

独自の見出し「ざっくり言うと」をAIが自動生成

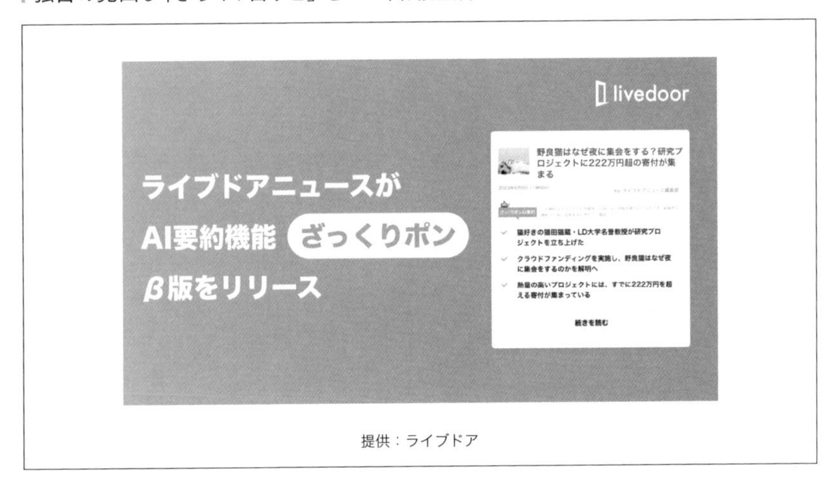

提供：ライブドア

メディア業界における主な生成AIの利用例

画像生成とテキスト生成の利用が多い

業種・職種	企業・サービス	概要
新聞社・通信社	AP通信	OpenAIと提携、ChatGPT活用
Webメディア	ライブドアニュース	記事を要約する「ざっくりポン」提供
	ヤフーニュース	ヤフコメ要約の新機能
出版	星新一賞ほか	生成AIを使った作品の応募容認
広告	沖縄海邦銀行	CMにおける生成AI
広報	各企業・団体 (業種不問)	プレスリリースの作成、誤字脱字の校正
		想定問答の作成

伊藤園のテレビCMに登場したAIタレント

「おーいお茶」のテレビCMに登場

出典：AI mode

物流の分野で、生成AIはどのように使われていますか

人手不足を背景に業務効率化での活用が広がっています

人手不足が深刻化する物流業界では、現在、トラックドライバーの時間外労働の制約が厳しくなり、輸送能力の低下する「2024年問題」が懸念されています。そうした中、業務効率化につながる物流DXの加速に向けて、生成AIは追い風となっています。日本通運を傘下に持つNIPPON EXPRESSホールディングスはAzure OpenAI Serviceを導入し、グループ内で生成AIを利用できる環境を整え、まずは従業員から利用し始めました。三菱倉庫もまたAzure OpenAI Serviceを利用して、独自の生成AIサービスである「MLC-AI Chat」を全役職員に導入し、生成AIによる情報収集、議事録や提案書といった各種文書作成、プログラム作成に取り組んでいます。また、単純にChatGPTのプロンプトに、「あなたは運送会社の運行管理者です」と役割を割り振った上で、ドライバーと荷物の届け先の最適な配送ルートを提案してもらうといった使い方も始まっています。このほか、グローバル企業であるDHLは、従来の倉庫での仕分け業務におけるRPAやIoTなどの一歩先の技術として、生成AIを取り入れようとしています。

Key word

物流の2024年問題

物流の2024年問題とは、ワークライフバランスの重視から労働時間の削減を目指して、2024年4月からトラックドライバーの時間外労働の上限(年960時間）規制などが適用されることに伴って、輸送能力が低下して全国的な機能不全に陥ることが懸念されているという問題である。この問題に対処するため、多くの物流企業は、出荷作業や荷捌きの効率化、配送ルートの最適化は元より、ユーザーによる再配達の軽減など、様々な面で改善に取り組んでいる。そうした折に台頭した生成AIは、物流の危機的状況の回避に貢献すると見込まれており、期待が高まっている。

配送ルート最適化に向けたChatGPTでの入出力の例

条件を入力することで、最適な配送ルートが提案される

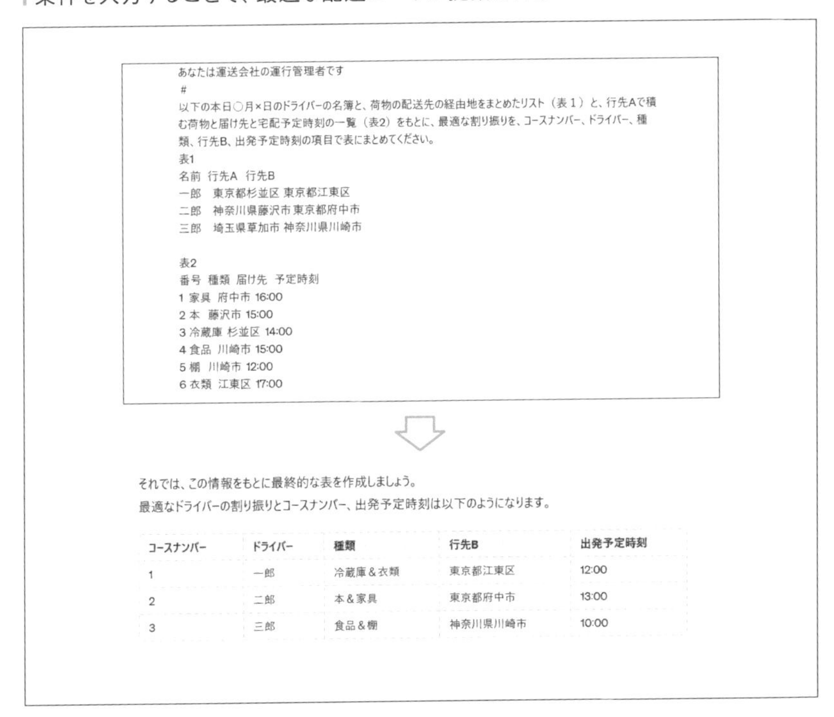

あなたは運送会社の運行管理者です
#
以下の本日○月×日のドライバーの名簿と、荷物の配送先の経由地をまとめたリスト（表１）と、行先Aで積む荷物と届け先と宅配予定時刻の一覧（表2）をもとに、最適な割り振りを、コースナンバー、ドライバー、種類、行先B、出発予定時刻の項目で表にまとめてください。

表1
名前 行先A 行先B
一郎　東京都杉並区 東京都江東区
二郎　神奈川県藤沢市 東京都府中市
三郎　埼玉県草加市 神奈川県川崎市

表2
番号 種類 届け先 予定時刻
1 家具 府中市 16:00
2 本 藤沢市 15:00
3 冷蔵庫 杉並区 14:00
4 食品 川崎市 15:00
5 棚 川崎市 12:00
6 衣類 江東区 17:00

それでは、この情報をもとに最終的な表を作成しましょう。
最適なドライバーの割り振りとコースナンバー、出発予定時刻は以下のようになります。

コースナンバー	ドライバー	種類	行先B	出発予定時刻
1	一郎	冷蔵庫＆衣類	東京都江東区	12:00
2	二郎	本＆家具	東京都府中市	13:00
3	三郎	食品＆棚	神奈川県川崎市	10:00

DHLが進めるGAIAプロジェクト

DHLによる生成AIの最適な利用を目指す取り組み＝GAIA

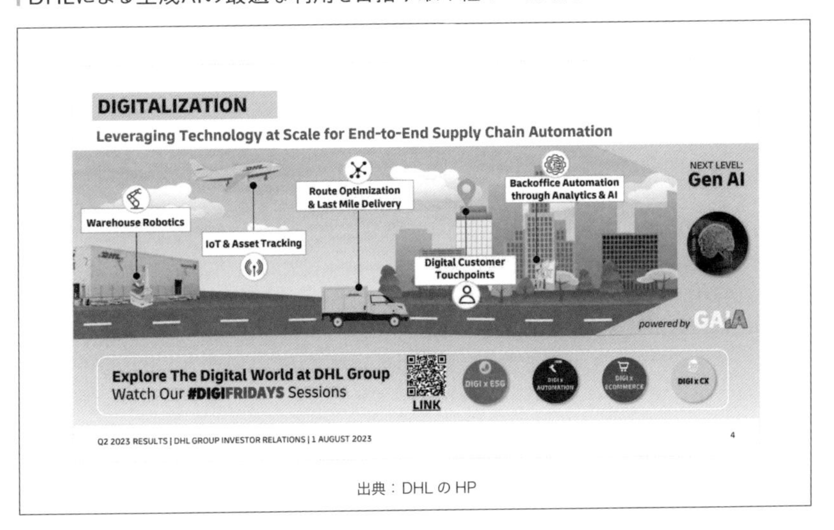

出典：DHL の HP

建設の分野で、生成AIはどのように使われていますか

伝統的な工法や慣習にAIを組み合わせています

2024年4月より残業規制が始まる建設業界も、規模の大小を問わず、業務の効率化が求められています。大手の鹿島建設は、自社専用の対話型AI「Kajima ChatAI」をグループの従業員に導入し、「Azure OpenAI Service」を使ってChatGPTのような対話システムを構築しました。竹中工務店では、基盤モデルの「Amazon Bedrock」と生成AI、専門知識のデータベースを組み合わせました。企業内の専門知識を集約して構築したAIを「デジタル棟梁」と銘を打ち、業務遂行のアドバイザーとして活用しています。

建設現場の作業効率化には新興企業も貢献しています。東京大学発のAIベンチャー、燈(あかり)が手掛ける「AKARI Construction LLM」は、過去の仕様書や打ち合わせの議事録に基づいて、参照データとともに回答したり、資材価格の商況を調べたり、単価を計算したりできます。同じくスタートアップのmign(マイン)は、GPT-3に国土開発や都市計画、建築や住宅の関連法規を400以上追加学習して構築した、情報収集ツール「Chact(チャクト)」を提供しています。

Key word

RAG

RAGとは、検索と生成、双方の長所を取り入れた自然言語処理の仕組みで、「検索拡張生成」と訳される。RAGを組み込むことで、プロンプトに対し、AIが自社や業界の膨大な専門的データを参照・検索することにより、高精度の回答が可能となる。精度の向上に加えて、様々な情報源からの知識を統合して利用できるため、多様なトピックや詳細な質問に対応できる応用力が増す。建設業界のほか、ヘルスケア・医療や金融・投資分析といった分野で多く活用されている。また、業種を問わず、企業のカスタマーサポート全般にも有効な手法とされる。

RAGの仕組み
AWSのサービスを組み合わせてRAGを実装

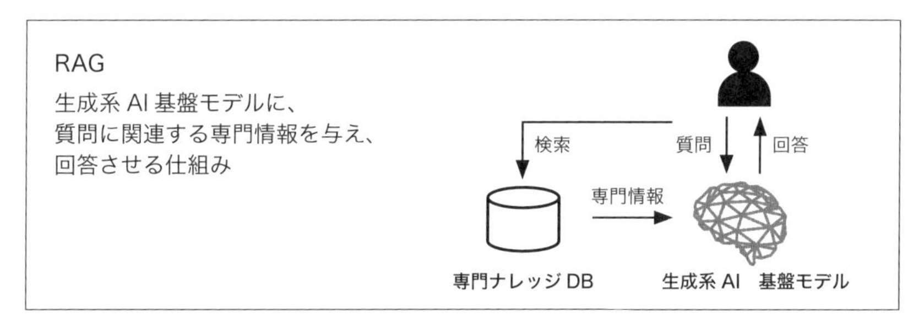

竹中工務店によるBedrockとKendraによるRAGプロトタイプ
Amazon Bentrockと、生成AI、専門知識データベースを組み合わせる

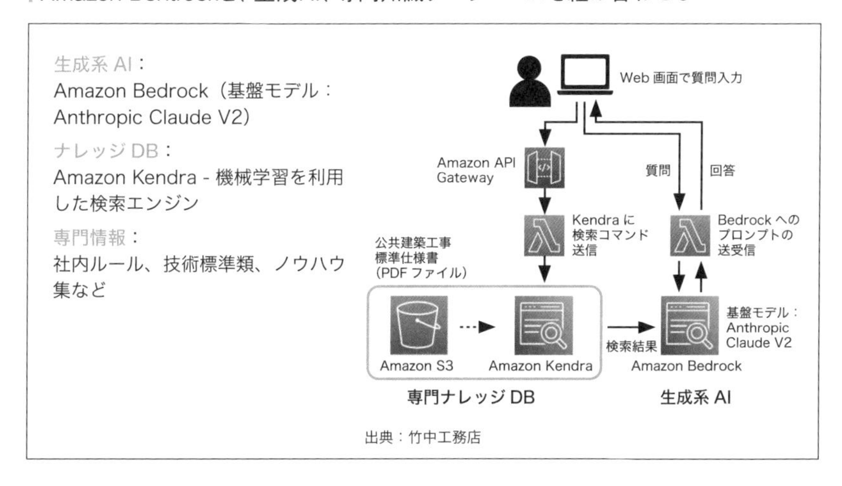

建設業界の上限規制
2024年4月から残業規制が開始される

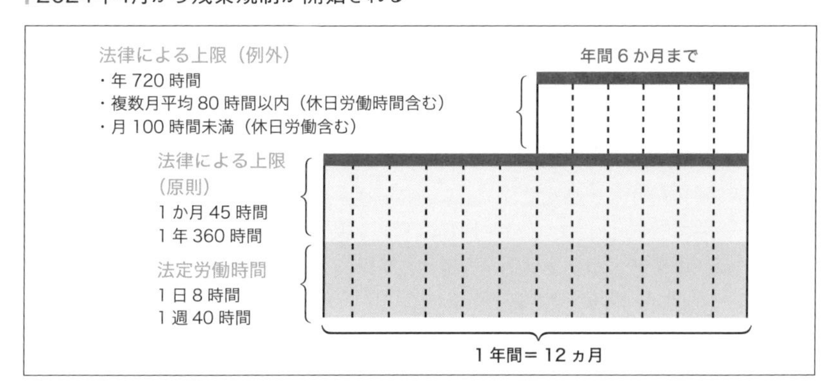

行政の分野で、生成AIはどのように使われていますか

窓口業務の代行やFAQ対応などで活用が期待されます

行政の分野では、「自治体DX」に取り組む自治体が増えています。最も早く業務でのChatGPTの本格使用を始めたのは神奈川県の横須賀市です。IT企業のトラストバンクが提供する自治体専用チャットツール「LoGoチャット」にChatGPTのAPI機能を連携させて、全職員が使えるようにしました。その際、機密情報や個人情報は入力しないといった運用のルールや仕組みを整えています。一方で、情報漏洩の懸念などの観点から、より安全性、信頼性の高い「日本製」「国産」を謳う生成AIの導入を探る自治体も増えています。

県庁などでも活用が広がり、2023年末の時点で47都道府県の半数以上が、生成AIの本格・試験導入に踏み切っています。ChatGPTなどの使用を始めた宮城県は、「正確性の確認」や「著作権への留意」から成る「生成AI活用5原則」を定め、職員のAIリテラシー高揚を図っています。中央省庁も、デジタル庁や経済産業省などが生成AIの業務利用を開始しています。政府が立ち上げたAI戦略会議と歩調を合わせつつ、推進と規制の両輪で活路を探っていく構えです。

Key word

デジタル庁

デジタル庁は、デジタル技術の導入と利用を推進し、日本の行政サービスと社会全体のデジタル化を加速させることを目的として、2021年9月に設立された中央省庁の1つ。新型コロナウイルス感染拡大の局面で、行政などのデジタル化の遅れが際立ち、改革の必要性が高まっていたことから設立された。主な役割として、行政手続きのデジタル化や行政機関間のデータ連携の促進、サイバーセキュリティの強化、外部協力と標準化などを担う。専属の職員のほか、IT企業やコンサルティングファームからの出向者も勤務している。

宮城県の「生成AI活用5原則」
文章作成やアイディア出しなどで事務の効率化を図る

（生成 AI と）親和性の高い業務に積極活用
効果的な問いかけの実践
個人・秘匿情報の入力禁止
正確性の確認
著作権への留意

行政分野における生成AIの活用例
個人情報や秘匿情報の入力は禁止

政策の検討	・情報収集 ・政策課題の抽出
法制案・条例案の策定	・関連法規の確認、比較 ・答弁書の作成
政策の周知	・想定問答の作成 ・陳情への応答、一部自動化 ・陳情・問い合わせの分類・分析
議会運営	・議事録の作成、校正

各種資料をもとに筆者作成

中間アンケートと最終アンケートの比較
ChatGPTボットを利用して行ったこと

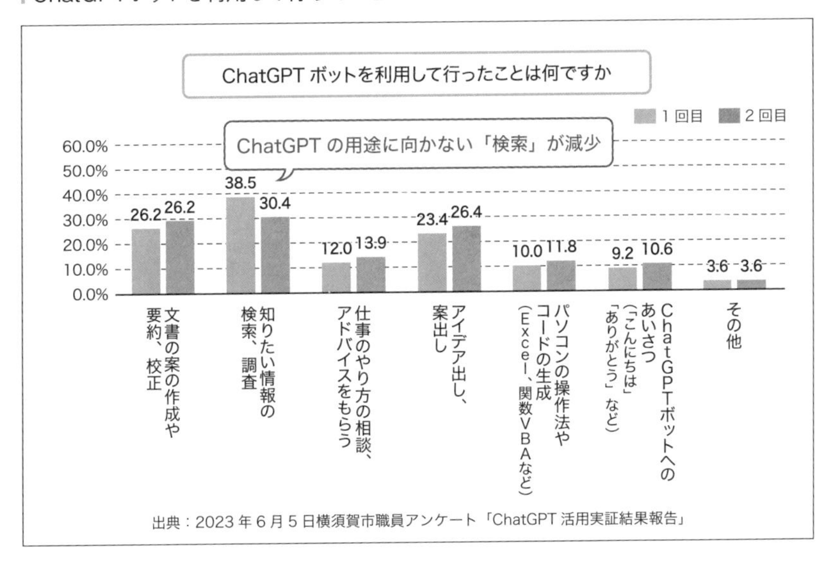

製造の分野で、生成AIはどのように使われていますか①（耐久消費財、機器・機械）

電子機器や車への実装に加え、自ら生成AIを開発しています

耐久消費財や機器・機械のメーカーの生成AIに対する取り組みは千差万別ですが、総じて多くの企業がAIを機器・機械に組み込んだり、IT企業と提携したりしています。その中で、最も先進的な動きを見せているのは、以前からAIの研究・商品化を進めてきた電機メーカーです。動きが早かったのはパナソニックであり、傘下のパナソニックコネクトを通じて生成AIの活用に乗り出しました。また、日立製作所や三菱電機といった総合電機メーカーもAIに特化した専門組織を立ち上げ、活用に力を入れています。

一方、自動車メーカーも従来、自動運転車にAIを搭載したり、画像生成をカーデザインに活かしたりするなど、研究や活用に余念がありません。トヨタ自動車はシリコンバレーに設立したAIの研究開発拠点「TOYOTA RESEARCH INSTITUTE（TRI）」を通じて、AIの実装に向けた検討を加速させています。人とわかりあえる独自の協調人工知能「Honda CI」を手掛ける本田技研工業も、画像生成AIを車のコンセプトやデザインを練る際に画像生成AIを駆使しています。

Key word

プロトタイピング

プロトタイピングとは、実際の製品やサービスを開発する前に、最低限の機能やデザインのみを実装した試作モデル（プロトタイプ）を作り、機能や操作性などを確認して、ユーザーの要求や評価を反映して完成させる開発手法である。生成AIによるプロトタイピングでは、製品、サービスの開発初期のプロセスにおいて、AIを使って新しいアイデアやプランを考案する。膨大なデータから学習したAIの高度な生成能力により、新しいコンセプトや設計案を迅速に開発できる。デザインや芸術、工学、製品開発の分野では特に生成AIが有効とされている。

電機メーカーにおける取り組み
リアルタイムでの解析や判断が求められる

企業	取り組み	概要
日立製作所	AIトランスフォーメーション推進	新設されたChief AI Transformation Officer（CAXO）が各セクターのAIトランスフォーメーション戦略を推進
パナソニック	AIチャットボット「WisTalk」新機能	独自のAIチャットボット「WisTalk」に生成AIの新機能追加。問い合わせ内容を要約して回答。問い合わせ対応の自動化と想定問答の準備、メンテナンス工数を大幅削減
三菱電機	「Maisart」AI技術	独自のAI技術「Maisart」を通じ、多様な機器に搭載可能なコンパクトで高効率なAIソリューションを提供。生成AIも応用して組み込み、革新的なアイデアの実現を目指す
シャープ	エッジAI技術を共同開発	エッジAI技術を活用し、スタートアップと協力して生成AI製品とソリューションの開発を加速。日常におけるより自然なAI利用体験を提供

自動車メーカーにおける取り組み
自動運転などにも、生成AIの技術が使われる

企業	取り組み	概要
トヨタ自動車	画像生成AIのカーデザインへの応用	傘下のAI研究所「TRI（トヨタ・リサーチ・インスティテュート）」がカーデザインに画像生成AI活用のテクニック公開
本田技研工業	Honda DREAM LOOP AI	生成AI技術を使用した「Honda DREAM LOOP AI」を公開。夢を言葉で入力し、設計図に変換
SUBARU	生成AI活用コンサルティングサービス	設計開発業務への生成AI活用に向け、AIベンチャーのRidge-iのコンサルティングサービスを受けて協業
テスラ	自動運転のE2E	自動運転ソフトウェアを全面的に刷新し、E2E（エンドツーエンド）方式を生成AI採用
メルセデスベンツ	ChatGPTの試験搭載	米国で90万台超の車にChatGPTを試験搭載。車載用途へのAI活用拡大

製造の分野で、生成AIはどのように使われていますか②（素材、生活用品ほか）

素材開発や業務効率化に向けた活用が進んでいます

化学や繊維などの素材メーカーも生成AI活用に積極的です。三井化学は日本IBMと提携し、素材の新規用途探索という目的に適したプロンプトを洗練させ、有望な候補素材を特定・抽出し、IBM Watsonを活用してキーワードを絞り込んで分析しています。こうした素材開発合理化は「マテリアルズ・インフォマティクス」と呼ばれ、AIの活用余地が大きいとされます。住友化学も、文章や画像、コードを自動生成する社内専用のAIシステム「Chat SCC」を正式運用し、国内のオフィスや工場の全従業員が業務で使っています。また帝人では、独自の生成AIシステム「chatテイジン」を開発、グループ社員の8割ほどへの展開を始めています。

一方、食品メーカーでは、Azure OpenAI Serviceによる日清グループ専用の情報漏洩リスクに対応した生成AI搭載のチャットシステムを開発、導入しました。また、サントリー食品インターナショナルは、人気飲料商品「C.C.レモン」を生成AIで擬人化したキャラクターで訴求するユニークな取り組みを行っています。

Key word

マテリアルズ・インフォマティクス

マテリアルズ・インフォマティクス（MI）とは、材料（マテリアル）の開発において情報科学（インフォマティクス）の手法を用いる取り組みである。材料科学と情報科学の融合と言われるMIでは、AIによる膨大なデータ処理やディープラーニング機能を材料開発に応用し、プロセスの効率化や最適化を促す。具体的には、機械学習などの情報科学を用いて、有機材料、無機材料、金属材料など様々な材料開発の効率を高める。AIなどのデジタル技術の発展に伴って、MIによって膨大な実験や論文のデータを解析できるようになったことから、注目されている。

材料の機能特性と用途に関するWatsonの分析例

ネットワーク相関図として、表現されている

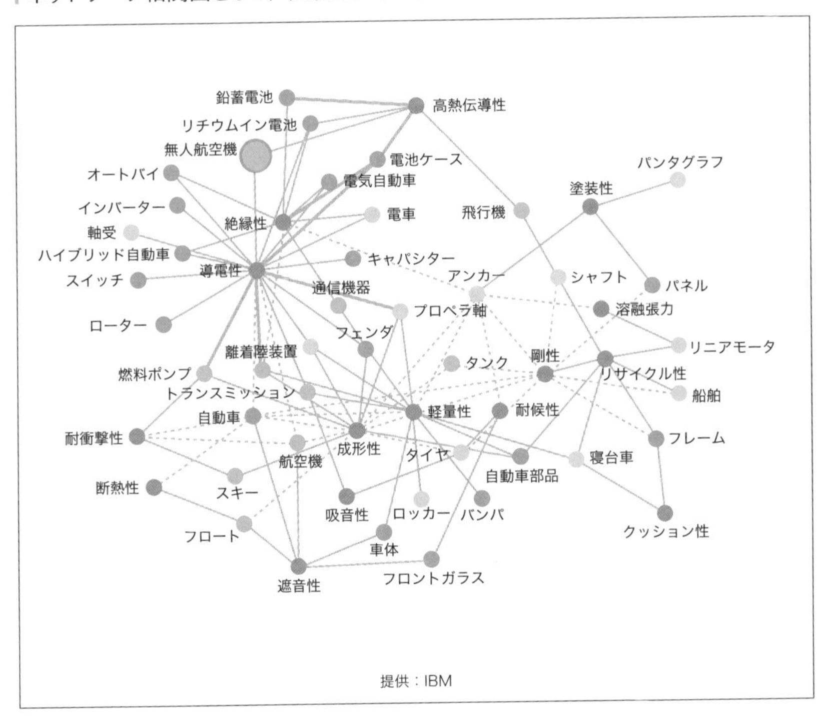

提供：IBM

日清食品ホールディングス独自の生成AIチャットシステム「NISSIN AI-chat」

マイクロソフト、OpenAIと連携してセキュアな環境を構築

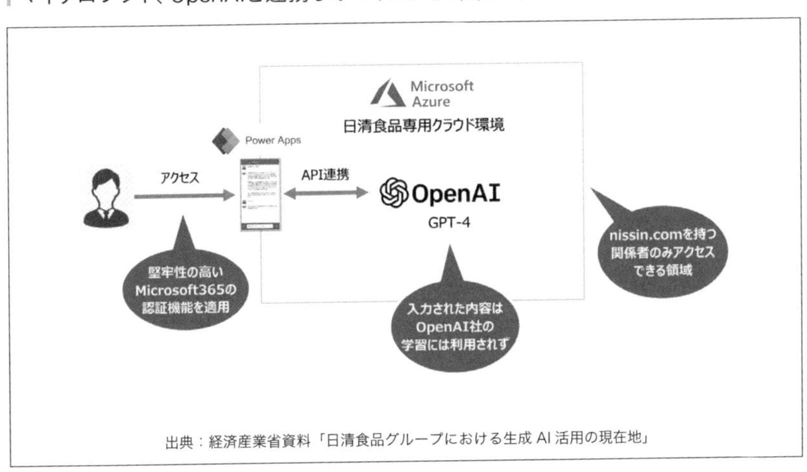

出典：経済産業省資料「日清食品グループにおける生成AI活用の現在地」

小売・フードサービスの分野で、生成AIはどのように使われていますか

在庫管理やスケジュール調整などに活用しています

小売業世界最大手のウォルマートは、生産性や効率性の向上を目的とし、従業員向けに開発した独自の生成AIプログラム「My Assistant」を提供すると発表しました。My Assistantは、全米の非店舗業務に携わる自社従業員を対象とし、メール文や資料、議事録の作成の効率化などを目的に開発されたアプリで、新入社員研修などにも活用されるそうです。日本でも、スーパーマーケットのサミットがITベンチャーのパークシャテクノロジーと組み、独自のアルゴリズムで店舗の作業割当表を自動作成する支援システムを共同開発し、全店舗に導入しました。

一方、フードサービスは人手不足が最も深刻な分野の1つとされており、各社は積極的に配膳ロボットの導入と生成AIの組込みを加速させています。九州工業大学大学院の学生らが開発した対話型AIシステムを搭載したロボットが接客や配膳をする実験や、対話型AIによる電話での予約受付の試みも進められています。また、カカクコムが手掛ける飲食店の検索・予約サイト「食べログ」はChatGPTの「プラグイン」を早々に提供するなど、生成AIの活用が広がっています。

Key word

配膳ロボット

配膳ロボットとは、レストランやカフェで、来店客の座席まで料理を運搬したり、皿を片付けたりするサービスロボット。人手不足やサービス向上のニーズを背景に、2010年代に中国で導入が増え、コロナ禍に世界中広まった。初期の配膳ロボットは固定ルートを行き来するのみの単純な仕組みだったが、近年は自律的に適切なルートを選んだり、客と意思疎通を図ったりできるタイプが増加。ネコ型の配膳ロボット「BellaBot」を手掛ける中国のプードゥ・ロボティクスのほか、中国のキーンオンロボティックスや米国のベア・ロボティクスが有名。日本でも導入店の増加が見込まれる。

フードサービスの分野で導入されているロボット・生成AI

人手不足の解消や利便性の向上を導入の目的としている

■レストランで配膳するロボット

2023 年、東京都内で著者撮影

■ GPTを組み込んだ対話型AIでレストランの予約を行う試作機

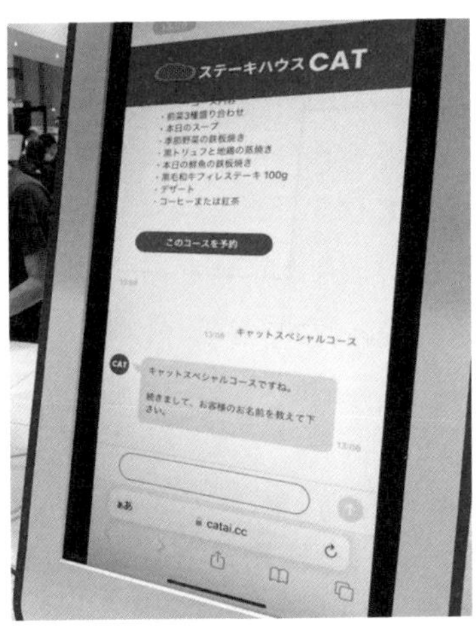

2023 年、東京都内で著者撮影

■ ChatGPT の「食べログ」のプラグイン

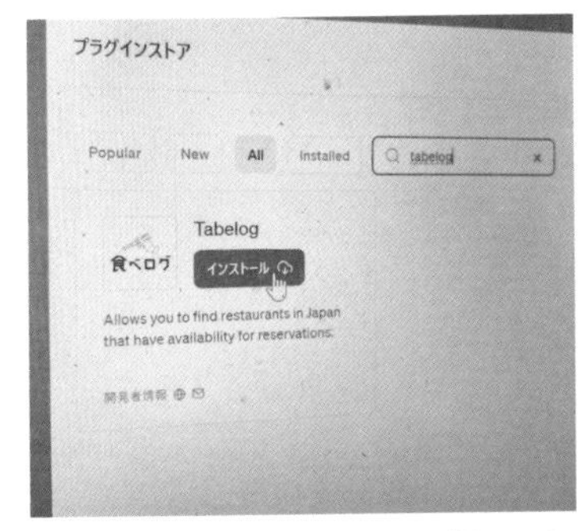

ChatGPT のプラグイン機能を通じた「食べログ」のサービス

■ AI 搭載配膳ロボット

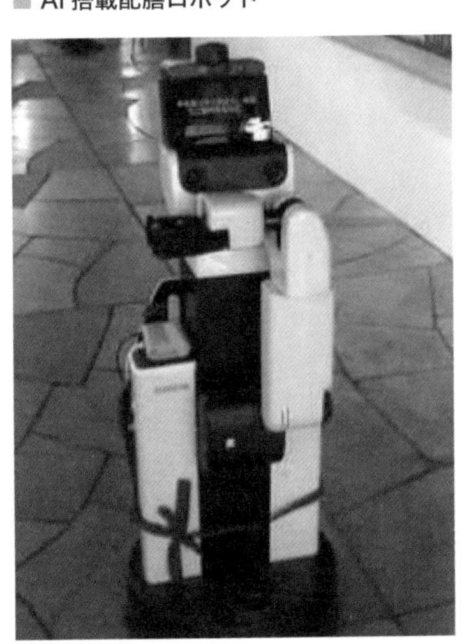

情報通信の分野で、生成AIはどのように使われていますか

LLM、生成AIの開発競争が激しくなっています

通信事業者（キャリア）グループによる生成 AI の取り組みは早く、2020 年にはすでに LINE（現 LINE ヤフー）が LLM の開発を発表しています。ソフトバンクは、「国内最大級」、3,500 億の LLM の研究開発の新会社を設立したほか、NVIDIA や日本マイクロソフトと提携しています。また KDDI は 2022 年度に介護分野で生成 AI の実証実験を行い、楽天グループは ChatGPT の API 優先利用などで OpenAI と提携し、オンデバイス AI への注力を打ち出しています。NTT は、パラメータ数 6 億と超軽量 LLM「tsuzumi」を商用化しており、富士通や NEC も独自の LLM 開発を加速させています。

生成 AI の開発は海外でも活発です。中国ではチャイナモバイルが鉄鋼や建築など 8 大業界の専門知識を融合した業界基盤モデルを発表、チャイナユニコムとチャイナテレコムも相次いで独自モデルを打ち出しました。一方、韓国の SK テレコムは通信大手ドイツテレコムと LLM の共同開発に乗り出すなど、国・地域を越えた合従連衡が進んでいます。他方、米国では通信大手による動きはまばらです。

Key word

オンデバイスAI

オンデバイス AI とは、従来のクラウドで作動する従来型の AI に対し、スマートフォンやタブレットをはじめとするなど手元のデバイス（端末）に内蔵、搭載された AI である。撮影した写真の画像認識などの機能が付いたスマホなどが代表例。データをデバイス上で直接処理し、AI モデルを実行するため、データをクラウドやリモートサーバに送る必要がなく、レイテンシーの減少やセキュリティの向上といった利点がある。AI モデルの軽量化や GPU や NPU などの AI 向け半導体の高性能化によりオンデバイス AI の導入は加速すると見られ、米インテルなどがラインアップを強化している。

生成AIを手掛ける主なプレイヤー
取り組みのアプローチは、企業によって様々

企業・組織	主な取り組み
NTT	医療や金融に特化した超軽量で低電力消費のLLM「tsuzumi」開発
ソフトバンク	AI専用の新会社設立。2024年にパラメータ数3,500億のLLM開発予定
KDDI	介護向け生成AIシステムの実証実験済み。他分野への応用検討
楽天	ChatGPTのAPI優先利用など、OpenAIと協業
富士通	スパコン「富岳」活用で大規模言語モデル開発
NICT	日本語に特化した大規模言語モデルや生成AIを試作
チャイナモバイル	鉄鋼、建築など8大業界の専門知識を融合した業界基盤モデルを発表
SKテレコム	ドイツテレコムとドイツ語や英語、韓国語など多言語LLM共同開発

日本の主な大規模言語
パラメータ数にかなりの幅がある

サービス名	企業・組織	パラメータ数	概要
tsuzumi	NTT	6億/36億	日本語処理に特化した軽量モデル.金融や医療など特定領域に強み
2apanese-arge-lm	LINE (現LINEヤフー)	17億/70億	日本語に特化したオープンソースとして公開,商用利用も可
CyberAgent LM2-7B	サイバーエージェント	70億	チャット形式にチューニングされたバージョンも.2023年5月の進化版
Japanese StableLM Alpha	Stability AI Japan	70億	学習データは主に日本語と英語,加えてソースコード約2%.画像生成と連動も
Weblab-10B	東京大学松尾研究室	100億	日本語と英語のデータセットを用いた高精度多言語モデル.事前学習済みモデル・事後学習済みモデルの商用利用不可
PlaMo	Preferred Networks	130億	自社スーパーコンピューター「MN-2」を利用して学習
cotomi	NEC	130億	1回最大30万字の長文プロンプトに対応.ことばにより未来を示し,「「こと」が「みのる」ように」という想いを込めた名称
(開発中)	NICT(情報通信研究機構)	400億	350GBの日本語テキストを用いた高品質な日本語特化型モデル.さらに大規模な1790億パラメータのモデル開発中
LLM-jp	産業技術総合研究所、東京工業大学、国立情報学研究所	1750億	日本語特化の大規模モデル構築に着手.産総研の計算資源であるAI橋渡しクラウド(ABCI)を使用

NTTのLLM「tsuzumi」のポジショニング
目指すのは、専門知識を持った小さなLLM

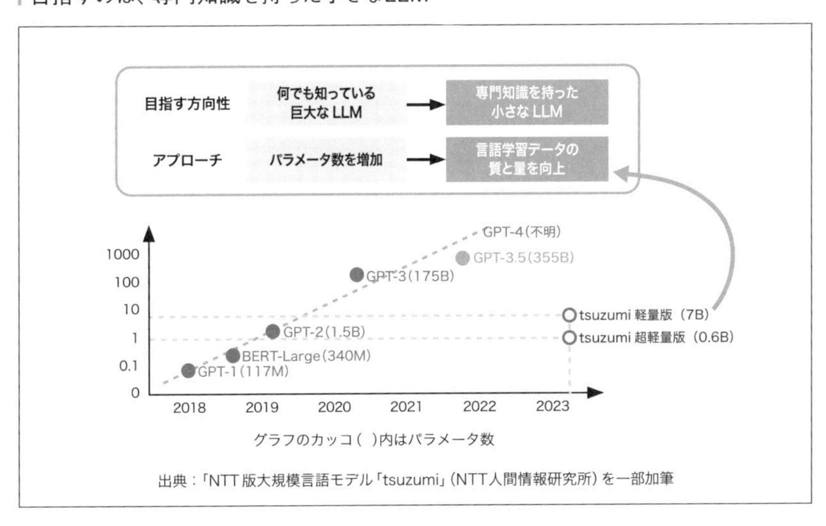

出典:「NTT版大規模言語モデル「tsuzumi」(NTT人間情報研究所)を一部加筆

コンテンツの分野で、生成AIはどのように使われていますか

画像や動画、音楽などで生成AIの活用が増えています

音楽、映画、アニメなどのコンテンツ産業の分野にも、生成 AI は着実に広まっています。「クリエイティブ」な産業は AI による仕事の代替性の影響が及びにくいと信じられていましたが、単純作業に近い仕事は着実に AI に置き換わりつつあります。中国では画像生成 AI が急速に普及し、特にゲーム業界などでイラストレーターが解雇されるケースが目立ってきています。同様の現象は世界中で見られ、「AI クリエイター」がじわじわと広がっています。

そうした動きを危惧し、AI の「侵食」に抗議する動きが 2023 年に米国の映画産業で巻き起こりました。全米映画俳優組合は、俳優の顔や体をスキャンして 3D モデルを作成しようとするプロダクション側に抗議し、数か月に及ぶストライキに打って出ました。日本でも、日本芸能従事者協会が日本の著作権法や声の「肖像権」の在り方に疑義を呈しています。実際、人気アニメの声優の声が生成 AI で合成され、その「ディープフェイクボイス」による YouTube 動画が問題視されています。利活用と規制のバランスを取りながらのルールづくりが急務です。

Key word

ディープフェイクボイス

「ディープフェイクボイス」とは、人物の声をそっくり真似できる技術。音声合成や音声変換に特化し、アニメや映画、ビデオゲームの登場人物やポッドキャストの声の音源から新たな音声の生成を可能とする。似た概念の技術に「音声クローニング」があるが、ディープフェイクボイスはより悪質性や犯罪性を帯びた意味合い。用途は様々あり、人気俳優やキャラクターの声を、一部のファンらが無断で合成し、実際には話したことのない言葉を喋らせたり、歌を歌わせたりして楽しむといった事例が確認されている。生成された声の人物が著名であるかを問わず、無断で使われることが問題視される。

クリエイティブ産業における生成の利点と懸念点

暁霧の効率化とコスト削減が可能になる

作成対象	利活用	懸念点
画像生成	・単純作業からの開放 ・生産効率の向上	・著作権や肖像権の侵害
動画生成	・映像制作の効率化 ・新手法の考案	・ディープフェイク対策の不備 ・俳優らの出演機会減少
3D モデル生成		
音声生成	・往年の人気歌手や人気声優の声の復活・再演	・「声の肖像権」の侵害

クリエイティブ産業で起きた実際のトラブルなど

利活用と規制のバランスを取りながら、ルールづくりが急務

時期	国	概要
2022 年以降	中国	画像生成 AI の台頭により、イラストレーターらが大量失職
2022 年 9 月	日本	静岡県の一部地域が水没したとの偽の画像が SNS で拡散
2023 年 4 月	米国	娘を誘拐したとの電話があり、合成した娘の声を聞かされることで信じそうになる事件が発生
2023 年以降	日本	無断で合成した人気の声優の声で歌を歌わせる動画が YouTube などで多数確認
2023 年 7 ～ 11 月	米国	「映画俳優組合・アメリカ・テレビ・ラジオ芸術家連盟（SAG-AFTRA）」が AI の脅威からの組合員の保護などを訴えてストライキ
2023 年 11 月	日本	岸田首相の顔と声を合成したニュース番組風のフェイク動画が拡散
2024 年 1 月	米国	人気歌手テイラー・スウィフトさんの性的なフェイク動画が X（旧ツイッター）で拡散

旅行・観光の分野で、生成AIはどのように使われていますか

大手やベンチャーが自社サービスへの活用に積極的です

新型コロナウイルス感染症の流行がおさまる中、観光産業は巻き返しに躍起です。JTBは、ITベンチャーのコトツナと組み、訪日外国人旅行者向けに、生成AIを搭載した観光案内のチャットボットを提供しています。GPT-4をベースとして、窓口や電話で実際に話し掛けるような口調でやり取りできます。翻訳機能で20言語以上の多言語に対応し、大阪観光局にも導入されました。

基本的に実店舗を持たないOTA（オンライントラベルエージェント）も攻勢を強めています。世界屈指の米OTA、エクスペディアは自社アプリなどに生成AIを組み込むと大々的に発表し、施設やサービスに関する質問に速答する態勢を強化し、ChatGPTのプラグインにも対応し、利便性を高めています。一方、日本のオープンドアが手掛ける旅行比較サイト「トラベルコ」も2023年8月からChatGPTのプラグインに対応するほか、同10月には自社アプリの新機能として、漠然としたイメージや質問からでもちょうどよい旅行先を提案する「旅行相談AIチャット」（β版）の提供を始めました。

Key word

OTA

OTA（オンライン・トラベル・エージェント）とは、実店舗を持たず、インターネットを介して旅行関連のサービスを提供する代理店。ホテルの予約や航空券の販売から、レンタカーやパッケージツアーの手配まで幅広く手掛け、その手続きや支払いのほぼ全てがオンラインで完結。従来型の旅行代理店が店頭や電話でサービスを提供するのに対し、OTAは24時間365日、ネット上で受け付けていることが多い。OTAの多くは国内外のホテルや航空会社、レンタカー事業者と提携、変更やキャンセルもオンラインで容易に行える。総じて利用者の時間とコストの節約につながる。

「Kotozna LaMondo」の仕組み

観光案内が可能な多言語生成AIチャットボット

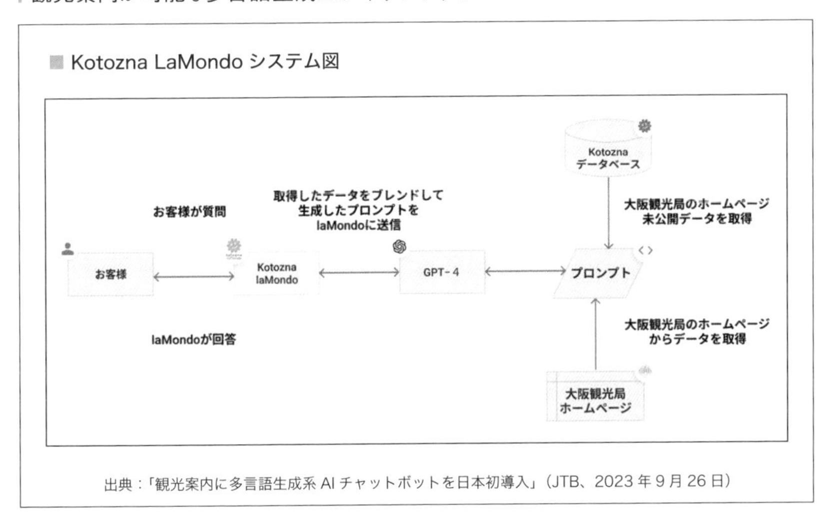

■ Kotozna LaMondo システム図

出典：「観光案内に多言語生成系 AI チャットボットを日本初導入」（JTB、2023 年 9 月 26 日）

トラベルコの「旅行相談AIチャット」（β版）の流れ

漠然としたイメージや質問からでもちょうどよい旅行先を提案してくれる

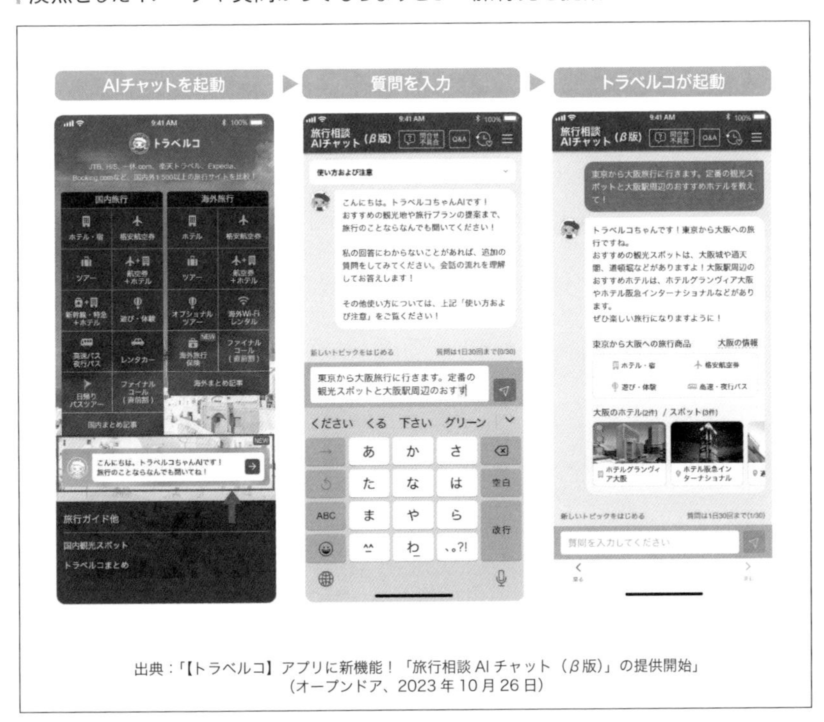

出典：「【トラベルコ】アプリに新機能！「旅行相談 AI チャット（β版）」の提供開始」
（オープンドア、2023 年 10 月 26 日）

法律の分野で、生成AIはどのように使われていますか

官民をあげて、業務効率化に向けて活用に積極的です

法律関連の手続きは膨大な書類作成が求められ、多くには決まったフォーマットや定型文があるため、業務効率化の余地も大きいとされています。ただし、弁護士でない者が報酬を得て法律事務を取り扱うことを禁じた「弁護士法第 72 条」のため、生成 AI による契約書レビューや法務調査といった行為は法に触れる恐れがあります。しかし、2023 年 8 月に法務省が「AI 等を用いた契約書等関連業務支援サービスの提供と弁護士法第 72 条との関係について」と題したガイドラインを公表し、AI による契約などの支援業務と弁護士法の関係性と違法と合法の線引を明示したことで状況が変わりました。

AI 契約審査プラットフォーム「LegalForce」を手掛けるリーガルオンテクノロジーズは、企業法務に明るい弁護士が作成した契約書や株主総会議事録、社内規程などの定型データ集「LegalForce ひな形」の提供を加速しています。また、弁護士ドットコムも、読み込ませた書籍に基づいて生成 AI が答える弁護士向けサービス「弁護士ドットコム LIBRARY AI アシスタント」を発表しています。

Key word

リーガルテック

リーガルテックとは、法律業務全般のデジタル化と自動化を目指す技術の総称である。リーガルテックは、難解な専門用語が少なくない法曹界にあって、ChatGPT などを通じた文章の要約や校正といった作業の効率化に特に有効。弁護士の研究や文書作成、事務作業を補助する専門職「パラリーガル」の業務負担の軽減にもつながる。他方、米国ではある男性が、詐欺などの嫌疑がかかる人物と記された訴訟の文面を ChatGPT が生成し、名誉を毀損されたとして、OpenAI を提訴するといったトラブルも発生。リーガルテックにおける生成 AI の利用には細心の注意を要する。

法務省が示したAによる法務支援業務と弁護士法の整理

AIによる契約などの支援業務と弁護士法の関係性を明示的に整理

ＡＩ等を用いた契約書等関連業務支援サービスの提供と弁護士法第72条との関係について

令和5年8月　法務省大臣官房司法法制部

弁護士法第72条で禁止される、いわゆる非弁行為に該当するか否かについては、それが罰則の構成要件を定めたものである以上、個別の事件における具体的な事実関係に基づき、同条の趣旨（最高裁判所昭和46年7月14日大法廷判決・刑集第25巻5号690頁）に照らして判断されるべき事柄であり、同条の解釈・適用は、最終的には裁判所の判断に委ねられるものである。

そのため、飽くまで一般論とならざるを得ないが、ＡＩ等を用いて契約書等（契約書、覚書、約款その他名称を問わず、契約等の法律行為等の内容が記載された文書又はそれらの内容が記録された電磁的記録をいう。以下同じ。）の作成・審査・管理業務を一部自動化することにより支援するサービス（以下これらを総称して「本件サービス」という。）の提供と同条との関係についての考え方を以下に示した。

本件サービスが、下記１から３までに記載した「報酬を得る目的」、「訴訟事件…そ

出典：「ＡＩ等を用いた契約書等関連業務支援サービスの提供と弁護士法第72条との関係について」（法務省大臣官房司法法制部、2023年8月1日）

「BUSINESS LAWYERS LIBRARY AIアシスタント」のシステム連携イメージ

読み込ませた書籍に基づいて生成AIが質問に答える

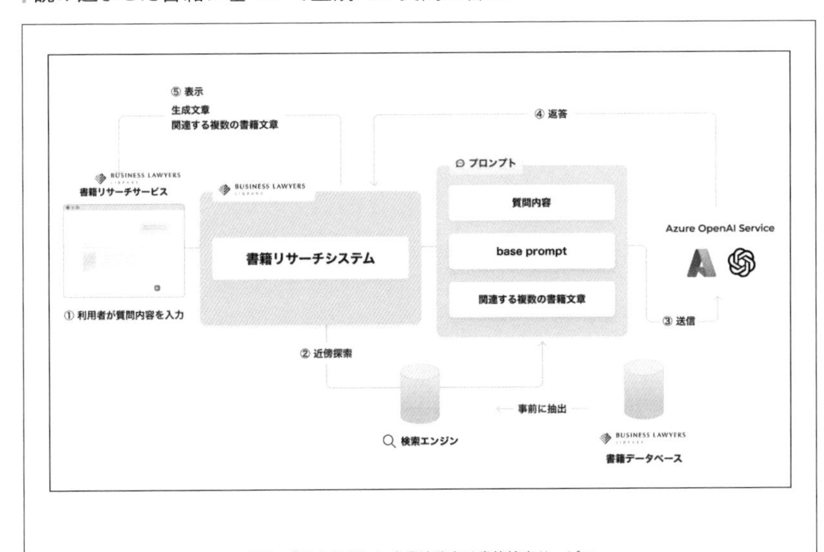

出典：「AIを搭載した企業法務向け書籍検索サービス「BUSINESS LAWYERS LIBRARY AIアシスタント（β版）」を提供開始」（弁護士ドットコム、2023年12月13日）

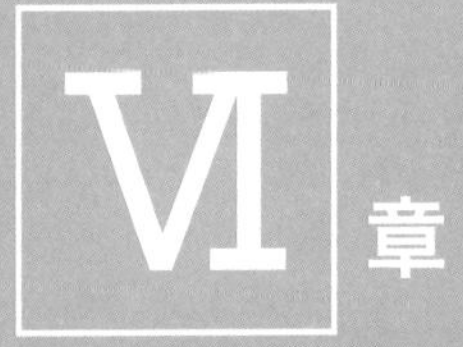

生成AIのリスクと対策

Ⅵ-01　生成 AI には、どのようなリスクがありますか

Ⅵ-02　生成 AI の普及に伴い、トラブルは増えていますか

Ⅵ-03　生成 AI に対し、各国にはどのような規制がありますか

ほか、7 項目

生成AIのトラブルと規制

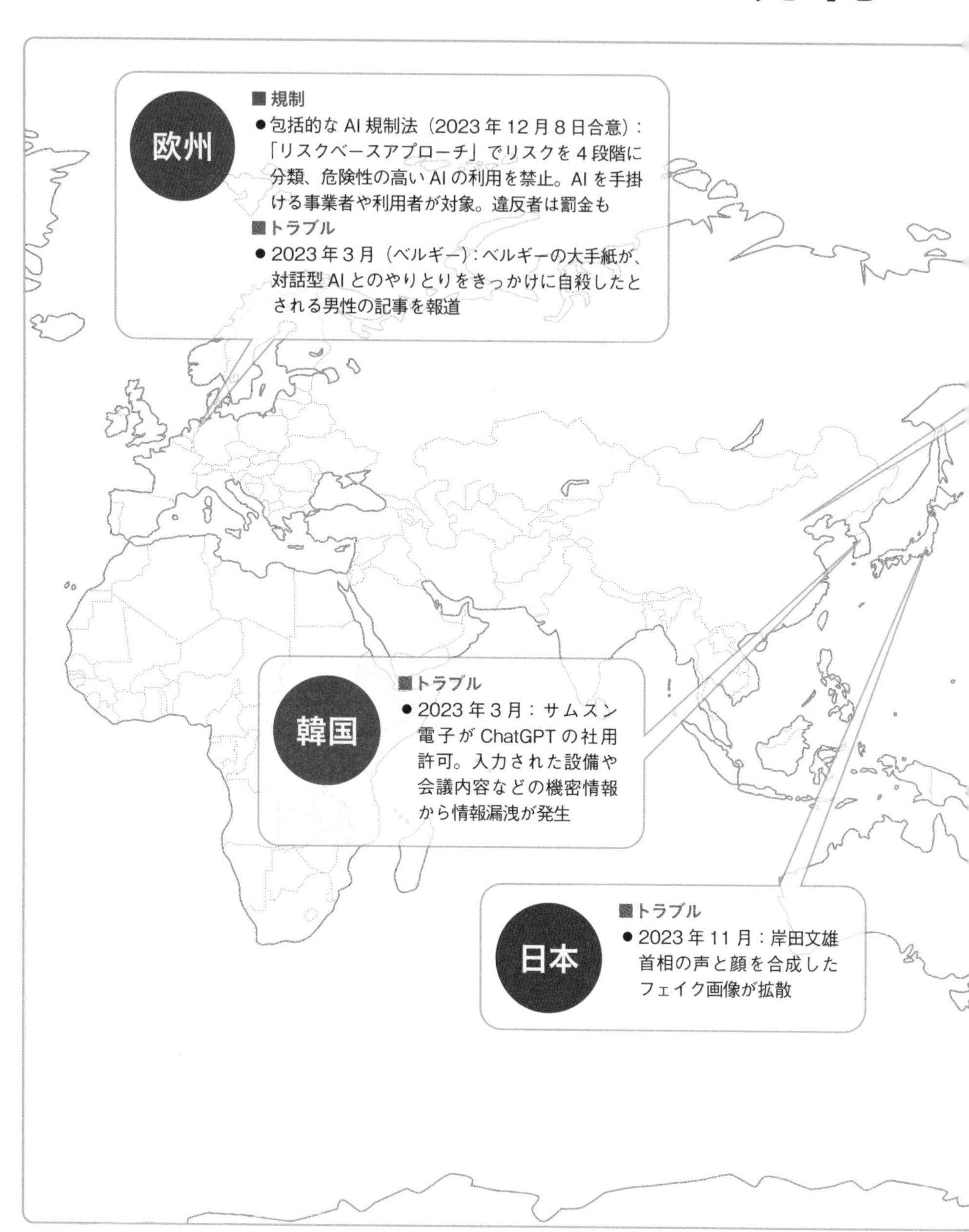

欧州
■規制
●包括的な AI 規制法（2023 年 12 月 8 日合意）：「リスクベースアプローチ」でリスクを 4 段階に分類、危険性の高い AI の利用を禁止。AI を手掛ける事業者や利用者が対象。違反者は罰金も
■トラブル
● 2023 年 3 月（ベルギー）：ベルギーの大手紙が、対話型 AI とのやりとりをきっかけに自殺したとされる男性の記事を報道
韓国
■トラブル
● 2023 年 3 月：サムスン電子が ChatGPT の社用許可。入力された設備や会議内容などの機密情報から情報漏洩が発生
日本
■トラブル
● 2023 年 11 月：岸田文雄首相の声と顔を合成したフェイク画像が拡散

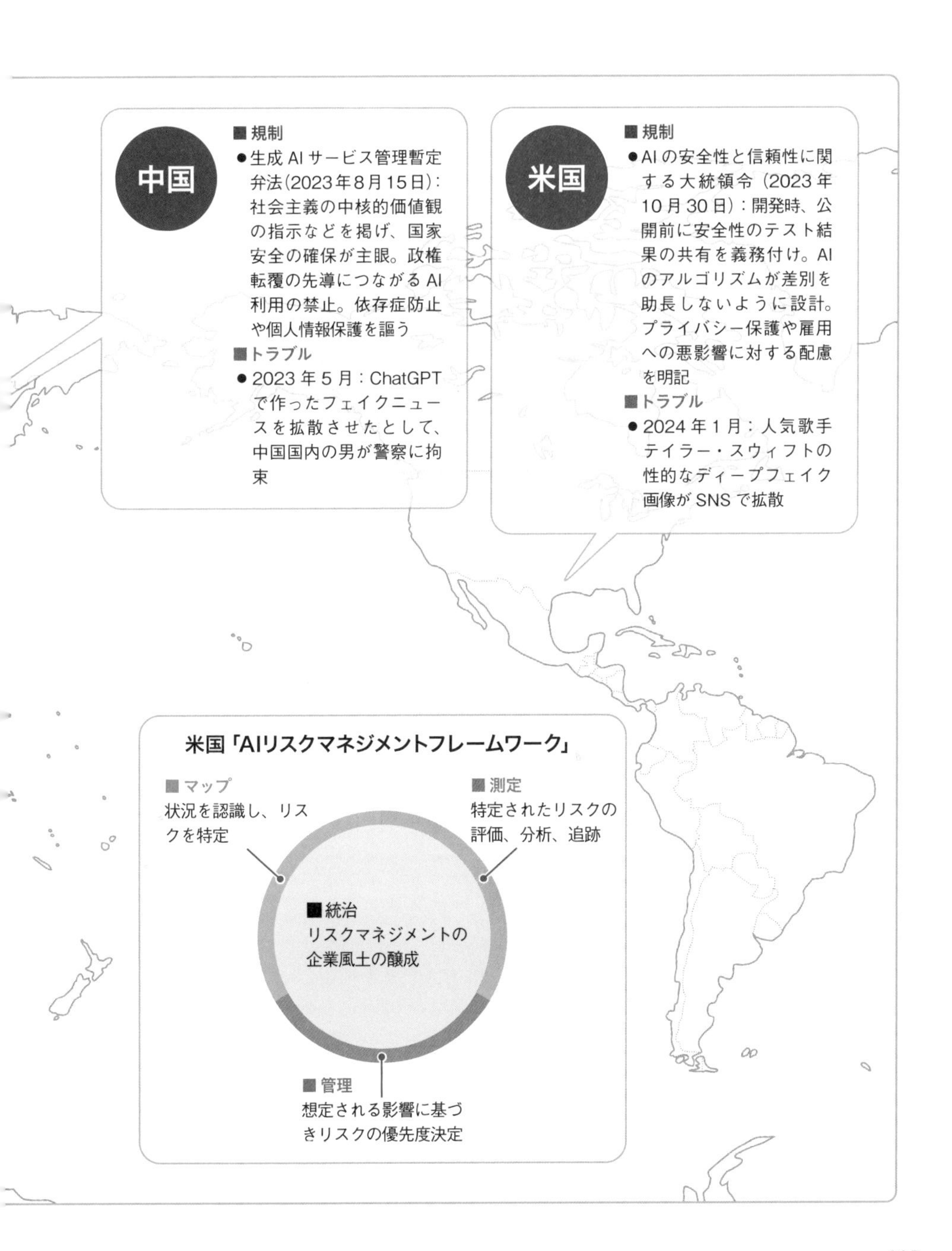
中国
■規制
●生成 AI サービス管理暫定弁法(2023年8月15日)：社会主義の中核的価値観の指示などを掲げ、国家安全の確保が主眼。政権転覆の先導につながる AI 利用の禁止。依存症防止や個人情報保護を謳う
■トラブル
●2023 年 5 月：ChatGPT で作ったフェイクニュースを拡散させたとして、中国国内の男が警察に拘束
米国
■規制
●AI の安全性と信頼性に関する大統領令（2023 年 10 月 30 日）：開発時、公開前に安全性のテスト結果の共有を義務付け。AI のアルゴリズムが差別を助長しないように設計。プライバシー保護や雇用への悪影響に対する配慮を明記
■トラブル
●2024 年 1 月：人気歌手テイラー・スウィフトの性的なディープフェイク画像が SNS で拡散
米国「AIリスクマネジメントフレームワーク」
■マップ
状況を認識し、リスクを特定
■測定
特定されたリスクの評価、分析、追跡
■統治
リスクマネジメントの企業風土の醸成
■管理
想定される影響に基づきリスクの優先度決定

生成AIには、どのような リスクがありますか

著作権侵害や誤情報の流布といったリスクがあります

生成 AI を使うには、開発者側にも利用者側にもリスクがあります。開発者側のリスクは、まず AI の学習データにおける著作権やプライバシーの侵害です。また、差別的な文章が生成される恐れもあります。利用者側のリスクは、出力されたテキストに誤情報が含まれるケースがあることです。「ハルシネーション（幻覚）」により、一見正しそうな誤答が混入する可能性もあります。また、生成 AI の悪用も今後一段と問題になっていくでしょう。生成 AI には、例えば殺傷兵器の製造方法など、倫理観にもとる内容は通常出力できない制限が設けられています。しかし、「ジェイルブレイク（脱獄）」と呼ばれる特殊加工をプロンプトに施せば、こうしたテキストも生成できてしまいます。

また、深層学習に基づくディープフェイクは深刻な社会不安を呼び起こし、実害も出ています。例えば一国の大統領になりすまし、あたかも本人がしゃべっているかのような映像さえ作れます。人の声をそっくりに真似できるため、振り込め詐欺や誘拐を装った事件での悪用も懸念されます。悪用を防ぐ措置が喫緊の課題です。

Key word

ハルシネーションとジェイルブレイク

ハルシネーションとは、「幻覚」を表す英語で、AI が事実と異なる情報を生成する現象である。まことしやかな虚報を、テキスト生成 AI などが「雄弁に」出力すれば、ユーザーはその虚実の判別さえ難しい。ハルシネーションは、学習に使ったデータと異なる誤答をする「イントリンシック・ハルシネーション」と、学習に使っていないはずの情報を出力する「エクストリンシック・ハルシネーション」の２つに大別される。一方、ジェイルブレイクとは生成 AI に特殊な文言のプロンプトを打ち込むなど細工を施すことにより、掛けられていた制限が解かれることを指す。

生成AIの主なリスク
開発者側にも、利用者側にも責任が伴う

主なディープフェイク関連技術
非常に深刻な社会不安を呼び起こす可能性がある

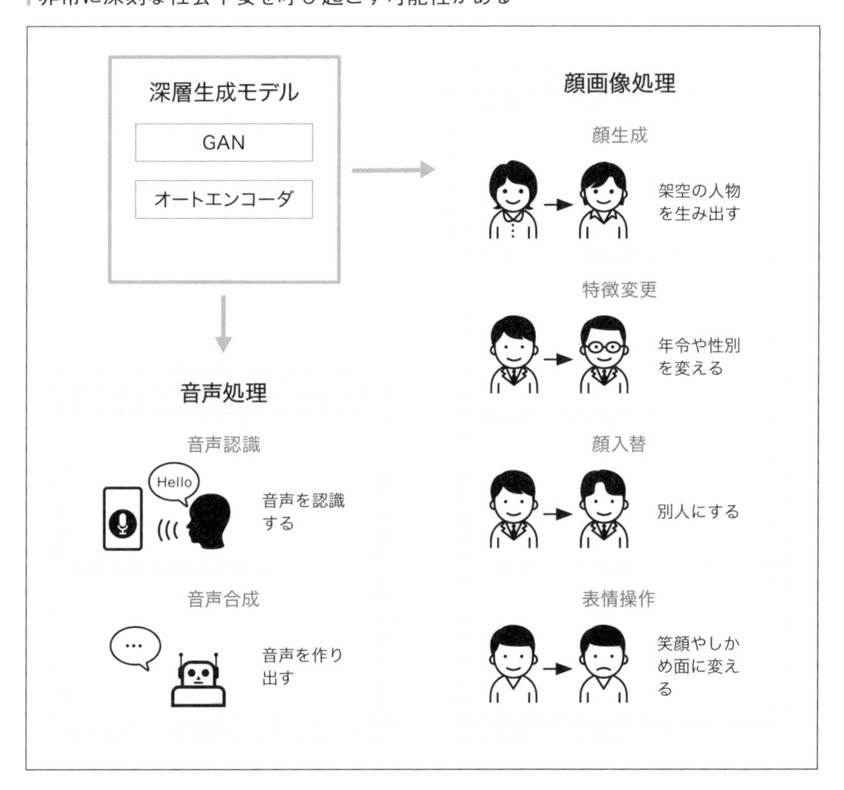

生成AIの普及に伴い、トラブルは増えていますか

米国を中心に著作権侵害を訴える声が高まっています

生成AIの普及とともにトラブルが目立ってきており、生成AIの使用禁止に踏み切る動きも出てきました。ニューヨークでは、ChatGPTを使って高精度の答案や課題レポートを出してくる生徒が続出したため、公立の小中学校でChatGPTの利用が一時禁止されました。一方、データ保全ルールを定めた「GDPR（EU一般データ保護規則）」など厳格な情報管理で知られるEUも、ChatGPTをはじめとする生成AIに厳しい視線を注いでいました。イタリアではChatGPTの使用を全面禁止する措置を取り、ドイツやフランスの政府も当初、OpenAIに対して不信感を抱きました。また中国も、社会主義体制の堅持に支障をきたすといった観点から、ChatGPTの利用を制限しています。生成AIを巡る訴訟も米国を中心に増えています。

生成AIの学習データに使われるメディア側の対応も割れています。AP通信がOpenAIに対して記事の一部使用を許可する一方で、ニューヨークタイムズはサービスの利用規約を変更し、無許可、無断で機械学習に記事や写真を使うことを原則禁止しました。

Key word

GDPR

GDPRとは、2018年5月に施行された、個人データの保護や取り扱いについて詳細に規定した「EU一般データ保護規則」である。EU域内の各国に適用されるGDPRは、「自然人の基本的な権利の保護」の観点から、個人情報の扱いを規定している。GDPRのルールでは、「本人が自身の個人データの削除をデータ管理者に要求可能」「自身の個人データを容易に取得でき、別サービスに再利用可能（データポータビリティ）」「監視、暗号化、匿名化などのセキュリティ要件の明確化」を求めている。GDPRに従わなかった場合、厳しい制裁金が課せられることになる。

ChatGPT利用禁止をめぐる各国の主な事例
一部の国では、生成AIの使用禁止に踏み切っている

対象国・地域	時期など	開発元
米国・ニューヨーク州	2023年1月	生徒の学習への悪影響と、コンテンツの安全性・正確性への懸念から、公立の小中学校にある端末からChatGPTへのアクセスを遮断。5月に撤回
中国	2023年2月	中国政府が国内企業に使用停止を指示。国営テレビは「ChatGPTは極端な言説や虚偽情報をまき散らすリスクがある」と報道
イタリア	2023年3月	個人情報流出の懸念などから使用を全面禁止。4月に禁止解除

生成AIをめぐる訴訟
メディアは、企業によって対応が分かれる

原告	被告	主な訴因
The New York Times	OpenAI/マイクロソフト	著作権侵害
作家	OpenAI/マイクロソフト	
コメディアンら	OpenAI、メタ	
GettyImages	StabilityAI	
漫画家ら	StabilityAIほか	
画家ら	StabilityAI、Midjourneyほか	
ユーザーら	グーグル	
ユーザーら	マイクロソフト	プライバシー侵害
ポーランドの科学者※	OpenAI	GDPR違反
ユーザーら	GitHub/マイクロソフト/OpenAI	契約違反、カリフォルニア州消費者プライバシー法違反

※印の箇所を除いて、いずれも米国の事案。一番下の訴訟は22年、それ以外は23年に提訴

生成AIに対して、各国にはどのような規制がありますか

各国・地域で規制を強める方向で議論が加速しています

EU、米国では、AIの開発が推進しやすい投資環境などを他国に比べて整える一方で、最近では生成AIのリスクなど負の側面への対策も強化しています。2023年7月に、バイデン政権は、「安全性と信頼性に関する大統領令」を発出しました。グーグル、OpenAI、マイクロソフトなどAI関連のIT7社と、AI 開発における安全性向上のために自主的に取り組むことで合意したのです（自主規制）。各社は新サービス の公開前に想定される悪用ケースを回避するため、その対策を社内外の専門家と協議し、対応状況を公表しています。
また、米国家安全保障局（NSA）が、AIの開発と統合を監督する新組織として「AIセキュリティセンター」を創設するなど、米国はAI関連の施策を矢継ぎ早に打ち出しています。

一方、中国では、24カ条から成る生成AI管理規則が施行されました。同規則では、「国家政権転覆を扇動し、社会主義を打倒し、国家安全に危害を加える内容を生成してはならない」と明記しています。そのほか、生成されたコンテンツには「AI製」と明示するように義務付けました。

Key word

EUのAI法

EUのAI法の最大の特徴は、AIシステムをリスクの程度に応じて分類し、それぞれに適した規制を設ける「リスクベース・アプローチ」を採用している点だ。2023年、EUと、政策決定機関のEU理事会、立法機関の欧州議会の三者協議で最終的に合意した内容は一部明らかとなっており、政治や宗教、人種といったデリケートな問題の解決にAIを利用すること、職場や教育現場での感情認識AIの利用などが全面的に禁止される見込みである。高リスクに分類されたAIシステム（健康、安全、基本的権利、環境、民主主義、法の支配に重大な害を及ぼす可能性があるもの）は、明確な義務が課せられる。

AI規制をめぐる各国・地域の方針

多くの国が生成AIを規制する法案を採択している

国・団体	規制・方針
	2023 年 6 月、生成 AI を含む包括的な AI 規制の法案を採択。EU 加盟各国での議論を経て 2024 年以降に施行見込み
	2023 年 7 月、AI 関連の IT 各社とバイデン政権の間で、生成 AI の自主規制などで合意。悪用防止に向けた取り組みと対策の公表などを約束。9 月に枠組みが拡大。10 月、合意内容に準拠した大統領令を公表
	2023 年 8 月、生成 AI の管理規則を施行。24 カ条から成り、「社会主義の核心的価値観の堅持」などを定め、「国家政権転覆を扇動し、社会主義を打倒し、国家安全に危害を加える内容を生成してはならない」と明記
	AI に関しても IAEA のような国際機関の必要性を議論

EUのAI法のリスクベース・アプローチ

リスクに応じて、AIを分類している

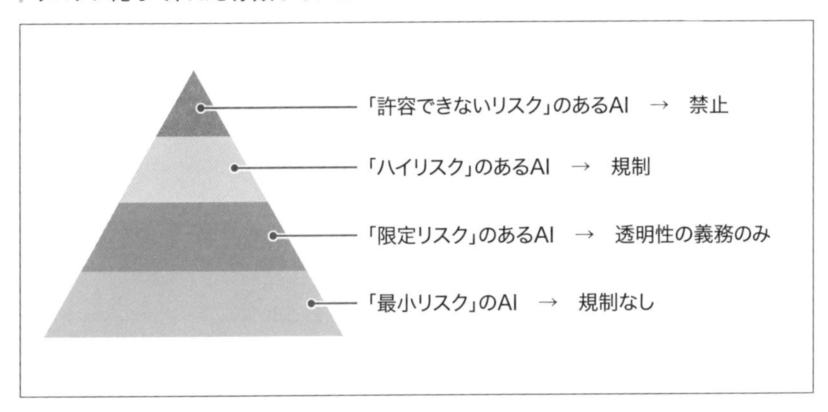

「許容できないリスク」のあるAI → 禁止
「ハイリスク」のあるAI → 規制
「限定リスク」のあるAI → 透明性の義務のみ
「最小リスク」のAI → 規制なし

AI開発の自主規制で米バイデン政権と合意した各社

自主規制によって、AI開発の安全性向上を図っている

23 年 7 月（7 社）	9 月（8 社）	未定
アマゾン Anthropic グーグル InflectionAI メタ マイクロソフト OpenAI	アドビ Cohere（カナダ） IBM NVIDIA Palantir Technologies セールスフォース Scale AI StabilityAI	アップル GitHub Midjourney xAI

日本国内の生成AIの規制はどうなっていますか

規制は緩いものの、今後は強化へ向かうと見られます

日本は、世界的に「AI関連の規制が緩い国」と見なされています。日本政府は現状、「著作権法第30条の4」を踏まえて、「AI開発のような情報解析等において、著作物に表現された思想又は感情の享受を目的としない利用行為は、原則として著作権者の許諾なく利用することが可能」という見解を示しているからです。そのため日本では、生成AIに学習させることは適法であるという認識が一般的であり、一部では「学習天国」「機械学習パラダイス」と揶揄される向きさえあります。

コンテンツの提供側は、こうした「使い放題」の現状に対して疑義を呈しています。JASRACは声明を公表し、クリエイターが安心して創作に専念できるサイクルと環境整備の必要性を説いています。また日本新聞協会や日本雑誌協会など4団体が連名で、「生成AIに関する共同声明」を発表し、「生成AIと著作権の保護に関する検討が不十分な現状を大いに危惧している」とし、関係当局との意見交換を求めています。政府は、2023年5月に「AI戦略会議」を設け、AIに関して当面の取り組むべき課題、論点を整理しています。

Key word

AI戦略会議

AI戦略会議とは、AI全般にわたる国家戦略を検討・立案する会議体。設立の目的は、生成AIの台頭を背景に、AIの活用推進と規制・ルール形成の両面から整備を図ることである。東京大学大学院の松尾豊教授が座長を務め、経営者や大学教授、弁護士ら有識者のほか、関係省庁のメンバーも参加する。「AIに関する暫定的な論点整理」が示され、主に「リスクへの対応」「AIの利用」「AIの開発力」が当面の重要テーマと位置付けられた。「生成AIの登場は、内燃機関の発明・IT革命と同じく、幅広く生活の質を向上させる「歴史の画期」となる可能性」と期待を示す一方、課題も山積すると指摘している。

生成AIと日本の著作権法の関係をめぐる政府の整理
一定の条件下で、生成AIに学習させることは適法である

基本的な考え方

・では、著作権者の権利・利益の保護と著作物の円滑な利用のバランスが重要

現状の整理

AI開発・学習段階	生成・利用段階
・著作物を学習用データとして収集・複製し、学習用データセットを作成 ・データセットを学習に利用して、AI（学習済みモデル）を開発 ■AI 開発のような情報解析等において、著作権に表現された思想又は感情の教授を目的としない利用行為は、原則として著作権者の許諾なく利用することが可能	・AI を利用して画像等を作成 ・生成した画像等をアップロードして、公表、生成した画像等の複製物（イラスト集など）を販売 ■AI を利用して生成した画像等をアップロードして公表する場合の著作権侵害の判断は、原則、通常の著作権侵害と同様

出典：文化庁「AI と著作権の関係等について」より抜粋、一部加工

生成AIの規制やルール整備を求める動き
「使い放題」の現状に対して疑義を呈している

団体	時期	概要
日本芸能従事者協会	2023 年 5 月	AI の台頭で芸術・芸能の担い手が失職し得るとして、権利擁護の法整備などを要求
日本俳優連合	2023 年 6 月	学習には著作者が許可を与えたもののみを使用可能とし、著作権法 30 条 4 の運用の見直すよう訴え。「声の肖像権」の新設も提言
日本音楽著作権協会	2023 年 7 月	「生成 AI と著作権の問題に関する基本的な考え方」を発表。人間の創造性の尊重や、フリーライドへの懸念、国際的な枠組み作りの重要性を強調
日本雑誌協会 **日本写真著作権協会** **日本書籍出版協会** **日本新聞協会**	2023 年 8 月	4 団体連名で、「生成 AI に関する共同声明」を発表、「生成ＡＩと著作権の保護に関する検討が不十分と指摘。現状を憂慮し、関係当局との意見交換を要求

責任あるAI、人間中心のAIとは何ですか

人間社会のルールを守り、ユーザーや社会に貢献するAIです

2023年に日本で開かれた、主要7カ国首脳会議（G7）のデジタル相会合では、「責任あるAI」という概念が共同声明に盛り込まれました。これは、「人間の倫理観やルールから逸脱せず、社会に貢献する」AIです。また、責任あるAIを包含する理念として、「人間中心のAI」も注目されています。これは「公平性」「説明責任」「透明性」という「FAT」を尊重する考え方です。FATはAI開発の基本理念として定着し、マイクロソフトではかつてこれに倫理を付け加えた「FATE」を理念に据えていました。

欧州を中心に「ELSI（倫理的・法的・社会的課題）」も重んじられています。FATが責任あるAIの必要条件であるのに対し、ELSIはAIが負う責任の背景的な論点と言えるかもしれません。そしてFATやELSIをめぐる議論では、出力結果やプロセスが人間に理解しやすい方法で表現される透明性の高い「説明可能なAI」と、倫理的かつ安全、公正な「信頼できるAI」というキーワードが登場します。これらの概念に基づいて、各国政府や国際機関はAIの各種原則を掲げています。

Key word

責任あるAIと人間中心のAIの関係

責任あるAIと人間中心のAIは多くの共通点を有する。前者は、倫理や透明性、公平性などを、後者は人間の価値と権利の尊重、ユーザーとの協働を掲げ、両方とも倫理、透明性、公平性、プライバシー保護などを重視する。責任あるAIは、これらの原則をAIシステムの設計、開発、実装の各段階に組み込むことに焦点を当てている。一方、人間中心のAIは、これらを実現するために、人間側のニーズ、価値観、能力をAIシステムの中心に置く。すなわち、責任あるAIは「どのようにAIを開発・運用するか」、人間中心のAIは「AIがどのように人間と相互作用するか」を主眼に置いている。

各国・地域、国際間におけるAIの原則や指針

実践レベルでの法規制を実施する国も多い

出典:『研究開発の俯瞰報告書 システム・情報科学技術分野(国立研究開発法人科学技術振興機構 研究開発戦略センター、2023年)』をもとに作成

人間中心のAI社会原則

FATは現在、AI開発の基本理念である

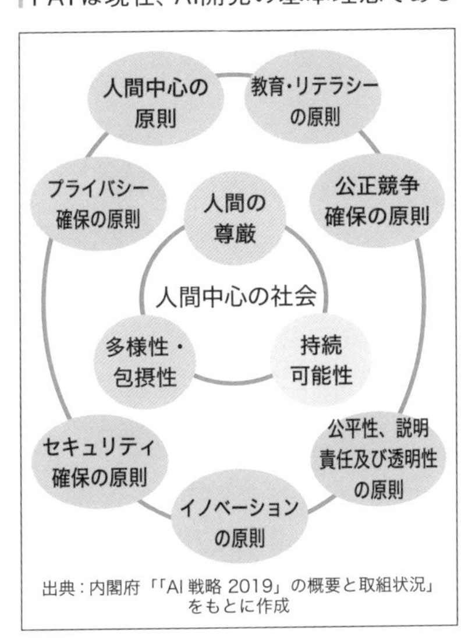

出典:内閣府「『AI戦略2019』の概要と取組状況」をもとに作成

AIの在り方をめぐる相関図

責任あるAI、人間中心のAIは包括的な概念

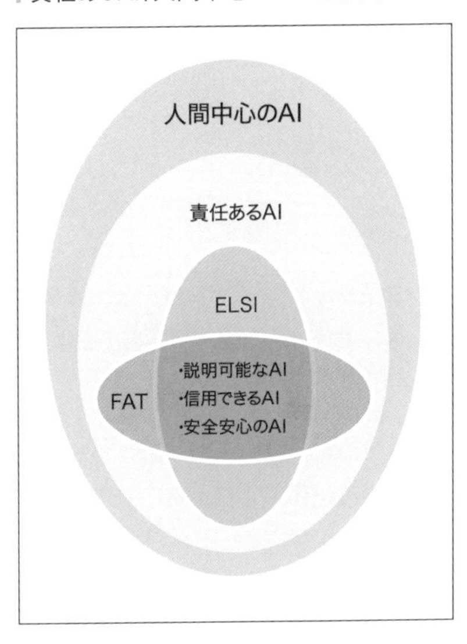

説明可能なAIとは何ですか

AIの挙動を人間が理解できるレベルで説明する研究です

説明可能なAI（XAI）とは、AIの挙動を人間が理解できるレベルで説き明かし、信頼性を担保する技術や研究です。米国の国防高等研究計画局（DARPA）がAIの説明可能性について研究し始めた2017年ごろから、AIの重点分野になりました。その潮流は日本にも及び、2025年度までにXAIの実現を目指しています。

生成AIの登場によって、XAIの重要性と実現の難しさはあらためて浮き彫りになりました。現状の生成AIでは、深層学習を通じて回答するため、ブラックボックスの解明は以前に増して難しくなっています。XAIの考え方に基づけば、AIが生成する文章には、その根拠となる出典の明示が求められます。画像を生成すれば、それが第三者の権利を侵害していないかを確かめる必要があるでしょう。現在、XAIを実現する主なアプローチは、出力となる予測結果を踏まえたシンプルなモデルの説明から発展的に解釈する「LIME」や、結果について「なぜそのように予測したか」を解析する「SHAP」などです。XAIが有効に機能すれば、AIの信頼性を高めることができます。

Key word

ブラックボックス問題

ブラックボックス問題とは、深層学習を用いた入出力において、なぜその結果に至ったかが不明確で納得性に欠けることである。多数の隠れ層や大量のパラメータを持つ深層学習モデルの内部構造やプロセスが極めて複雑なことに起因し、その決定や予測がどのような理由やメカニズム、アルゴリズムに基づいて行われているかを理解し難くなる。具体的には、入力データのどの特徴量が重要だったか、どのような内部表現が構築されたかを解釈することはしばしば難しい。これは、医療診断や金融取引など、高度な信頼性と透明性が要求される分野においてより重大な課題である。

主な説明可能なAIの研究事例

説明可能なAIは、多くの研究機関で研究されている

プロジェクト名	研究主体	テーマ	国
Explainable AI（XAI）	DARPA	説明可能モデルとインターフェース、説明の心理学	米国
AI Next Campaign	DARPA	AIの探査、AI詐称行為と頑強性	米国
Fairness In Artificial Intelligence	NSF、Amazon	AIの公平性	米国
Project ExplAIn; Explaining decisions made with AI	Information Commissioner's Office（ICO）、アラン・チューリング研究所	AIの「説明」の基本、方法、意義	英国

XAIの仕組み

説明可能なAIを実現するハードルは高い

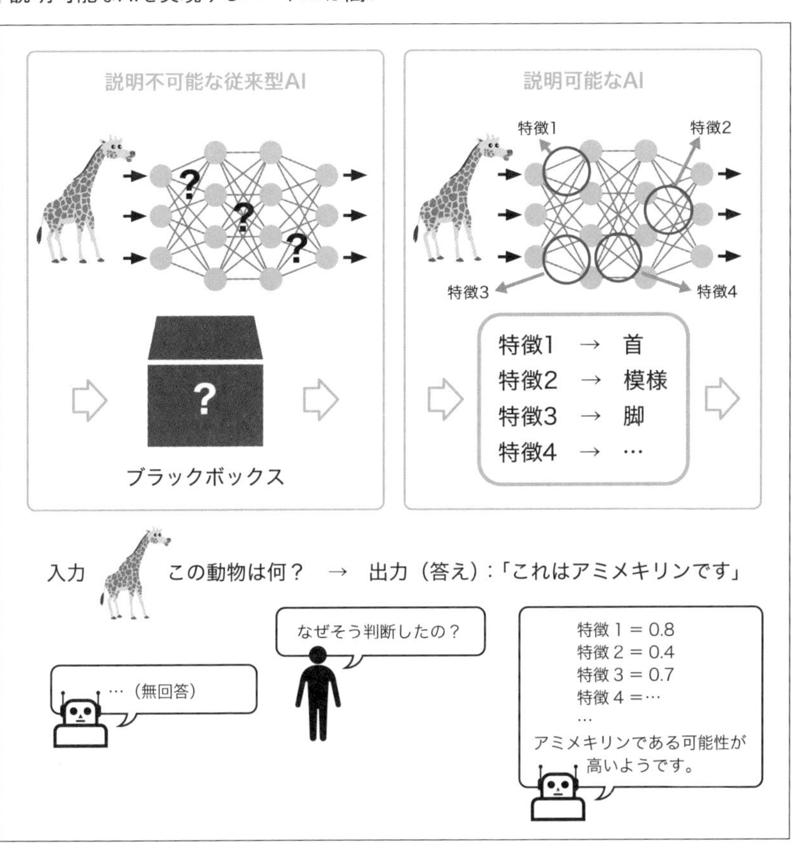

汎用人工知能とは、どのような概念ですか

特定の目的に限らず、幅広い用途に対応するAIです

AIは、「人間と同じように幅広い課題を処理できるか」という基準でも分類できます。AIはチェスや囲碁の人間の世界チャンピオンに勝つなど、相当程度の知能を備えていることがわかってきました。しかし、それは「ある専門分野」など限定付きです。そうした「特化型AI」に対し、様々な用途に対応できるAIは、「汎用人工知能」(AGI) と呼ばれています。

生成AIは「汎用性」が極めて高いものの、いまだにAGIと呼ぶのは難しいとされています。ただし、昨今のAI技術の急速な進展を踏まえると、AGIの実現が近いという見方も出てきています。一方、特化型AIの延長線上には、「マルチモーダル化＝複数の異なるモードを統合して情報を処理するシステム」があります。AIのマルチモーダル化によりテキストや画像、音声など異なる数種類のデータを一様に扱うことが可能です。生成AIを開発する企業は現在、マルチモーダル化に向けてしのぎを削っています。マルチモーダル化のさらなる進展の先には、AGIが待っているかもしれません。

Key word

強いAIと弱いAI

強いAIと弱いAIにおける「強い／弱い」の基準は、「人間と同じような意識や知性を備えているか」であり、「汎用／特化型」の基準とは微妙に異なる。この強いAI・弱いAIの考え方は、米カリフォルニア大学バークレー校教授だった哲学者ジョン・サールが1980年ごろに考案したとされる。現状、汎用AIを「強いAI」、特化型AIを「弱いAI」と同一視する風潮が広がっている。実際、世の中にあるAIは押しなべて特化型AIであり、弱いAIである。マルチモーダル化が進む生成AIはその中間に位置付けられると言ってよいだろう。

性能や設計に基づく人工知能の類別

「人間と同じように幅広い課題を処理できるか」という基準によって分類

	汎用 AI　特化 AI			強い AI　弱い AI	
基準	人間と同じように幅広い課題を処理できるか			人間と同じように意識や知性を持っているか	
類別	汎用 AI	マルチモーダル AI	特化 AI	強い AI	弱い AI
定義的	特定領域に限らず、人間同様に多種多様な課題を、自律的に解決できる	右記の特化 AI のうち、複数の領域を一元的にこなす	限られた領域の課題に特化して自動的に学習し、処理できる	人間同様に意識や知識を備え、全認知能力が求められる作業もこなせる	人間の知性の一部のみを代替し、限られた知的作業を担う

いまだ実現せず	生成 AI	テキスト、画像、音声など個々のタスク 音声認識 画像認識 ゲーム
＝将来的な AI ⇒さらに先には " 人工超知能 "	＝現状の AI	

Ⅶ章 生成AIの未来

Ⅶ-01　シンギュラリティは本当に、到来するのでしょうか

Ⅶ-02　生成AIは将来的に、人の仕事を奪うのですか

Ⅶ-03　AI関連のキーパーソンを教えてください

ほか、6項目

生成AIの次世代ワード

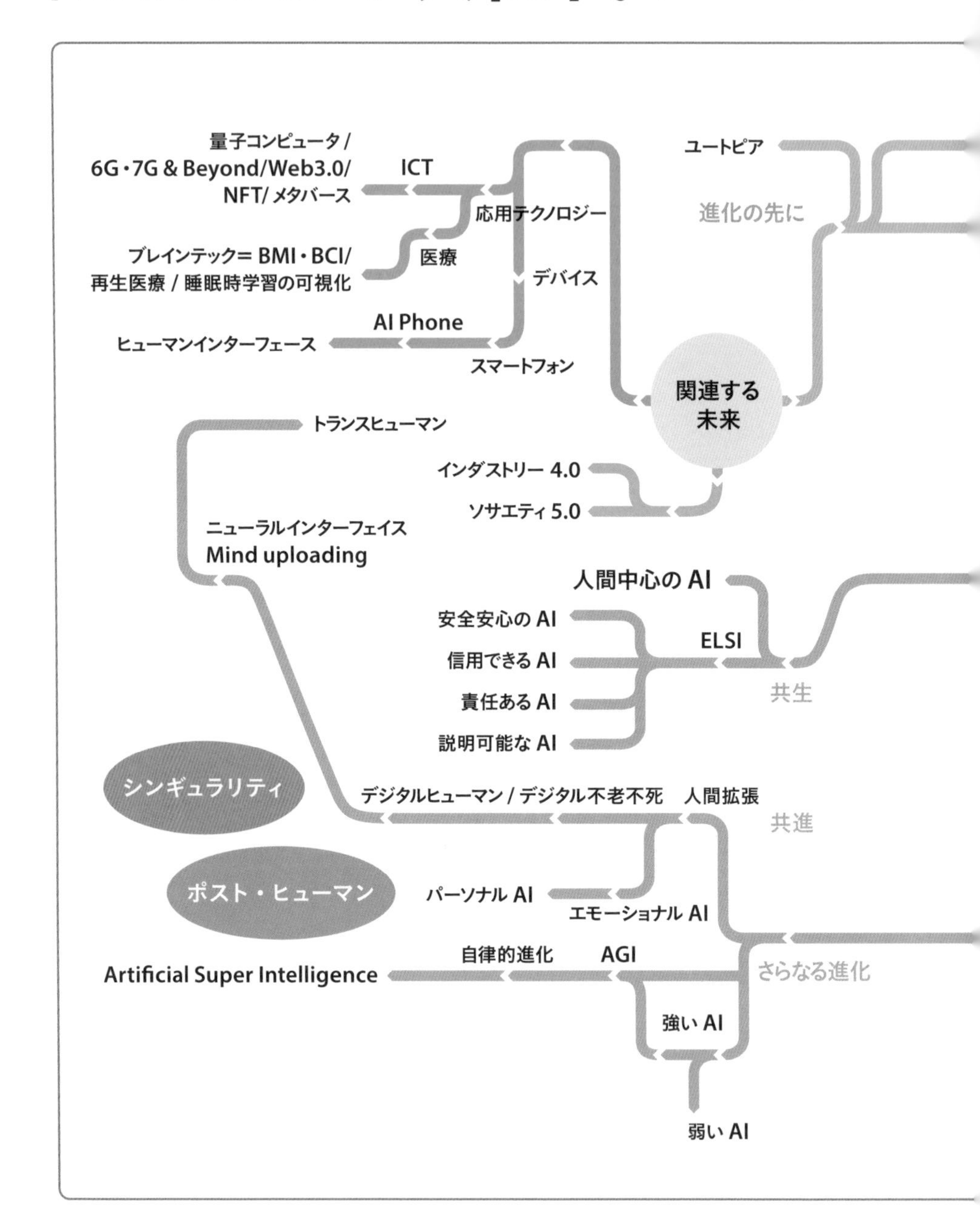
量子コンピュータ /
6G・7G & Beyond/Web3.0/
NFT/ メタバース
ICT
応用テクノロジー
ブレインテック= BMI・BCI/
再生医療 / 睡眠時学習の可視化
医療
デバイス
AI Phone
ヒューマンインターフェース
スマートフォン
ユートピア
進化の先に
関連する
未来
トランスヒューマン
インダストリー 4.0
ソサエティ 5.0
ニューラルインターフェイス
Mind uploading
人間中心の AI
安全安心の AI
ELSI
信用できる AI
共生
責任ある AI
説明可能な AI
シンギュラリティ
デジタルヒューマン / デジタル不老不死
人間拡張
共進
ポスト・ヒューマン
パーソナル AI
エモーショナル AI
自律的進化
AGI
Artificial Super Intelligence
さらなる進化
強い AI
弱い AI

関連図

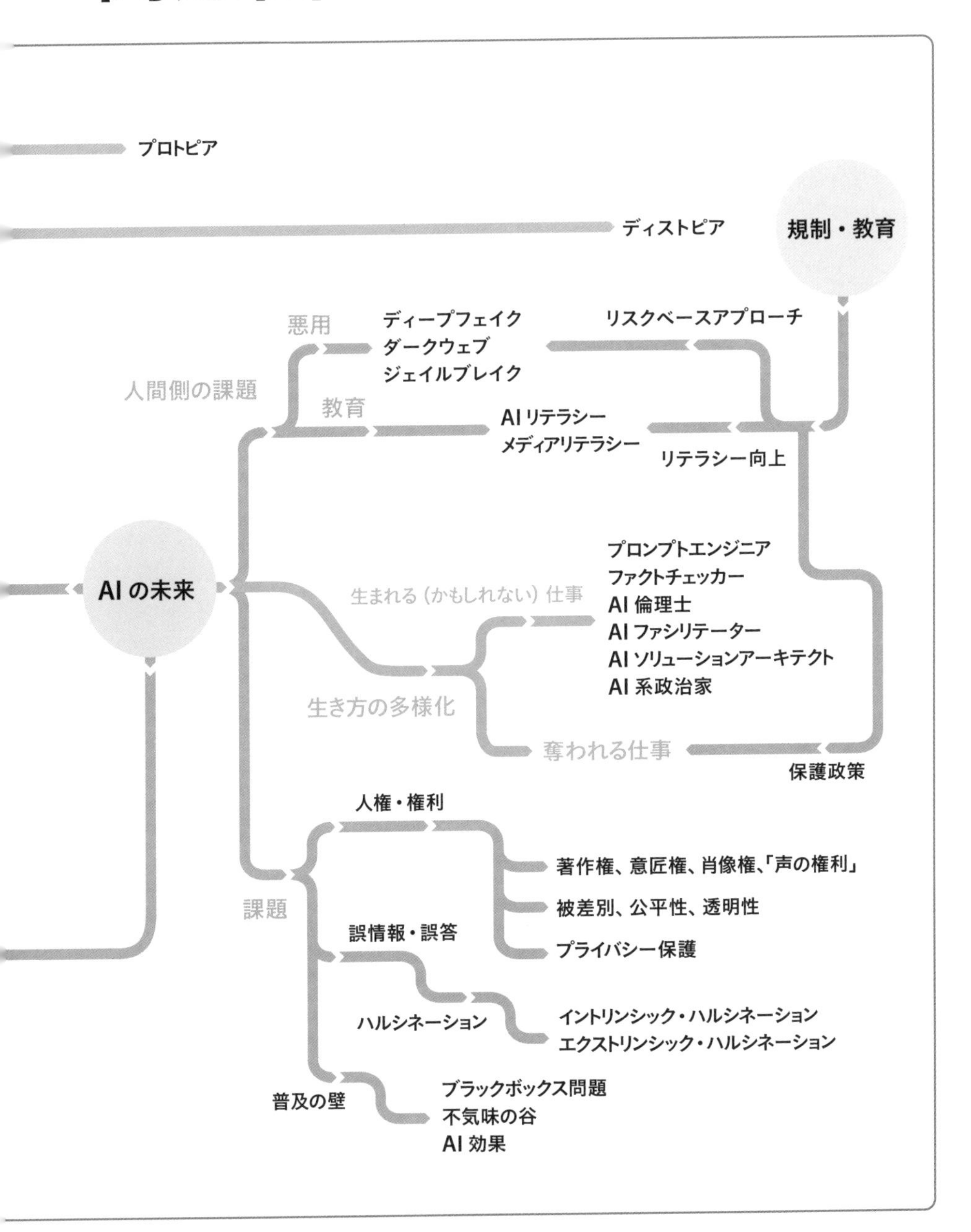
プロトピア
ディストピア
規制・教育
悪用
ディープフェイク
ダークウェブ
ジェイルブレイク
リスクベースアプローチ
人間側の課題
教育
AI リテラシー
メディアリテラシー
リテラシー向上
プロンプトエンジニア
ファクトチェッカー
AI 倫理士
AI ファシリテーター
AI ソリューションアーキテクト
AI 系政治家
AI の未来
生まれる（かもしれない）仕事
生き方の多様化
奪われる仕事
保護政策
人権・権利
著作権、意匠権、肖像権、「声の権利」
被差別、公平性、透明性
プライバシー保護
課題
誤情報・誤答
ハルシネーション
イントリンシック・ハルシネーション
エクストリンシック・ハルシネーション
普及の壁
ブラックボックス問題
不気味の谷
AI 効果

シンギュラリティは本当に、到来するのでしょうか

肯定派は少なくない一方、否定的な意見も根強いです

ヴァーナー・ヴィンジが提唱したシンギュラリティとは、「コンピュータが人間の知能、人智を超え、激烈な変化が訪れる臨界点」を表す概念です。「技術的特異点」と訳されるシンギュラリティが注目されたきっかけは、レイ・カーツワイルが『The Singularity Is Near』において、「2045年ごろに到来する」と予測したことでした。

これに対しては賛否両論があり、否定論者は同氏の主張が「ムーアの法則」に基づくことなどから、その予測を疑問視しています。一方、生成AIの台頭は肯定論者の追い風となっています。実際、ChatGPTはすでに特定分野で人間を凌駕しつつあります。これは、調査会社ガートナーによる先端技術の普及予測「ハイプ・サイクル」でも指摘されています。同サイクルは、技術の普及過程を「黎明期」「幻滅期」「啓発期」など5段階に分けていますが、AIはすでに「啓発期」に入っています。なお、カーツワイルが「AIと脳科学の融合により、2029年までにコンピュータは人間並の知性を備える」と発言したように、シンギュラリティの到来は、さらに早まるかもしれません。

Key word

AI効果（AI Effect）

AI効果とは、最先端のAIテクノロジーなどが喧伝され、一般社会で広く普及し、普通に使われるようになるにつれて、次第にAIと呼ばれなくなる現象である。例えば、「障害物を避ける」「同じ場所を通らない」といったアルゴリズムによって掃除ロボットが自動的に掃除する作業は、かつてAIの一種と見られていた。しかし、掃除ロボットの普及に伴い、単なる自動化と捉えられるようになった。AI効果は、あるテクノロジーが「AI」という言葉から「人がイメージする期待=理想」に達すると、人はその理想をさらに上げてしまうためだと言われている。

シンギュラリティをめぐる動き
人間の知能を超えるコンピュータは、AGIと呼ばれる

年	出来事
1993 年	ヴァーナー・ヴィンジ、論文「テクノロジカル・シンギュラリティ」発表
2005 年	レイ・カーツワイル、自著の『The Singularity Is Near』にて 2045 年ごろのシンギュラリティ到来を予見
2017 年	カーツワイル、2029 年までに人間並みの知性を備えたコンピュータの登場を予見、シンギュラリティ到来の前倒しを示唆
2023 年	AGI（汎用人工知能）の 10 年以内の実現に高まる期待（孫正義ソフトバンクグループ会長兼社長など）

ガートナーのハイプ・サイクルにおけるAI普及の展望
啓発期を迎えたテクノロジーは安定成長が見込まれる

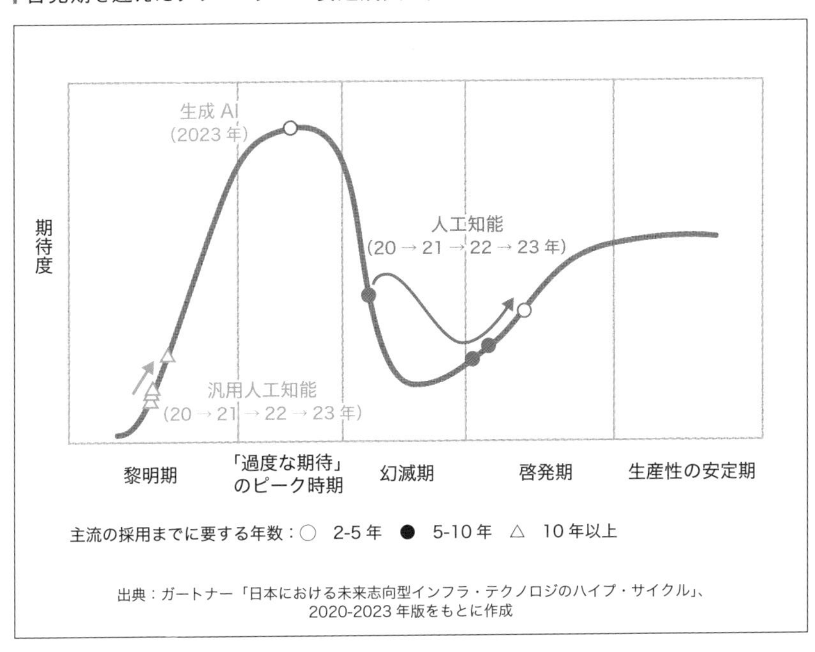

出典：ガートナー「日本における未来志向型インフラ・テクノロジのハイプ・サイクル」、2020-2023 年版をもとに作成

生成AIは将来的に、人間の仕事を奪うのですか

既に一部奪っていますが、新たな仕事も生み出します

AIの賢さは警戒心も引き起こしています。「AIが人の仕事を奪う」という文脈で引き合いに出されるのは、マイケル・オズボーンらによる論文「雇用の未来」です。同論文は「今後10～20年で現在ある職業の47%がAIに代替される」と予測して世界に衝撃を与えました。代替可能性の高いのは、「店舗スタッフ」「工場の組立工」「気象予報士」「申請書類記入代行業」といった仕事です。一方、医療や介護といったコミュニケーションが重視される職業は、代替可能性が低いとされました。

現在の生成AIのブームは、さらなる脅威論を呼び起こしつつあります。ゴールドマン・サックスが発表した、AIがもたらす経済成長への影響に関するレポートによれば、生成AIが本領を発揮すると、全産業平均では25%、すなわち4人に1人がAI自動化の煽りを受けます。特に「オフィス・管理業務」は46%、「法務」は44%の業務に何らかの形で自動化される一方で、「パーソナルケア・サービス」は同19%と全産業平均を下回りました。なお、AIに対する典型的な負の感情に「不気味の谷」があります。

Key word

不気味の谷

AI、とりわけAIを搭載したロボットは、本来、機械的で無機質なものであるにもかかわらず、人間に似ていくにつれて、その「人間との疑似性」を不気味に感じてしまうことがあるとされている。そうしたAIに対する好悪の感情と類似の度合いの相関を図示すると、当初は好感度が上昇するものの、類似度が一定以上のレベルに上がると、一転して「不気味さ」を覚えるように感情が変化する。こうした人の感情変化は、その推移を表した曲線の軌跡の形状からから「不気味の谷」と呼ばれる。ただし、最終的に人間と見まがうほど再現性が高まると、好感度や親しみは最大値に振れるとされている。

「コンピュータに代替される可能性」と職業の関係

対人コミュニケーションが重要な職種ほど代替されにくい

代替性が高い職業

職業	代替可能性（%）
税務申告書類作成者	99
口座開設担当者	99
銀行窓口係	98
レジ係	97
不動産仲介業者	97
タクシードライバー	89
検針員	85

代替性が低い職業

職業	代替可能性（%）
看護師	1
リハビリカウンセラー	1
獣医	4
作家	4
救命救急士	5
ミュージシャン、歌手	7
保育士	8

出典：オックスフォード大学「雇用の未来―コンピュータ化によって仕事は失われるのか」（2013年）をもとに筆者作成

「不気味の谷」の概念図

似ていると不気味だが、ほぼ同じだと好意を抱く

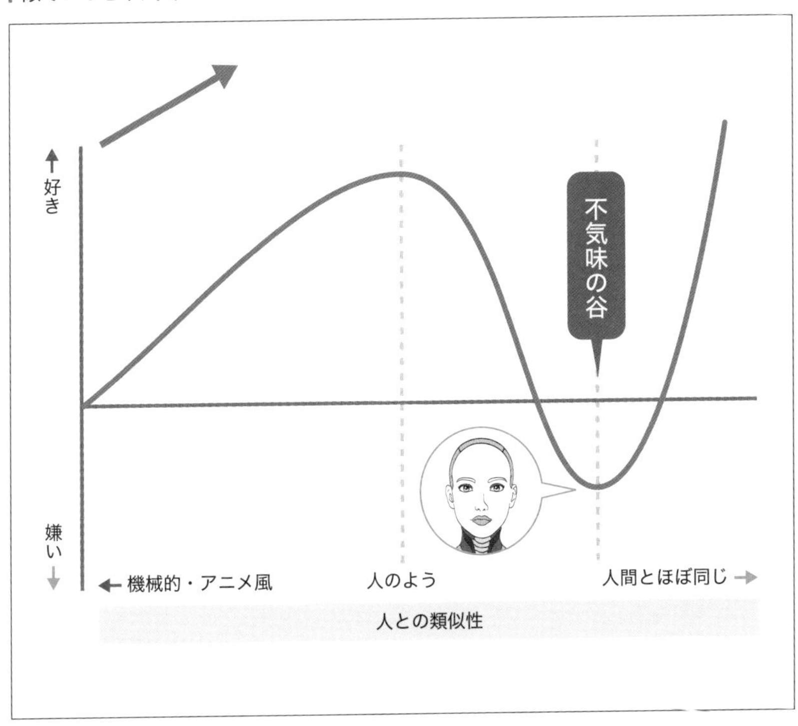

AI関連のキーパーソンを教えてもらえますか

サム・アルトマン、イーロン・マスク、デミス・ハサビスらです

生成AIの分野において、最も注目されているのはOpenAIのサム・アルトマンCEOです。毎年「世界で最も影響力のある100人」を発表している『TIME』は2023年、AI分野での100人も選びました。アルトマンはその筆頭にあげられています。OpenAIでは、2023年11月にアルトマンの解任劇が起こりましたが、社員らの声を受けて、復帰に至りました。復帰後のOpenAIは「AGI（汎用AI）が全人類に利益をもたらす」というミッションに向けて、攻勢を強めています。

TIME誌の100人リストにはほかにも、Google DeepMindのデミス・ハサビスCEOや米国のAIベンチャーであるInflection AIのムスタファ・スレイマンCEO、NVIDIAの創業者、ジェンスン・フアンといった面々が名を連ねています。同リストにおいて注意すべき人物の1人が、xAIの創設者として紹介されたイーロン・マスクです。マスクはそもそも、OpenAIの共同創設者の1人でしたが、経営方針の違いを理由に袂を分かち、訴訟も起こしています。マスクが繰り出す離れ業は今後、ChatGPTやGeminiの脅威となるかもしれません。

Key word

OpenAIの内紛

2023年11月に突如として巻き起こったOpenAIのサム・アルトマンCEOの解任劇は、同氏が再びCEOに就く形で元の鞘に収まり、半月と経たずに幕を閉じたが、社内に相応の禍根やしこりを残した。解任劇の首謀者と目される共同創業者のイリヤ・サツキバーはかつてトロント大学のジェフリー・ヒントンのもとでAlexNetの共同開発に尽力し、その後グーグルにおいてAIの研究開発を支えた人物。OpenAIの共同創業者であるイーロン・マスクもまた方向性の違いから袂を分かった経緯があるなど、同社の経営の先行きはやや波乱含みだ。

「TIME 100 AI」に選ばれたAI分野をリードするキーパーソン
彼らの動向に、世界中が関心を寄せている

生成AI分野の最重要人物
GAFAMのほかにも、注目すべき人物は少なくない

名前	イラスト	肩書など
サム・アルトマン		OpenAI 共同創業者 CEO
ビル・ゲイツ		マイクロソフト創業者、投資家
オードリー・タン		台湾デジタル発展大臣
ジャック・マー		アリババグループ創業者、元会長
イーロン・マスク		xAI 創業者、テスラ・スペース X CEO

今後、どのようなAIが登場すると考えられていますか

次に注目されているキーワードは、AIの民主化と個人化です

最新のデジタル技術が一同に会する世界最大の見本市「CES」において、よく耳にしたキーワードが、誰もがAIを使えるようになることを意味する「AIの民主化」です。AIが民主化すると、使われるほどにAIが個々のユーザーの好みや性格を「理解」して、「適応」するようになります。すなわち、「パーソナルAI」が次のステップとして普及していくと見込まれています。パーソナルAIの筆頭と目されるのが、米国AI関連ベンチャーであるInflection AIが提供する「Pi(パイ)」です。「個人の知恵（Personal Intelligence)」を意味するPiは、個々人に適した回答や助言をしてくれるAIとして期待されています。

もう1つの大きなトレンドが、スマートフォンからAIフォンへの移行です。既存のスマートフォンにもAIは搭載されていますが、AIフォンではAI機能の特徴、特性がより前面に押し出されます。すなわち、AIフォンは、普段の行動や検索履歴に基づいて、次に取るべき行動を促したり、関連情報を提供したりします。ユーザーの思考さえ肩代わりするAIフォンを、人はますます手放せなくなるでしょう。

Key word

AIの民主化

AIの民主化とは、従来、特定の大企業や研究機関に利用が限られていたAIの技術に、より多くの人々や組織が容易にアクセスできるようにすること。民主化という言葉は、それまで一部の人たちだけが享受していたものを、大衆も使えるようにする、といったニュアンスを帯びる。AIの民主化は、透明性を高める「オープンソース化」に加えて、低価格化と使い勝手の向上といった取り組みを通じて実現される。AIの知識が乏しくとも、容易にAIを利用し、カスタマイズできるようになれば、多種多様な産業の様々なレイヤーで技術革新が促され、結果的に社会全体の発展につながると期待される。

スマートフォンとAIフォンの違い
AI機能の特徴、特性がより強化されている

特徴	スマートフォン	AI フォン
定義	通話やテキストの送受信のほか、撮影や録音、アラートやタスク管理など高度な機能を備えた携帯電話。ネットとつながり、さまざまなアプリが充実	スマートフォンが備える特徴に加えて、AI の技術を統合的に搭載した高機能型の携帯電話
主な機能	音声・ビデオ通話、タッチスクリーン、インターネット、アプリの実行、カメラ、GPS、Bluetooth、Wi-Fi 接続など	スマホの主要機能を兼ね備えつつ、音声認識、言語翻訳、画像認識、予測テキスト入力、効率的な電力消費、ユーザのスケジュールや健康の管理など、より高度化した各種 AI 機能
オペレーティングシステム	iOS（アップル）、Android（グーグル）など	AI 機能を強化した iOS、Android など。AI 特化の機能やアルゴリズムを追加・統合
進化	基本的な通信機能から日常生活に不可欠なツールへ。プロセッサ、ディスプレイ、ソフトウェアの進化	スマホの技術に基づき、ユーザの習慣や好みを学習し、よりパーソナライズされた効率的なユーザ体験を提供するべく進化

Piの画面
Piとは、「個人の知恵（Personal Intelligence）」の意味である

出典：Inflection AI Web サイト

自律型AIが実現するのは、ユートピアですか

どちらの道へ進むかは、私たちの行動や判断次第です

生成AIの台頭以来、AIの発展が行き着く先はユートピアかディストピアかといった二元論をよく耳にします。ディストピアという言葉が使われる分野の1つに、「未来学」という学問領域があります。未来学は、未来に起こり得ることを、過去や現在のトレンドから見極め、さらに備えることを目的とします。未来学における重要な考え方の1つに、「今、そしてこれからの行動次第で未来は変わる」という思想があります。そこで重要になるのが、「未来にこうあってほしいといった理想像から、そうなるために今、これからどう行動すべきかと逆算する考え方=バックキャスティング」です。

自律型AIによってユートピアを実現するには、AIそれ自体の善し悪しを論じるより、人間とAIが共生して互いに良い影響を及ぼし合う未来を前提とし、その実現にはどうすればよいか、AIにはどのような役割を担ってほしいか、を考えるという思考が求められるでしょう。なお、未来学にはユートピアでもディストピアでもない、「今より少しでも良い世界、未来へ」という「プロトピア」の概念も登場しています。

Key word

未来学

未来学とは、将来の出来事やトレンド、シナリオといった可能性を探求、分析し、より良い未来の社会を目指す学際的な学問。単に未来を予測することにとどまらず、複数の未来の在りようを探り、それらが現在に与える影響を理解することも目的とする。未来学は、AIや宇宙、再生医療といった最先端の科学技術のほか、社会、政治、経済、環境の多岐にわたる領域を包含し、長期的な視点から未来のビジョンを描く領域を扱う。望ましい実現を目指すと同時に、不幸な未来を避ける方策を考え、実践する。政策立案、ビジネス戦略、教育、都市計画など、さまざまな分野で応用されている。

未来学の主要なメソドロジー
2つの考え方は、それぞれアプローチが異なる

特徴	バックキャスティング	フォアキャスティング
定義	望ましい未来の状態を定義し、その状態に到達するために、未来から逆算して計画や行動を決定するアプローチ	過去や現在のトレンドやデータを分析し、将来がどうなるかを予測するアプローチ
プロセス	1. 望ましい未来の状態を設定する 2. その状態を実現するために必要なステップを逆算する 3. そのステップに沿って具体的な行動計画に落とし込む	1. 過去や現在のデータを分析する 2. 将来に起こりうるシナリオを予測する 3. 予測に基づいて計画や戦略を策定する
利用分野	環境政策や持続可能な開発など、長期的なビジョンが必要な分野	経済予測、ビジネス戦略、市場分析など、現状に基づく予測が重要な分野
利点	大胆なビジョンや長期的な目標を見据え、持続可能な未来を構築するための指針を提供する	現在のデータに基づくため、短期的な決定や即時の戦略策定に役立つ
課題	机上の空論や理想論に陥りがちで、実現性や未来の状態に対する予測の不確かさが高い	現在の傾向に依存するため、急激な変化や予期せぬ出来事の生起に伴い、予測や戦略の軌道修正が必要

自律型AIの実現がいざなう未来の姿
プロトピアは、未来学者のケビン・ケリーによって提唱された

シナリオ	ユートピア	ディストピア	プロトピア
特徴	すべての人が豊かで幸せに暮らせ、新たな文化や価値観が生まれる、完璧で理想的な社会。完全な調和と幸福が実現した理想的な社会	自律的なAIの制御が難しくなり、人間が奴隷として生き、人間の意思が奪われる、抑圧的で不幸な社会。予期せぬ問題が多発	完璧ではないが、いくつかの重大な問題が解決され、より豊かで幸せな生活を送れる社会。現実に根差した社会の発展
社会の状況	経済格差の縮小、創造的な活動の拡大、人々が享受する自由と充実感の増幅。AIが人間の生活を大幅に向上させ、病気の治療や環境問題の解決、教育の質の向上が実現	失業率の増加、経済格差の拡大、プライバシーの侵害、人間性と自由の脅威、失業や経済格差の拡大などの問題が発生。AIによる人間への物理的攻撃も	AIが日常生活や仕事の効率化を支援し、持続可能な成長を目指す。継続的な改善、バランスの取れた自動化と人間の創造性の組み合わせ、倫理的なAIの開発の前進
AIの役割	疾患治療、環境問題解決、教育水準向上など、人間の能力を超える領域で活躍	雇用機会の縮小、自動化による失業、誤った意思決定、社会的偏見の助長など、制御が難しい側面が顕著に	人間の判断を補完し、様々な営みの効率化を支援。人間と協力しながら社会を徐々に改善。倫理的な開発に重点が置かれ、人間中心に進化

生成AIの台頭で新しく生まれる仕事はありますか

プロンプトエンジニアやファクトチェッカーなどです

生成AIの普及に伴う新たな職業の代表格は、「プロンプトエンジニア」です。また、AIによって生成された出力の真偽をチェックする「ファクトチェック」の仕事も増えると見込まれます。AI製の作品を見破る技術やサービスも急増しています。例えば、IT事業者のユーザーローカルが2024年1月に発表した生成AIチェッカーは、記事や論文を入力すると、それを書いたのが人かAIかの可能性をパーセンテージで示します。

倫理観にもとるような内容の出力も想定されます。そうした生成物をチェックする職種が将来的に求められるかもしれません。生成物をめぐっては、入力と出力の因果関係が見えにくい「ブラックボックス問題」が長年課題とされる中、説明可能なAIの需要が一層高まりそうです。さらに「AI同士が対話する」未来像も浮かんできます。NTTが検討中の「AIコンステレーション」は、法律家や政治家など専門家の知識を持つAI同士が議論し、望ましい方向性を導き出します。ただし、最終的に判断するのは人間であり、その役割の重要性も増すでしょう。

Key word

真贋の鑑定・検知技術

「生成AIチェッカー」のように、作ったのが人間かAIか見極める技術は重要性を増している。生成AIは、犯罪や戦争、選挙戦で悪用されるケースが目立ち始め、対策が急務。特に、米国大統領選をめぐってはフェイク情報の拡散に対する懸念が強まっている。真贋の鑑定技術に関しては東大発のスタートアップNABLASなどが有名で、例えば動画の人物の表情のうち、リアルは緑、フェイクは赤で予測できる。音声に関しても、2022年にフロリダ大学の研究チームがAIによる生成を99%以上の精度で検出可能と発表。ただ、生成する技術は日進月歩で高まっており、鼬ごっこの様相を呈している。

ユーザーローカルが提供する「生成AIチェッカー」
AIが作成したか、人間が作成したかを判定する

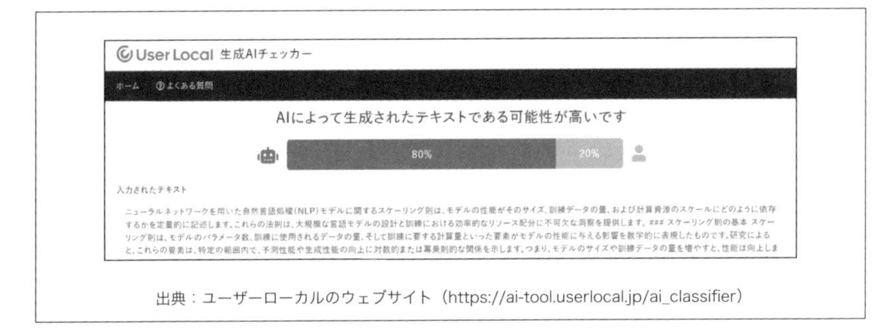

出典：ユーザーローカルのウェブサイト（https://ai-tool.userlocal.jp/ai_classifier）

NTTの「AIコンステレーション」の展示
複数のAIが連携して議論を深める

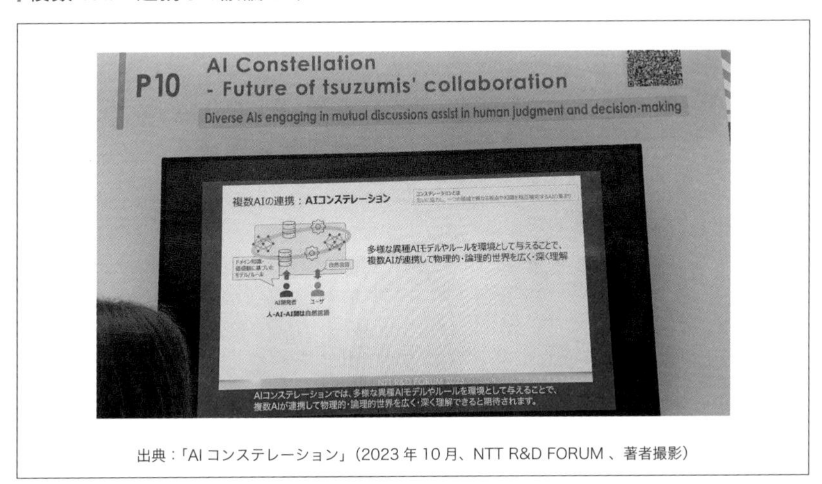

出典：「AI コンステレーション」（2023 年 10 月、NTT R&D FORUM 、著者撮影）

精巧な偽情報を見抜く技術
画像や動画が本物であるかを見分ける

AI 製を見抜く	
インテル	動画内の人物の脈動を検出して、AI 製かを判定
NABLAS	生成 AI が作った大量の画像を機械学習し、サービスごとの作画の「くせ」も見抜く
オプティック	AI 製画像の可能性を判定するツールを無償提供

印をつける	
アドビ、マイクロソフト、ニコン　など	どのカメラで撮影し、いつどのようなソフトで編集したのかなど、画像の「来歴情報」がわかる仕組み
メタ、グーグル	AI で作ったことを示すことを示す、目に見えない信号を画像に埋め込む
国立情報学研究所	顔をすり替えても元の顔に戻すための信号を埋め込む

索引

数字、A-Z

3Dモデル生成AI ……… 32
AGI → 汎用人工知能
AI ……… 46
AI21 Labs ……… 18, 20
AI管理規則 ……… 190
AIクリエイター ……… 176
AIコンステレーション ……… 214
AIセキュリティセンター ……… 190
AI戦略会議 ……… 166, 192
AIタレント ……… 160
AIの民主化 ……… 210
AI半導体 ……… 18, 36, 174
AIフォン ……… 210
AKARI Construction LLM ……… 164
AlexNet ……… 94
Amadeus Code ……… 26, 38
Anthropic ……… 20
API ……… 152
AP通信 ……… 160, 188
ARIMAモデル ……… 137
ARMAモデル ……… 137
ARモデル ……… 137
Bard ……… 20, 22
BATH ……… 18
Benesse GPT ……… 158
BERT ……… 14, 130, 132
BioNeMo ……… 156
Bloomberg GPT ……… 154
BMI ……… 24
Canva ……… 18, 24, 28
CES ……… 210
CGAN ……… 125
Chact ……… 164
ChatGPT ……… 16, 20, 30
ChatGPT Plus ……… 40
Chirp ……… 26
CNN ……… 94, 130
Code Interpreter ……… 30, 40
Code Llama ……… 30
Code Whisperer ……… 30
Codex ……… 30
Cohere ……… 20
Cohesive AI ……… 20
CoLA ……… 132
CPU ……… 36
CycleGAN ……… 125
DALLE-E ……… 24
DARPA → 国防高等研究計画局
DCGAN ……… 125
DeepL ……… 18, 34
DeepTwin ……… 156
Dendral ……… 50
DHL ……… 162
DIKWモデル ……… 103
DNN → ディープニューラルネットワーク
DQN → 深層Qネットワーク
DreamFusion ……… 32
Duet AI ……… 28
EbMT → 用例ベース機械翻訳
ELIZA ……… 50
ELIZA効果 ……… 50
ELSI ……… 194
Elucile ……… 28
EUのAI法 ……… 190
EU一般データ保護規則 ……… 188
FAANG ……… 18
FAT ……… 194
FATE ……… 194
FM → 基盤モデル
GAN ……… 62, 116, 124
GARAM ……… 18
GDPR ……… 188
Gemini ……… 16, 20
Gemini Ultra ……… 22
Gen-2 ……… 24
GitHub ……… 20, 30
GitHub Copilot ……… 30
GLUE ……… 132
Google Slides ……… 28
Google翻訳 ……… 34
Gopher ……… 129
GPT ……… 22, 130
GPT Store ……… 40

GPT-3 129
GPT-3.5 20, 22
GPT-4 20, 22
GPT-4 Turbo 20, 40
GPTs 40
GPU 36
Hugging Face 20
HyperCLOVA 129
i2t 16
i2v 24
IBM 18
Imagen 24
Imagen Video 24
Inflection AI 20, 210
Jasper AI 20
JASRAC 192
JTB 178
k-means法 86
K-ショット学習 140
Kajima ChatAI 164
k平均法 → k-means法
LaMDA 22
LAMDA 129
Lil Miquela 160
LIME 196
LINE 174
LLama2 30
LLM → 大規模言語モデル
LoGoチャット 166
LSTM 126
Magic Slides 28
Make-A-Video 24
Make-A-Video3D 32
MARC → 機械可読目録
MATANA 18
MAV3D 32
MAモデル 137
MI 170
Microsoft365 Copilot 28
Midjourney 16, 24
mign 164
ML 58
MLM 132
MNISt 89
MoCo → モメンタムコントラスト
MusicLM 26
Mycin 50
n-gram 127
NABLAS 214
NEC 38, 174
NeRF 32
NMT → ニューラル機械翻訳
Notion 20
NSA 190
NSP 132
NTT 38, 156, 214
NVIDIA 18, 24, 36, 156, 174
OPAC 82
Open Interpreter 30
OpenAI 20, 22, 24, 30, 154, 160, 208
OTA 178
PaLM 22, 129
PCA → 主成分分析
Pepper 158
Perplexity AI 20
Q学習 74
Q値 74
RAG 164
RbMT → ルールベース機械翻訳
ReLU関数 90
ResNet 94
RN 96, 130
Rodin 32
Runway 24
s2t 26
SARIMAモデル 137
SHAP 196
Shape-E 32
Sizigi 25
SKテレコム 174
SLM → 小規模言語モデル
Sora 24
Soundraw 26
SST-2 132
StabilityAI 18, 24, 27, 31
Stable Audio 27
Stable Code 31
Stable Diffusion 16, 24
StackGAN 125
StyleGAN 125

SUBARU ····· 169
Switch Transformer ····· 129
t2i ····· 24
t2s ····· 26
t2t ····· 16
t2V ····· 16
tanh関数 ····· 91
Text to Image ····· 24
The Singularity Is Near ····· 204
TIME ····· 208
Tokenizer ····· 100
tome ····· 28
TOYOTA RESEARCH INSTITUTE ····· 168
Transformer ····· 14, 22, 126, 130, 132
tsuzumi ····· 38, 156
VAE ····· 116, 122
VAEベクトル ····· 122
VALL-E ····· 26
VAR ····· 136
Voicebox ····· 26
VoiceLab ····· 26
Watson ····· 52, 84, 170
Web検索 ····· 82
xAI ····· 20
XAI → 説明可能なAI
Zeeting ····· 28

あ行

燈 ····· 164
アップル ····· 18
アテンション機能 ····· 130
アドビ ····· 18, 19
アノテーション ····· 66
アバター ····· 32
アマゾン ····· 18, 20, 30
アムパー・ミュージック ····· 26
アリババ ····· 18
アルゴリズム ····· 58
アルファ碁 ····· 74
安全性と信頼性に関する大統領令 ····· 190
伊藤園 ····· 160
意味解析 ····· 82
イリヤ・サツキバー ····· 208
イレブンラボ ····· 26
イーロン・マスク ····· 208
因子分析 ····· 104
インテル ····· 174
イントリンシック・ハルシネーション ····· 186
ヴァーナー・ヴィンジ ····· 204
ウォルマート ····· 172
エージェント ····· 74
エキスパートシステム ····· 50
エクストリンシック・ハルシネーション ····· 186
エクスペディア ····· 178
エッジ ····· 48
エポック数 ····· 98
エンコーダ ····· 118
エンコーダ・デコーダネットワーク ····· 118
エンコード ····· 120
オートエンコーダ ····· 120
オードリー・タン ····· 209
オープンドア ····· 178
重み ····· 60, 98
重み共有 ····· 142
音楽生成AI ····· 26
音声生成AI ····· 26
音声認識 ····· 80
オンデバイスAI ····· 174
オンライン・トラベル・エージェント → OTA

か行

回帰 ····· 66
回帰分析 ····· 58
回帰変数 ····· 92
階層的クラスタリング ····· 86
過学習 ····· 88, 98, 128, 144
拡散モデル ····· 24, 117
学習モデル ····· 60
学習率 ····· 98
確率モデル ····· 126
確率変数 ····· 116
隠れ状態 ····· 96
鹿島建設 ····· 164
画像検出 ····· 118
画像生成AI ····· 16, 24
画像生成モデル ····· 126
画像認識 ····· 80
画像分類モデル ····· 126
活性化関数 ····· 90
ガードナー ····· 204

カーネル …… 94
ガウス分布 …… 122
カオスマップ …… 39
カカクコム …… 172
カスタムトークン化 …… 100
感情分析 …… 106
キーオンロボティクス …… 172
機械可読目録 …… 82
機械学習 …… 52, 58
機械翻訳 …… 34, 82, 126
機械翻訳モデル …… 118, 126
季節手法 …… 96
技術特異点 …… 204
擬似的なラベル …… 70
基盤モデル …… 14
逆強化学習 …… 76
九州工業大学 …… 172
強化学習 …… 74
共訓練 …… 70
教育にまつわる生成AIのガイドライン …… 158
教師あり学習 …… 66, 80
教師なし学習 …… 68
教師モデル …… 142
極性辞書 …… 108
寄与率 …… 105
グーグル …… 18, 22, 26, 28, 30, 32, 34
句読点トークン化 …… 100
クラスタリング …… 68, 86
クラスタ分析 → クラスタリング
グリッドサーチ …… 99
グロッキング …… 144
訓練データ …… 88
経済産業省 …… 166
計算量 …… 128
形態素解析 …… 82
決定木 …… 58
言語モデル …… 82, 117, 126
言語全集 …… 84
検証データ …… 88
勾配消失問題 …… 90
構造化 …… 110
構造化データ …… 110
構文解析 …… 82
国際機械翻訳協会 …… 35
国防高等研究計画局 …… 196
誤差逆伝播法 …… 62
悟道 …… 129
コード生成AI …… 30
コードレビュー …… 30
コーパス …… 82, 84
コモンクール …… 138
固有値 …… 105
雇用の未来 …… 206
ゴールドマン・サックス …… 206
コントラスト学習 …… 72

さ行

再帰型ニューラルネットワーク → RNN
最大プーリング …… 94
ざっくりポン …… 160
サポートベクターマシン …… 58
サミット …… 172
サム・アルトマン …… 208
サンダー・ピチャイ …… 20
サントリー食品インターナショナル …… 170
ジェイルブレイク …… 186
ジェネレータ …… 124
ジェフリー・ヒントン …… 208
ジェンスン・フアン …… 208
識別モデル …… 14, 116
識別器 → ディスクリミネータ
シグモイド関数 …… 90
時系列データ …… 96, 136
次元削減 …… 68, 78, 104
自己回帰モデル …… 116, 136
自己教師あり学習 …… 14, 72
自己訓練 …… 70
自己符号化器 → オートエンコーダ
自己予測タスク …… 72
自己予測学習 …… 72
事前学習済モデル …… 126, 132, 138
自然言語 …… 82
自然言語処理 …… 82
自動計算 …… 46
自治体DX …… 166
次文予測 …… 132
自律AI型 …… 212
シャープ …… 169
ジャック・マー …… 209
重回帰 …… 92

主成分得点 …… 104
主成分分析 …… 58, 68, 104
初等中等教育ガイドライン …… 158
小規模言語モデル …… 146
情報 …… 102
状況行動価値 …… 74
蒸留 …… 142
ジョン・スッカーシー …… 46
シンギュラリティ …… 204
シングルモーダルAI …… 16
神経回路網 …… 60
人工ニューロン …… 60
人工無能 …… 50
深層Qネットワーク …… 76
深層学習 …… 52, 58, 64
深層強化学習 …… 76
深層生成モデル …… 116
人物姿勢推定 …… 118
信頼できるAI …… 194
侵襲型 …… 24
推論 …… 48
スケーリング則 …… 146
スケールの法則 …… 128
ステップ関数 …… 91
スパース性 …… 142
住友化学 …… 170
スライド生成AI …… 28
正解ラベル …… 66
生成AI …… 14
生成AIチェッカー …… 214
生成モデル …… 14, 116
生成器 → ジェネレータ
生体ネットワーク …… 64
生体認証 …… 80
生徒モデル …… 142
セカンドライフ …… 32
積層オートエンコーダ …… 120
責任あるAI …… 194
説明可能なAI …… 194, 196, 214
説明変数 …… 92
セマンティックセグメンテーション …… 118
ゼロショット学習 …… 140
潜在変数 …… 122
線形回帰 …… 92
全結合層 …… 94
センチメントスコア …… 106
創発 …… 144
ソースタスク …… 76
ソフトクラスタリング …… 86
ソフトバンク …… 174
ソフトバンクロボティクス …… 158
損失関数 …… 124

た行

第1次AIブーム …… 48
第一主成分 …… 104
大規模言語モデル …… 14, 20, 64, 82, 128, 174
対訳コーパス …… 84
第五世代コンピュータプロジェクト …… 38
第3次AIブーム …… 52
第2次AIブーム …… 50
第二主成分 …… 104
第4次AIブーム …… 52
ターゲットタスク …… 76
ターゲティング広告 …… 58
竹中工務店 …… 164
多層パーセプトロン …… 62
多変量時系列モデル …… 136
ダートマス会議 …… 46
畳み込みニューラルネットワーク → CNN
畳み込み層 …… 94
単回帰 …… 92
単語トークン化 …… 101
探索 …… 48
探索木 …… 48
単層パーセプトロン …… 62
知恵 …… 102
知識 …… 102
チャイナテレコム …… 174
チャイナモバイル …… 174
チャイナユニコム …… 174
チャットボット …… 126
チューリングテスト …… 46
長・短期記憶 …… 126
著作権侵害 …… 188
著作権法 …… 192
追加学習済モデル …… 139
強いAI …… 198
帝人 …… 170

ディープニューラルネットワーク …… 62
ディープフェイク …… 186
ディープフェイクボイス …… 176
ディープマインド …… 76
ディスクリミネータ …… 124
ディストピア …… 212
敵対的生成ネットワーク → GAN
データ …… 102
データ加工 …… 102
データ収集 …… 102
データセンター …… 36
データ分析 …… 102
データのラベル付け …… 72
データマイニング …… 102
データ量 …… 128
データレイク …… 110
テキストコーパス …… 22
テキスト生成AI …… 16, 20
テキストマイニング …… 102
テキスト要約 …… 126
デコーダ …… 118
デコード …… 120
デジタル庁 …… 166
デジタル棟梁 …… 164
テストデータ …… 88
テスラ …… 18, 169
デミス・ハサビス …… 208
転移学習 …… 76, 138
電子カルテ …… 156
テンセント …… 18
トイ・プロブレム …… 48
ドイツテレコム …… 174
投資AIアシスタント …… 154
統計モデル …… 136
統計的手法 …… 126
特徴セット …… 70
特徴選択 …… 68
特徴量 …… 68, 78, 88, 116
特徴量エンジニアリング …… 78
特徴量マップ …… 78
特徴量抽出 …… 68, 78, 104, 110
特徴量表現 …… 78
トークン …… 82, 100, 118
トークン化 …… 100
特化型AI …… 198
トヨタ自動車 …… 168
トラストバンク …… 166
トラベルコ …… 178
トランスレーター …… 34

な行

にじジャーニー …… 25
日本IBM …… 170
日本マイクロソフト …… 174
日本語GPT …… 129
日本語評価極性辞書 …… 108
日本通運 …… 162
日本電信電話 → NTT
ニール・スティーブンスン …… 32
ニューヨークタイムズ …… 160, 188
ニューヨーク市教育当局 …… 158
ニューラルネットワーク …… 58, 60
ニューラル機械翻訳 …… 34
ニューロン …… 60
ニューロンの発火 …… 90
ニューロン網 …… 46
人間中心のAI …… 194
ネガポジ判定 …… 108
ネットフリックス …… 18
ノーコード …… 40
ノード …… 48

は行

バイアス …… 60, 98
バイオメトリクス → 生体認証
配膳ロボット …… 172
バイドゥ …… 18
ハイパーパラメータ …… 88, 98
ハイパーパラメータチューニング …… 98
ハイプ・サイクル …… 204
バーコード …… 80
パーセプトロン …… 62
パーソナルAI …… 210
パターン認識 …… 80
バックキャスティング …… 212
ハードクラスタリング …… 86
パナソニック …… 168
パラメータ …… 98, 138
パラメータ数 …… 128
パラレルコーパス …… 84

ハルシネーション …… 186
汎化 …… 144
半教師あり学習 …… 70
半構造化データ …… 110
半導体 …… 36
汎用化 …… 128
汎用人工知能 …… 198
非階層的クラスタリング …… 86
非季節手法 …… 96
非構造化データ …… 84, 110
非侵襲型 …… 24
日立製作所 …… 168
ビューティフルAI …… 28
表現学習 …… 144
ビル・ゲイツ …… 209
ファインチューニング …… 14, 120, 128, 138
ファクトチェッカー …… 214
フォアキャスティング …… 213
不気味の谷 …… 206
復号化器 → デコーダ
符号化器 → エンコーダ
富士通 …… 156, 174
物流の2024年問題 …… 162
フューショット学習 …… 140
ブラックボックス問題 …… 196, 214
フランク・ローゼンブラット …… 62
不良品検知 …… 58
プーリング …… 94
ブルームバーグ …… 154
プルーリング …… 142
ブレインテック …… 24
フロップス …… 36
プロトタイピング …… 168
プロトピア …… 212
プロンプト …… 134
プロンプトエンジニア …… 214
プロンプトエンジニアリング …… 134
プロンプトエンジニアリングガイド …… 134
文脈ベクトル …… 118
文脈解析 …… 82
分類 …… 66, 86
分類器 …… 70
ベア・ロボティクス …… 172
平均プーリング …… 94
米国国家安全保障局 …… 190
ベイズ最適化 …… 99
ベクトル自己回帰モデル …… 136
ベネッセ …… 158
弁護士ドットコム …… 180
変分オートエンコーダ → VAE
本田技研工業 …… 168

ま行

前処理 …… 110
マイクロソフト …… 18, 26, 28, 34
マイケル・オズボーン …… 206
マスキング言語モデル …… 72
マスク言語モデル …… 132
マテリアルズ・インフォマティクス …… 170
マービン・ミンスキー …… 46, 62
マルチモーダル …… 16
マルチモーダルAI …… 16, 198
三井化学 …… 170
三菱倉庫 …… 162
三菱電機 …… 168
宮城県 …… 166
未来学 …… 212
ムーアの法則 …… 204
ムスタファ・スレイマン …… 208
メタ …… 18, 24, 26
メタ学習 …… 140
メタバース …… 32
メタラーニング …… 140
メルセデスベンツ …… 169
目的変数 …… 92
文字トークン化 …… 101
文字認識 …… 80
モーダル …… 16
モデル圧縮 …… 142
モメンタムコントラスト …… 72
文部科学省 …… 158

や行

ヤン・ルカン …… 89
融資稟議書 …… 154
ユートピア …… 212
用例ベース機械翻訳 …… 34
横須賀市 …… 166
弱いAI …… 198

ら行

楽天グループ …… 174
楽天証券 …… 154
ラベル付きデータ …… 66
ラベルなしデータ …… 70
ランダムサーチ …… 99
理化学研究所 …… 156
リーガルオンテクノロジーズ …… 180
リーガルテック …… 180
リスクベース・アプローチ …… 190
領域分類 …… 118
量子化 …… 142
累積寄与率 …… 105
ルビス …… 28
ループ構造 …… 96
ルールベース機械翻訳 …… 34
レイ・カーツワイル …… 204
ローコード …… 40
ロジスティック回帰 …… 92, 93
ロボットアドバイザー …… 154

わ行

ワードクラウド …… 108
ワンショット学習 …… 140

■企画・編集　イノウ　http://www.iknow.ne.jp/
■ブックデザイン　河南 祐介（FANTAGRAPH）
■イラストレーション　うてのての
■DTP・図版作成　西嶋 正

ITの仕事に就いたら「最低限」知っておきたい生成AIの常識

2024年　4月　5日　初版第1刷発行

著　者　南 龍太
発行人　片柳 秀夫
発行所　ソシム株式会社
https://www.socym.co.jp/
〒101-0064 東京都千代田区神田猿楽町 1-5-15　猿楽町SSビル
TEL　03-5217-2400（代表）
FAX　03-5217-2420
印刷　中央精版印刷株式会社

定価はカバーに表示してあります。
落丁・乱丁は弊社編集部までお送りください。送料弊社負担にてお取り替えいたします。
ISBN978-4-8026-1456-6